*L'homme qui murmurait
à l'oreille des chevaux*

Nicholas Evans

L'homme qui murmurait à l'oreille des chevaux

ROMAN

Traduit de l'anglais par
Valérie Malfoy

FRANCE LOISIRS
123, boulevard de Grenelle, Paris

Édition du Club France Loisirs, Paris,
réalisée avec l'autorisation des Éditions Albin Michel.

Édition originale anglaise : THE HORSE WHISPERER
© Nicholas Evans 1995

© Éditions Albin Michel, S.A., pour la traduction française
ISBN 2-7441-0133-8

À Jennifer

Ne recherche pas les complications extérieures,
Ne séjourne pas dans le vide du dedans;
Sois serein dans l'unité des choses,
Et la dualité s'effacera de soi.

La Confiance au cœur,
Seng-t'san (?-606)

Première partie

1

L<small>A *mort est au début comme elle est à la fin.*</small> Était-ce l'ombre de
ce souci qui l'avait visitée en songe pour l'éveiller en
cette matinée si inattendue ? Grace ne le saurait jamais. Mais
ce qu'elle comprit en ouvrant les yeux, c'est que le monde
avait imperceptiblement changé.

D'après les chiffres lumineux de sa pendulette, elle s'était
réveillée une demi-heure trop tôt. Elle resta donc allongée, la
tête sur l'oreiller, à tâcher de cerner la nature de cette modifi-
cation. Il faisait sombre, mais pas autant que d'habitude. Au
mur, elle distinguait sans peine l'éclat assourdi de ses trophées d'équitation qui trônaient sur les étagères en désordre,
sous les portraits encore flous de ses anciennes idoles du rock.
Elle prêta l'oreille. Le silence aussi était différent – un silence
attentif, comme lorsque l'on prend son souffle avant de parler. Bientôt, la chaudière ronflerait au sous-sol et la charpente
de la vieille ferme reprendrait sa rituelle litanie de craquements. Elle se glissa hors des draps et gagna la fenêtre.

Il avait neigé, pour la première fois de l'hiver. Et d'après la
clôture de la mare, la couche atteignait presque un pied
d'épaisseur. Faute de vent, les flocons s'étaient abattus uniformément, s'accumulant de façon grotesque sur les branches
des six petits cerisiers que son père avait plantés l'an passé.
Par-dessus les bois, une étoile solitaire brillait dans le bleu
profond d'un coin de ciel. En baissant les yeux, elle remarqua

une dentelle de givre au bas de la vitre. Son doigt en s'y posant fit fondre une marque ronde. Alors elle frissonna, non de froid mais de ravissement à l'idée que ce monde transfiguré était pour l'instant tout à elle. Puis, tournant les talons, elle se hâta de s'habiller.

Grace Maclean était arrivée la veille au soir de New York avec son père. Elle avait toujours aimé cette balade – deux heures et demie d'autoroute, bien au chaud dans la longue Mercedes, à écouter ses cassettes et à discuter avec papa de l'école ou des nouveaux dossiers dont il s'occupait. Elle aimait l'écouter parler tandis qu'il conduisait, l'avoir rien qu'à elle, le sentir se détendre peu à peu dans sa tenue étudiée pour le week-end. Comme d'habitude, sa mère avait été retenue par un dîner en ville, une obligation ou autre chose, et elle les rejoindrait à Hudson par le train du matin, ce qu'elle préférait d'ailleurs. Les bouchons du vendredi soir la rendaient toujours nerveuse et elle se défoulait en prenant la direction des opérations – sommant son mari de ralentir, d'accélérer, ou d'emprunter une déviation pour gagner du temps. Le pauvre obtempérait, non sans parfois un soupir ou un coup d'œil complice dans le rétroviseur à l'adresse de sa fille reléguée à l'arrière. Pour Grace, le couple que formaient ses parents avait toujours été un mystère ; c'était un univers complexe où les rapports de domination et d'asservissement étaient plus subtils qu'il n'y paraissait. Plutôt que de s'en mêler, elle préférait s'isoler sous son walkman.

En train, sa mère travaillerait jusqu'à Hudson, indifférente aux distractions. Grace l'avait observée de près à l'occasion d'un récent déplacement : pas une fois elle n'avait daigné admirer le paysage, sauf peut-être, vaguement, quand l'un de ses « auteurs canon » ou de ses collaborateurs survoltés la contactait sur son téléphone cellulaire.

Le palier était resté allumé. Grace se glissa en chaussettes devant la porte entrouverte de la chambre des parents et s'arrêta pour écouter le tic-tac de l'horloge au rez-de-chaussée suivi du ronflement discret et rassurant de son père.

Elle descendit l'escalier. Réverbérée par la neige, la lumière entrait dans le hall par les fenêtres sans rideaux et réchauffait les murs et le plafond bleus. Dans la cuisine, elle avala d'un trait un verre de lait et griffonna un message à côté du téléphone en mordant dans un gâteau sec. « Partie faire un tour. Retour vers dix heures. Bises. »

Reprenant un gâteau, elle se dirigea vers la porte de derrière et gagna le dégagement où l'on rangeait les manteaux et les bottes crottées. Là, elle endossa sa pelisse en mouton retourné et, sautillant gracieusement à cloche-pied, la bouche pleine, enfila ses bottes d'équitation. Puis elle remonta sa fermeture Éclair jusqu'au menton, enfila ses gants et attrapa sa bombe sur la tablette. Devait-elle téléphoner à Judith pour lui demander si elle avait toujours envie de monter, avec cette neige ? Pas la peine. Judith serait super-contente, elle aussi. Comme elle ouvrait la porte et s'exposait au froid glacial, elle entendit la chaudière vrombir au sous-sol.

Par-dessus le rebord de sa tasse, Wayne P. Tanner jeta un coup d'œil morose aux poids lourds alignés sous la neige, devant le petit restaurant. Plus encore que la neige – qu'il avait en horreur – il détestait passer pour un con. Or cela venait de lui arriver deux fois de suite en l'espace de quelques heures.

Ah, ils s'étaient bien marrés, ces enfoirés de flics ! Il les avait vus se glisser dans son sillage et lui coller au train sur plusieurs kilomètres, sachant pertinemment qu'il les avait aperçus et trop contents de lui foutre la pétoche. Puis ils lui avaient fait des appels de phares pour qu'il se range et un petit jeune à stetson s'était ramené en roulant des mécaniques pour lui demander son carnet de route.

– Alors comme ça, vous venez d'Atlanta..., avait dit le morveux, en tournant les pages.

– Ouais, chef. Et il fait sacrément plus chaud là-bas que dans ce bled, parole.

D'ordinaire, c'était le ton qui convenait avec les poulets,

respectueux mais fraternel, instaurant une forme de complicité entre chevaliers de la route. Mais le petit jeune ne daigna même pas relever les yeux.

– Vous savez que votre détecteur de radar est illégal... ?

Wayne jeta un coup d'œil à la petite boîte noire fixée au tableau de bord et hésita à faire l'innocent. À New York, ces trucs-là étaient interdits pour les plus de dix tonnes. Or il transportait trois à quatre fois cette charge. Faire l'andouille, c'était chercher les ennuis. Il répliqua par un petit sourire contrit, en pure perte car le gamin gardait toujours les yeux baissés.

– Vous ne le savez pas ?

– Ben... ma foi, si.

Le flic referma le carnet et le rendit à son propriétaire. Leurs regards se croisèrent enfin.

– Bon. L'autre, maintenant.

– Pardon ?

– L'autre carnet de bord. Le vrai.

L'estomac de Wayne se révulsa. Voilà quinze ans qu'il tenait deux livres de bord, l'un qui énonçait la vérité sur ses horaires de conduite, le kilométrage, les pauses et tutti quanti. Et l'autre, tout spécialement destiné à des situations comme celle-ci, attestant qu'il s'était strictement conformé à la législation. Et jamais en toutes ces années, alors qu'il avait subi un tas de contrôles d'un bout à l'autre du continent, *jamais* un flic ne lui avait fait ce tour de cochon. Putain, presque tous les routiers de sa connaissance tenaient un carnet bidon surnommé le « Petit Illustré ». Cette bonne blague ! Quand on est seul, sans coéquipier pour vous relayer, comment on fait pour tenir les délais ? Comment on la gagne, sa putain de vie ? Merde. Les compagnies étaient au courant, mais elles fermaient les yeux.

Il essaya de noyer le poisson, de jouer les offensés, voire de le prendre de haut, mais il savait que ce n'était pas la bonne politique. Le collègue du gamin, une baraque, sortit de la voiture de patrouille avec un petit sourire narquois, histoire de s'amuser à son tour, et lui ordonna de descendre de la cabine. Les voyant décidés à ratisser son fief, il préféra ne pas se mettre en tort et repêcha le livre de bord de dessous la couchette. Il s'avéra qu'il avait parcouru plus de mille trois cents kilomètres sans s'accorder plus d'une pause, pause qui n'avait d'ailleurs duré que quatre heures, soit la moitié du temps prescrit par la loi.

Il était bon pour une contravention d'au moins mille dollars – mille trois cents ou même plus, s'ils l'épinglaient pour le détecteur de radar. On lui sucrerait peut-être même sa licence. Les flics lui avaient remis un tas de paperasses avant de l'escorter jusqu'à ce relais routier, en lui expliquant qu'il avait intérêt à ne pas repartir avant le lendemain matin.

Après leur départ, il s'était rendu à la station-service où il avait acheté un sandwich rassis à la dinde et un pack de bières. Il avait passé la nuit dans la couchette, un coin spacieux et relativement confortable à l'arrière de la cabine. Du coup, il s'était senti mieux après avoir sifflé quelques bières, ce qui ne l'avait pourtant pas empêché de se faire de la bile une bonne partie de la nuit. À son réveil, il avait vu la neige – et découvert à cette occasion qu'il s'était encore fait gruger.

Deux jours plus tôt, sous le soleil de Géorgie, il n'avait pas pensé à vérifier qu'il avait bien ses chaînes. Et voilà qu'en regardant dans le casier, tout à l'heure... rien ! C'était le bouquet. Un abruti les avait empruntées ou barbotées. Wayne savait que l'*interstate* ne poserait pas de problème, les chasse-neige et les sableuses devaient être sur place depuis belle lurette. Mais les deux turbines géantes qu'il transportait devaient être livrées à une fabrique de pâte à papier dans un patelin nommé Chatham, et il allait être obligé de quitter l'autoroute pour s'enfoncer dans les terres – où l'attendaient sûrement des chemins tortueux, étroits et probablement encore non déblayés. Se traitant d'imbécile, Wayne avala son café et laissa sur le comptoir un billet de cinq dollars.

Sur le seuil, il s'arrêta pour allumer une cigarette et enfonça sa casquette de base-ball pour se protéger du froid.

Déjà, il pouvait entendre le grondement des semi-remorques qui reprenaient la route. Ses bottes crissèrent dans la neige tandis qu'il traversait le parking en direction de son véhicule.

Il y avait là une cinquantaine de poids lourds alignés flanc à flanc, tous des dix-huit roues comme le sien, surtout des Peterbilt, Freightliner et Kenworth. Le sien était un Kenworth Conventional noir et chrome, un « fourmilier » comme on le surnommait en raison de son long museau plongeant. Et s'il avait plus de gueule quand il était attelé à une remorque frigorifique qu'aujourd'hui, avec ces deux turbines chargées sur une plate-forme – tel qu'il lui apparaissait dans la lueur laiteuse de l'aube, c'était tout de même le plus chouette bahut du parking. Wayne resta là un moment, à l'admirer, en grillant sa cigarette. À la différence de la jeune génération – tous des branleurs – lui, il aimait que ça brille. Il s'était même donné la peine de déblayer la neige avant d'aller prendre son petit déjeuner. Mais n'empêche qu'*eux*, les petits branleurs, ils ne les avaient sûrement pas oubliées, ces foutues chaînes. Wayne Tanner écrasa sa cigarette dans la neige et se hissa dans sa cabine.

Deux types d'empreintes de pas convergeaient au départ de la longue allée carrossable menant aux écuries. Les deux fillettes étaient arrivées pratiquement en même temps et avaient remonté ensemble la colline, leurs rires se propageant dans la vallée. Même si le soleil ne s'était pas encore montré, les piquets blancs de la barrière donnaient l'impression d'être fichés de guingois dans la neige. Au sommet de la colline, les traces décrivaient une courbe pour se perdre parmi des bâtiments bas, blottis comme pour chercher refuge autour d'une vaste grange rouge.

Comme Grace et Judith débouchaient dans la cour, un chat déguerpit à pas feutrés, gâtant le blanc tapis. Elles s'arrêtèrent pour jeter un coup d'œil à la maison. Le calme plat. Pourtant, Mme Dyer aurait dû être déjà levée.

– Tu crois qu'il faut la prévenir ? murmura Grace.

Les deux amies avaient grandi ensemble et depuis toujours elles se retrouvaient chaque week-end ici, à la campagne. Toutes deux habitaient l'Upper West Side de New York, fréquentaient une école dans l'East Side, et avaient un père juriste. Pourtant, jamais l'idée ne leur serait venue de se fréquenter dans la semaine. Leur amitié était liée à cet endroit, à leurs chevaux. À quatorze ans, Judith était la plus âgée des deux, et Grace ne demandait qu'à s'en remettre à son aînée dès lors qu'il s'agissait de prendre une décision aussi risquée que de braver la volcanique Mme Dyer.

Judith fit la grimace.

– Non. Ça va être notre fête, si on la réveille... Allons-y.

Il régnait une douce chaleur dans la grange, qui embaumait le foin et le crottin. Au moment où les adolescentes entraient avec leur harnachement, les chevaux les épièrent depuis les boxes, les oreilles pointées, comme s'ils avaient deviné eux aussi que cette aube sortait de l'ordinaire. La monture de Judith, un hongre alezan aux bons yeux répondant au nom de Gulliver, hennit à son approche et s'offrit à ses caresses.

– Bonjour, mon gros. Comment ça va, ce matin?

Le cheval recula doucement pour lui faire de la place. Grace s'éloigna. Son cheval occupait la dernière stalle au fond de l'écurie et, chemin faisant, elle salua chaque pensionnaire en l'appelant par son nom. Tête droite, immobile, Pilgrim la regarda approcher. C'était un morgan de quatre ans, un hongre d'un bai si soutenu que, sous un certain jour, il paraissait noir. Ses parents le lui avaient offert pour son anniversaire l'été dernier, à contrecœur. Ils le trouvaient trop grand et trop jeune pour elle – trop « cheval », en un mot. Mais Grace avait eu le coup de foudre.

Elle avait fait le voyage en avion spécialement pour le voir et, dès qu'il l'avait aperçue, Pilgrim avait traversé le pré pour venir à elle. Quoique rétif à ses caresses, il lui avait reniflé la main par-dessus la barrière en la chatouillant avec les poils de sa barbe. Puis il avait rejeté sa tête avec une fierté princière

19

avant de détaler, sa longue queue flottant au vent, sa robe brillant au soleil comme de l'ébène poli.

La propriétaire avait permis à Grace de le monter et c'était en surprenant alors un échange de regards entre ses parents qu'elle avait compris qu'ils allaient céder. Si sa mère n'avait pas monté depuis son enfance, elle savait reconnaître les êtres d'élite. Et Pilgrim était la classe même. Il avait également un sacré caractère et ne se maniait pas comme le premier venu. Mais une fois sur son dos, lorsqu'elle sentit toute cette vitalité concentrée entre ses flancs, elle comprit qu'il était foncièrement bon, dénué de malice, et qu'ils seraient de grands amis.

Elle aurait aimé lui donner un nom plus ronflant, comme Cochise ou Khan, mais sa mère, ce généreux tyran, avait expliqué que certes, cela ne la regardait pas, mais qu'à son avis ça pouvait porter la poisse. Il avait donc gardé son nom.

– Hello, ma beauté.

Comme elle tendait le bras vers les naseaux veloutés, il se laissa caresser, mais pas plus d'un instant, et se déroba brusquement.

– Idiot! Allons, sois sage...

Dans le box, elle ôta la couverture et lui posa la selle sur le dos. Il fit un léger écart, comme à son habitude, et elle lui ordonna de rester tranquille. Elle lui parla de la surprise qui l'attendait dehors, tandis qu'elle bouclait la sangle et réglait le harnais. Puis elle chercha son grattoir dans sa poche et lui cura consciencieusement les sabots. Entendant Judith qui sortait déjà Gulliver, elle se hâta de resserrer la sangle pour être prête à temps.

Une fois dans la cour, elles laissèrent les chevaux se familiariser avec la neige, tandis que Judith allait refermer le portail. Gulliver renifla par terre et conclut qu'il connaissait cette chose-là. Pilgrim, lui, fut surpris. Surtout quand, de la pointe du sabot, il découvrit que *cela* était meuble. Il essaya de renifler, à l'exemple de son aîné, mais y mit tant d'enthousiasme qu'il fut pris d'un grand éternuement qui déchaîna l'hilarité des fillettes.

– C'est peut-être la première fois pour lui, déclara Judith.

– Tu parles! Tu crois qu'ils ont jamais vu de neige dans le Kentucky?

– J' sais pas. Si, j'imagine... (Judith se tourna vers la maison.) Grouille. Sinon on va réveiller la vieille...

Quittant la cour, les deux amies conduisirent leurs montures jusqu'à la plus haute prairie, puis se mirent en selle et s'éloignèrent au pas en direction de la barrière qui défendait l'accès de la forêt. Leur passage fendit d'une diagonale parfaite le carré de pré virginal. Comme elles parvenaient à l'orée de la forêt, le soleil se montra enfin par-dessus la crête, peuplant dans leur dos la combe d'ombres obliques.

Pour la mère de Grace, le pire dans les week-ends, c'était la montagne de journaux qui attendaient d'être lus. Leur masse s'accumulait tout au long de la semaine, tel un pernicieux volcan. Chaque jour, sans y penser, elle empilait les hebdomadaires et toutes les rubriques du *New York Times* qu'elle n'osait pas jeter. Le samedi, le tas était devenu trop menaçant pour continuer à rester ignoré et, avec l'afflux de tous les suppléments du dimanche, il formait un pic si impressionnant qu'elle savait qu'à défaut d'une prompte contre-attaque elle serait submergée. Tout ce verbiage vomi sur le pauvre monde. Tous ces efforts. Et ce, rien que pour vous donner mauvaise conscience. Annie lâcha une nouvelle liasse à terre et piocha le *New York Post* avec ennui.

L'appartement des Maclean était situé au huitième étage d'un bel immeuble ancien donnant sur Central Park. Annie – en jambières noires et sweat-shirt gris clair – était assise en tailleur sur le divan jaune près de la fenêtre. Des flots de soleil embrasaient ses cheveux auburn noués en queue de cheval, et projetaient son ombre sur un divan jumeau, placé contre le mur d'en face.

Le living était une longue pièce jaune paille, avec une grande bibliothèque occupant toute la cloison du fond, des œuvres d'art primitif et un piano à queue dont l'extrémité vernie était pour le moment captée dans un fuseau doré. En se retournant, Annie aurait pu admirer la parade des mouettes sur la surface gelée du réservoir. En dépit de la neige et de l'heure matinale, des joggeurs sillonnaient le circuit qu'elle-même avait l'intention d'emprunter, sitôt sa corvée expédiée. Elle portait sa tasse de thé à ses lèvres, prête à abandonner le journal, lorsqu'elle repéra un entrefilet dans une rubrique qu'elle avait coutume de négliger.

– Incroyable ! dit-elle à haute voix. Le fumier...

Sa tasse heurta la table, et elle se leva d'un bond pour se précipiter dans le vestibule. Elle réapparut presque aussitôt, pianotant sur le cadran du téléphone, et alla se camper devant la fenêtre, où elle attendit sa communication en battant la semelle. Au-delà du réservoir, un petit vieux chaussé de skis et affublé d'un casque à écouteurs ridiculement trop grand progressait d'un air farouche en direction des arbres. Une femme grondait un attelage de petits chiens parés de tricots assortis et si courts sur pattes qu'ils ne parvenaient à avancer qu'au prix d'athlétiques contorsions.

– Anthony ? Tu as lu le *New York Post* ? (Elle l'avait sans doute tiré du lit, mais il ne lui vint pas à l'idée de s'en excuser.) Il y a un écho sur moi et Fiske. Ce connard se plaint d'avoir été viré et prétend que je mens sur les chiffres des nouveaux tirages.

Anthony se fendit d'un mot compatissant, mais ce n'était pas ce qu'elle attendait de lui.

– Tu as le numéro personnel de Don Farlow ?

Dans le parc, la femme aux chiens avait abandonné la partie et traînait ses toutous vers le trottoir. Anthony était déjà de retour.

– Bon. Retourne te coucher.

Elle raccrocha et composa le numéro aussitôt.

Don Farlow était l'avocat de choc du groupe de presse pour lequel elle travaillait. En six mois, depuis qu'Annie Graves (elle avait gardé son nom de jeune fille dans sa vie professionnelle) avait été chargée de sauver du naufrage son magazine vedette, il était devenu un allié et presque un complice. Ensemble, ils avaient organisé l'éviction de la vieille garde. Le sang avait coulé – la régénération était à ce prix – et le milieu de la presse en avait fait des gorges chaudes. Parmi les journalistes à qui elle avait montré la porte, certaines « signatures » s'étaient vengées sans tarder dans les pages des échos.

Annie les comprenait. Ils avaient coulé tant d'années dans la place qu'ils s'étaient cru chez eux. Se faire virer était déjà en soi un affront. Mais que ce fût par une arriviste de quarante-trois ans, et anglaise de surcroît, cela dépassait la mesure. La purge était pratiquement achevée, et le tandem Annie-Farlow connaissait désormais à fond l'art de négocier le silence des partants moyennant de juteuses indemnités. Annie avait cru en être quitte avec Fenimore Fiske, leur ex-critique de cinéma, vieux débris infect qui la débinait dans le *New York Post*. Fumier. Mais en attendant la communication, elle se rassura à l'idée que Fiske avait commis une belle bourde en contestant la hausse des tirages. Les chiffres étaient exacts et on le prouverait facilement.

Farlow était déjà debout, et en outre il avait lu l'article. Rendez-vous fut pris pour tôt dans la matinée au journal. Avec le procès qu'ils allaient lui coller, ils lui feraient recracher jusqu'au dernier sou de ses indemnités.

Annie appela son mari à Chatham et tomba sur le répondeur. Robert fut informé qu'il était temps de se lever, qu'elle arriverait par le train suivant, et qu'il était prié de l'attendre pour les courses. Puis elle prit l'ascenseur et alla rejoindre les joggeurs. Annie Graves, toutefois, ne *joggait* pas. Elle courait. Et si cette nuance n'était pas immédiatement perceptible dans son allure ou sa technique – pour elle, il s'agissait là d'une évidence aussi irréfutable que le froid polaire où elle venait de s'engouffrer.

Comme Wayne Tanner l'avait prévu, on roulait bien sur l'*interstate*. La circulation était fluide, et il avait tout intérêt à continuer sur la 87 pour prendre ensuite la 90 qui traversait le fleuve et lui permettrait de rallier Chatham par le nord. Il avait étudié la carte, et si ce n'était pas l'itinéraire le plus direct, du moins éviterait-il au maximum les petites routes encore enneigées. Sans les chaînes, il espérait que la voie d'accès à la papeterie qu'on lui avait indiquée était plus qu'une simple piste en terre.

À l'heure où, se fiant aux panneaux indicateurs, il tourna sur la 90, il avait retrouvé le moral. Le paysage était une vraie carte de Noël et, avec la cassette des Garth Brook et le soleil qui ricochait sur le mufle puissant du camion, la situation lui apparaissait sous un jour plus riant. Au pire, s'il perdait sa licence, il pourrait toujours reprendre son ancien boulot de garagiste. Ça ne payait pas autant, certes. Quand on pense au salaire de misère du pauvre type qui a pourtant fait des années d'apprentissage et s'est payé dans les dix mille dollars de matériel... Mais ces derniers temps, il en avait parfois ras-le-bol de naviguer sur les routes. Ça valait peut-être le coup de passer plus de temps avec sa femme et ses gosses. Peut-être. Et puis, il y avait la pêche.

Avec un pincement au cœur, Wayne vit arriver la sortie pour Chatham et passa à l'action, pompant les freins, réduisant son allure en rétrogradant de ses neuf vitesses, arrachant un vrombissement de protestation aux quatre-vingt-cinq chevaux-vapeur de son moteur Cummins. Quittant l'*interstate*, il déclencha la propulsion à quatre roues motrices, bloquant l'essieu avant. D'après ses calculs, il n'était plus qu'à une dizaine de kilomètres de la papeterie.

Ce matin-là, dans les hauteurs du massif forestier, le silence était si dense que la vie même semblait suspendue. On n'entendait pas un oiseau, pas une bête, rien que les chutes sporadiques de neige depuis les frondaisons surchargées. Là-haut, dans cette immensité aux aguets, à travers érables et bouleaux, s'élevait le rire lointain des fillettes.

Elles cheminaient lentement sur la piste qui montait en

lacet, laissant les chevaux libres de leur allure. Judith, qui avait pris la tête, s'était retournée pour regarder Pilgrim et riait de bon cœur, appuyée au troussequin de la selle.

– Tu devrais le montrer dans un cirque. C'est un comique né !

Grace riait trop pour lui répondre. Tête basse, Pilgrim avançait en refoulant la neige du nez, comme avec une pelle. Puis il en projetait une bonne couche en l'air d'un éternuement et détalait au petit trot, feignant d'être effrayé par cette pluie de flocons.

– Allez... ça suffit ! dit Grace en raccourcissant les rênes.

Pilgrim marqua le pas et Judith se retourna. Suprêmement indifférent à ces pitreries, Gulliver allait de l'avant en dodelinant de la tête. Au bord du chemin, tous les vingt mètres environ, des affiches orange placardées aux troncs des arbres menaçaient de poursuites quiconque serait pris à braconner ou violer une propriété privée.

À la crête du sommet qui séparait les deux vallées, se trouvait une petite clairière ronde où, d'habitude, en s'approchant discrètement, on pouvait surprendre un chevreuil ou un dindon sauvage. Ce jour-là, pourtant, débouchant du couvert des arbres, elles ne trouvèrent que l'aile ensanglantée d'un oiseau, posée au beau milieu de la clairière ensoleillée comme la flèche d'un compas barbare.

– C'est quoi... un faisan ? demanda Grace.

– On dirait. *C'était* un faisan.

Grace fronça les sourcils.

– Comment ce truc a pu arriver là ?

– Je ne sais pas. Peut-être un renard...

– Dans ce cas, on verrait des empreintes...

Mais il n'y avait pas d'empreintes. Ni la moindre trace de lutte. À croire que l'aile avait volé toute seule jusque-là. Judith haussa les épaules.

– C'est peut-être un chasseur.

– Il aurait continué à voler d'une seule aile ?

Elles méditèrent un moment. Puis Judith opina, l'air sentencieux.

– Un faucon. Un faucon l'aura laissé tomber.

Grace considéra cette proposition.

– Un faucon. Ouais... Admettons.

Des talons, elles invitèrent les chevaux à reprendre la route.

– Ou alors un avion.

– C'est ça! s'esclaffa Grace. On dirait le poulet qu'on nous a servi l'an dernier dans le vol de Londres. En plus appétissant.

D'habitude, elles s'accordaient un petit galop dans la clairière avant de revenir en décrivant une boucle. Mais cette fois, la neige, le soleil et la transparence de l'air leur inspirèrent de nouveaux désirs, et elles décidèrent de réitérer une promenade qu'elles n'avaient faite qu'une seule fois, deux ans plus tôt, à l'époque où Grace possédait encore Gypsy, son petit alezan doré. Elles descendraient par l'autre versant et reviendraient en contournant la colline qui longeait la rivière. Il leur faudrait traverser une route ou deux, mais Pilgrim semblait s'être assagi et d'ailleurs, un samedi matin, à une heure aussi matinale et compte tenu de la neige, il n'y aurait pas grand monde sur la route.

En retrouvant l'ombre de la forêt, Grace et Judith firent silence. Noyers blancs et peupliers poussaient de ce côté-ci en rangs touffus, et elles devaient à tout moment se pencher pour éviter les branches. La petite équipe se vit bientôt saupoudrée d'une fine poussière de neige. Elles négocièrent lentement leur chemin le long d'une cascade couverte de plaques de glace qui s'étaient formées irrégulièrement depuis la rive, laissant à peine voir un sombre filet d'eau. La pente se fit plus raide encore, et les bêtes se déplacèrent avec précaution en regardant où elles posaient les sabots. À un moment donné, Gulliver dérapa sur un rocher caché mais réussit à se rétablir sans affolement. Le soleil filtrait parmi les arbres, dessinant des motifs étoilés dans la neige et nimbant de lumière les bouffées d'air que les chevaux soufflaient par les naseaux. Mais les cavalières n'y prêtèrent aucune attention, tant elles étaient concentrées sur leur odyssée et les réactions de leurs montures.

C'est avec soulagement qu'elles aperçurent entre les arbres les brillants reflets de Kinderhook Creek en contrebas. La descente avait été plus délicate que prévu et elles retrouvaient seulement le courage de se regarder en face.

– Sympa, hein? fit Judith en invitant Gulliver à s'arrêter.

Grace tapota l'encolure de Pilgrim.

– Génial...! Tu as vu comment ils se sont débrouillés?

– Comme des chefs.

– Je ne me rappelais pas que ça tombait à pic.

– Je crois qu'on s'est trompées de cascade. On a dû se déporter un peu trop au sud.

Elles brossèrent leurs tenues et scrutèrent la forêt. Au-delà des bois, une prairie d'un blanc virginal descendait en pente douce jusqu'à la rivière. Le long de la rive, on distinguait les piquets de la barrière de l'ancienne voie menant à la papeterie. Ce chemin était désaffecté depuis l'ouverture d'un accès plus large et surtout plus direct à partir de la nationale qui se trouvait un peu plus loin, sur l'autre rive. Il ne leur restait plus qu'à poursuivre vers le nord pour atteindre la piste qui les ramènerait à la maison.

Conformément à ses craintes, la route de Chatham n'avait pas été déblayée. Mais Wayne Tanner comprit bientôt qu'il n'avait pas de souci à se faire. D'autres l'avaient précédé et les dix-huit pneus tout-terrain du Kenworth sculptaient leur tracé en mordant franchement la surface. Pas besoin de chaînes, finalement. Comme il croisait un chasse-neige dans l'autre sens, et bien que cela ne fît guère son affaire, son soulagement fut tel qu'il gratifia le type d'un signe de la main et d'un amical coup de klaxon.

Il alluma une cigarette et consulta sa montre. Il était en avance sur l'horaire. Après sa prise de bec avec les flics, il avait appelé Atlanta pour leur demander de prévenir les gars de la papeterie que la livraison des turbines aurait lieu dans la matinée. Personne n'aime bosser le samedi, et il s'attendait à être fraîchement reçu. Enfin, c'était leur problème. Il inséra une nouvelle cassette des Garth Brook dans l'autoradio et se mit à guetter l'accès à la papeterie.

Après l'épreuve de la descente, cheminer sur cette route désaffectée était un vrai plaisir et les cavalières en profitèrent pour se détendre, côte à côte au soleil. Sur leur gauche, deux pies se pourchassaient dans les arbres qui bordaient la rivière et, sous leur ramage rauque et le bruissement de l'eau sur les rochers, Grace entendit un chasse-neige qui devait déblayer la nationale.

– En piste! dit Judith.

Elles venaient d'arriver à l'endroit recherché : l'ancien pont du chemin de fer qui jadis enjambait la route et la rivière. La ligne était fermée depuis des années et si, au-dessus de la rivière, le pont était resté intact, le toit du tronçon enjambant la route avait été démantelé. La route traversait désormais ce tunnel à ciel ouvert avant de se dérober derrière un tournant. Un talus escarpé permettait d'atteindre la voie ferrée qui reliait les deux rives.

Prenant la tête, Judith montra le chemin à Gulliver. Il fit quelques pas et pila.

– Allons, mon grand. C'est facile...

Le cheval frappa doucement la neige, comme pour la tester. Judith l'encouragea des talons.

– Allons, gros paresseux. Monte!

Gulliver céda et entama l'ascension. Grace attendit sur la route. Elle avait vaguement l'impression que le bruit du chasse-neige s'était amplifié. Pilgrim remua les oreilles. Elle se pencha et flatta son encolure emperlée de sueur.

– Comment ça va? demanda-t-elle à Judith.

– Ça baigne. Fais gaffe quand même.

L'accident eut lieu alors que Gulliver était presque au sommet. Grace avait commencé à avancer en suivant scrupuleusement ses traces, laissant Pilgrim prendre son temps. Elle était à mi-parcours lorsqu'elle entendit le sabot de Gulliver racler le verglas et le cri apeuré de Judith.

Si elles étaient venues dans cet endroit plus tôt dans l'année, les deux fillettes auraient su que la pente était gorgée d'eau depuis l'été, à cause d'un caniveau percé. La couverture neigeuse cachait une plaque de glace vive.

Gulliver broncha, essaya de se rattraper sur ses postérieurs, projetant une pluie de neige et de copeaux de glace. Mais, comme chaque appui se dérobait sous lui, il s'affala sur la croupe et se retrouva en travers de la pente, cette fois en plein sur la glace. L'un de ses antérieurs chassa sur le côté et il tomba sur un genou, glissant toujours. Éjectée de sa selle, Judith poussa un cri et perdit un étrier. Mais elle réussit à se rattraper à l'encolure.

– Dégage, Grace !

Grace était clouée sur place. Le sang qui bourdonnait dans ses tempes la clouait sur place, l'éloignant de la scène qui se déroulait au-dessus d'elle. Mais, au second cri, elle se ressaisit et tenta de faire demi-tour. Pilgrim encensa de la tête, paniqué, et lui résista. Il fit quelques petits pas de côté, la tête toujours tournée vers le sommet, et dérapa à son tour avec un hennissement affolé. Il était désormais juste sur le passage de Gulliver. Grace se cramponna aux guides en hurlant :

– Pilgrim, pousse-toi !

Dans l'étrange silence qui précéda le choc, elle comprit que ce n'était pas seulement la pulsation de son sang qu'elle entendait. Le chasse-neige ne se trouvait pas sur la nationale – le bruit était trop fort. Cette pensée vola en éclats à l'instant de la collision. L'arrière-train de Gulliver les percuta de plein fouet. Touché à l'épaule, Pilgrim pivota sur lui-même. Le choc souleva Grace de selle ; si elle ne s'était pas retenue à la croupe de Gulliver, elle serait tombée à son tour. Mais elle tint bon, une main crispée à la crinière soyeuse de Pilgrim qui déboulait la pente.

Judith l'avait dépassée. Grace vit son amie projetée telle une poupée désarticulée en travers de la croupe de Gulliver –

une secousse la retourna, et son pied se coinça brutalement dans l'étrier. Son corps rebondit, glissa sur le côté et, au moment où son occiput heurtait la glace, une nouvelle torsion bloqua complètement son pied, de sorte qu'elle se retrouva entraînée dans la neige. Dans une mêlée furieuse et démente, chevaux et cavalières dévalèrent la pente.

Wayne Tanner les aperçut juste après le virage. Croyant qu'il arriverait par le sud, les employés de la papeterie n'avaient pas cru utile de lui indiquer l'ancienne voie plus au nord. Dès qu'il avait aperçu l'embranchement, Wayne avait donc emprunté la route où, à son grand soulagement, il avait constaté que les roues du Kenworth accrochaient la neige vierge comme sur la nationale. Débouchant du tournant, il vit, à une centaine de mètres, les murailles de béton et un animal – un cheval – traînant un poids mort. Il eut un coup à l'estomac.

– C'est quoi, ce bazar?

Il enfonça les freins, mais pas trop fort, car un mouvement trop brusque aurait pu bloquer les roues. Il actionna alors la soupape du volant qui commandait les freins de la remorque. Aucune réponse. D'abord ralentir avec la boîte de vitesses. Il gifla le levier et effectua un double débrayage, qui déchaîna le rugissement de ses six cylindres. Bordel, il allait trop vite. Maintenant il voyait deux chevaux, dont l'un était monté par un cavalier. Qu'est-ce qu'ils foutaient là? Pourquoi ne dégageaient-ils pas de cette route de malheur? Le cœur battant, moite de sueur, il s'acharna sur les freins arrière et le levier de vitesse, en se récitant un refrain dans sa tête : *freine, débraye, freine, débraye.* Mais le pont arrivait trop vite. Bon Dieu, ils ne le voyaient pas?

Mais si. Même Judith, dans son martyre, eut des visions du camion, tandis qu'elle hurlait, ballottée dans la neige. Dans sa chute, elle s'était cassé le fémur et, au cours de la glissade, les chevaux l'avaient piétinée, lui brisant des côtes et fracassant son avant-bras. Gulliver s'était fêlé un genou et déchiré des tendons. La douleur et la peur se lisaient dans ses yeux révulsés, tandis qu'il se débattait pour se délivrer de son fardeau.

Grace vit le poids lourd dès qu'elle eut atteint la route. Un coup d'œil lui suffit. Puisqu'elle était parvenue à se maintenir en selle, c'était à elle d'agir. Si elle attrapait les rênes de Gulliver, elle pourrait le conduire en sécurité, lui et Judith. Mais Pilgrim était aussi terrorisé que son aîné, et les deux chevaux tournoyaient dans une ronde infernale en se communiquant mutuellement leur panique.

De toutes ses forces, elle tira sur la bouche de Pilgrim et parvint brièvement à capter son attention. Elle le fit reculer et, penchée en équilibre précaire sur sa selle, chercha à attraper Gulliver par la bride. Il s'écarta, mais elle se colla à lui et allongea le bras à s'en déboîter l'épaule. Elle avait presque les doigts dessus lorsque le camion klaxonna.

Wayne vit les bêtes sursauter et comprit enfin quel était ce truc pendu après le cheval.

— Bordel de merde !

Il avait parlé à voix haute et, au même instant, il découvrit qu'il ne pouvait plus débrayer. Il était en première, et pont et chevaux se rapprochaient si vite qu'il ne lui restait plus que les freins à l'avant. Il murmura une petite prière et enfonça trop vivement la pédale. Une fraction de seconde, il se crut sauvé. Les roues de la cabine répondaient.

— C'est bien, ma belle !

Puis les roues se bloquèrent et Wayne sentit les quarante tonnes d'acier prendre leur destin en charge.

Dans une majestueuse glissade, le Kenworth fonça en serpentant dans la gueule du tunnel sans plus se soucier de son pilote. Réduit au rôle de spectateur, Wayne vit l'aile de la cabine toucher le mur de béton en un long baiser d'étincelles. Puis la masse inerte de la remorque s'engouffra à son tour derrière lui dans un assourdissant crissement de tôle froissée.

Droit devant lui, le cheval noir se retourna pour lui faire face et il réalisa que son cavalier n'était qu'une petite fille aux yeux dilatés d'horreur sous la visière sombre de la bombe.

– Non ! Merde, non !

Mais le cheval se cabra fièrement et, renversée en arrière, la fillette tomba sur la chaussée. Les sabots de l'animal touchèrent à peine le sol car, au moment où le camion venait sur lui, Wayne le vit redresser la tête et ruer de nouveau. Mais, cette fois, il se projeta carrément sur lui : de toute la force de ses postérieurs, il se propulsa à l'avant de la cabine, franchissant la calandre abrupte du radiateur comme il l'eût fait d'un obstacle. Ses fers retombèrent sur le capot et patinèrent dans une pluie d'étincelles, puis un sabot heurta le pare-brise dans un énorme craquement, et Wayne ne vit plus qu'un écran étoilé. Et la petite fille ? Mon Dieu, elle devait se trouver juste sous les roues.

Wayne balança le poing et l'avant-bras dans le pare-brise, qui vola en éclats, et il vit alors que le cheval était toujours sur le capot ; son antérieur droit était coincé dans le support du rétroviseur et l'animal hurlait après lui, couvert d'éclats de verre, la bouche écumante et en sang. Plus loin, Wayne aperçut l'autre cheval qui s'éloignait en claudiquant sur le bas-côté de la route, son cavalier toujours pendu par un pied.

Le camion, lui, poursuivait sa course folle. La remorque débouchait à présent du tunnel et, dès lors que plus rien n'entravait sa dérive, elle entama un lent et fatal tête-à-queue, fauchant sans peine la barrière et soulevant une haute vague de neige à la manière d'un paquebot.

Au moment où sa vitesse dépassait celle de la cabine qui ralentissait, le cheval sur le capot accomplit un dernier et suprême effort. Le montant du rétroviseur céda et l'animal se libéra d'une contorsion pour disparaître. Il y eut un répit menaçant, comme dans l'œil du cyclone, et le routier aperçut la remorque qui finissait de ravager la clôture et le bord du champ pour revenir lentement vers lui. Pris au piège de cette tenaille qui se refermait sournoisement, l'autre cheval chercha une issue. Wayne crut voir sa cavalière relever la tête pour le regarder, sans réaliser qu'une vague était sur le point de l'engloutir. Et ce fut sa fin. Car la remorque, déferlant alors sur elle, catapulta le cheval sur la cabine où tel un papillon dans un livre, il fut écrasé dans un ultime fracas de tôles.

– Hello ? Gracie ?

Robert Maclean s'encadra dans l'ouverture de la porte, deux sacs à provisions dans les bras. N'entendant rien, il gagna la cuisine et déposa ses emplettes sur la table.

Le week-end, il aimait mieux faire les courses avant l'arrivée d'Annie. Quand il ne s'en chargeait pas, il était bon pour l'accompagner au supermarché, où il finissait toujours par perdre une heure à l'attendre, tandis qu'elle comparait les mérites subtils des marques concurrentes. Curieux comme une femme qui, dans sa vie professionnelle, était à tout moment amenée à prendre des décisions engageant des milliers, voire des millions de dollars, pouvait hésiter pendant dix minutes devant trois boîtes de sauce tomate. Ce qui leur coûtait d'ailleurs une fortune car, incapable de se décider, elle finissait invariablement par acheter les trois.

L'ennui, quand il se débrouillait seul, c'étaient les inévitables critiques qu'il lui faudrait essuyer pour avoir fait le mauvais choix. Mais avec cette impartialité de juriste qu'il appliquait à toutes les sphères de l'existence, Robert avait pesé les avantages et les inconvénients de chaque méthode, et les commissions « sans » Annie avaient remporté la palme.

Le message de Grace était resté à côté du téléphone. Robert consulta sa montre. Il était seulement un peu plus de dix heures, et il pouvait comprendre que les deux petites avaient eu envie de flâner en cette belle matinée. Il enfonça la touche lecture du répondeur, ôta sa parka et commença à sortir les provisions. Il y avait deux messages. Le premier, celui d'Annie, le fit sourire. Elle avait dû appeler juste après son départ pour le supermarché. À cette heure-là, il était bel et bien levé depuis longtemps. Le second était de Mme Dyer. La propriétaire des écuries les priait seulement de la rappeler au plus tôt. Mais son ton lui fit froid dans le dos.

L'hélicoptère resta un moment figé au-dessus de la rivière, comme pour prendre une vue d'ensemble, puis piqua du nez et s'éleva au-dessus des bois en peuplant la vallée du battement profond et réverbérant de ses pales. Comme il décrivait un nouveau cercle, le pilote jeta un coup d'œil de côté. Ambulances, voitures de police et véhicules de la brigade de secours étaient disséminés en éventail, gyrophares allumés, sur le lieu du drame. On lui avait indiqué clairement l'endroit où l'atterrissage était requis, et en outre un flic faisait de grands signaux superflus.

Il n'avait mis que dix minutes pour venir d'Albany, temps dont le personnel hospitalier avait tiré parti pour procéder aux vérifications de routine. Maintenant que tout le monde était prêt, chacun regardait en silence par-dessus l'épaule du pilote en train d'effectuer sa courbe d'approche. Le soleil fit une courte apparition au-dessus de la rivière tandis que l'hélicoptère poursuivait son ombre par-dessus le barrage routier et un 4x4 rouge qui se dirigeait également sur le site.

Par la vitre de la voiture, Wayne Tanner vit l'hélicoptère planer au-dessus du lieu de l'atterrissage et perdre progressivement de l'altitude en déchaînant une tempête de neige autour de la tête du flic chargé de le guider.

Il était assis à l'avant, une couverture sur les épaules, un gobelet de café chaud, intact, dans les mains. Il ne comprenait rien à toute cette activité qui se déroulait au-dehors, non plus qu'au bavardage haché de la radio de la police à côté de lui. Il avait mal à l'épaule et une petite coupure à la main. L'ambulancière avait tenu à l'affubler d'un bandage extravagant. Ridicule. À croire qu'elle n'avait pas voulu lui donner l'impression, au milieu d'un tel carnage, d'être laissé à l'écart.

Koopman, le jeune adjoint du shérif dont il occupait le véhicule, se trouvait près du camion et parlait à la brigade de secours. Tout près, écoutant attentivement et accoudé au capot d'une camionnette bleu pâle, lépreuse de rouille, se tenait le jeune chasseur à la toque de fourrure qui avait donné l'alerte. Il était dans la forêt quand il avait entendu l'accident et s'était rendu directement à la papeterie, d'où le shérif avait été prévenu. À son arrivée, Koopman avait trouvé Wayne assis en pleine nature, dans la neige. Le gosse, qui n'avait manifestement jamais vu une telle boucherie, s'était tout de même montré à la hauteur, allant jusqu'à trahir une petite déception en apprenant que Wayne avait déjà lancé un appel sur le canal 9 de son CB, la fréquence utilisée par la police de l'État. Quelques minutes plus tard, ils avaient commencé à rappliquer. Maintenant, l'endroit grouillait de flics et Koopman semblait un peu vexé de n'être plus le seul maître des opérations.

Dans la neige, sous le semi-remorque, Wayne aperçut les reflets des chalumeaux oxyacétyléniques. La brigade de secours découpait déjà la concrétion de ferraille. Il détourna les yeux, assailli par le souvenir des longues minutes qui s'étaient écoulées après le tête-à-queue.

Il n'avait pas entendu tout de suite... Les Garth Brook continuaient à chanter en toute insouciance sur la cassette, et il était si stupéfait d'être encore en vie qu'il se demanda si c'était bien lui ou son fantôme qui descendait de la cabine. Des pies jacassaient dans les arbres et, au début, il crut que ce bruit bizarre venait aussi de là. Mais c'était trop désespéré, trop lancinant – comme la plainte interminable d'un supplicié, et Wayne comprit brusquement qu'il s'agissait du cheval à l'agonie. Il se boucha les oreilles et partit à toutes jambes à travers champs.

On lui avait dit que l'une des fillettes avait survécu. Le personnel hospitalier s'affairait autour du brancard et la préparait pour le transport en hélicoptère. Un type lui appliquait un masque sur la figure. Un autre, les bras en l'air, tenait deux poches de liquide reliées aux membres de la blessée. Le cadavre de l'autre victime avait déjà été évacué.

Un tout-terrain rouge venait justement de s'arrêter et Wayne en vit descendre un grand barbu qui sortit un sac de son coffre. Le sac en bandoulière, il se dirigea vers Koopman qui se retourna pour l'accueillir. Ils échangèrent quelques mots, puis Koopman l'emmena à l'écart, derrière le camion où s'activaient les gars aux chalumeaux. Quand ils réapparurent, le barbu tirait une drôle de tête. Ils allèrent parler au chasseur qui les écouta, hocha la tête, et sortit ce qui ressemblait à un étui à fusil de sa camionnette. À présent, le petit groupe se dirigeait vers Wayne. Koopman ouvrit la portière.

– Comment ça va?

– Bien.

Koopman désigna le barbu de la tête.

– M. Logan est vétérinaire. Il faut qu'on retrouve l'autre cheval.

Par la portière ouverte, Wayne entendait le ronflement des chalumeaux. Il en avait mal au cœur.

– Vous avez une idée de la direction qu'il a prise?

– Non, chef. Mais il a pas dû aller loin...

– Compris. (Koopman lui posa la main sur l'épaule.) On va s'occuper de vous, ne vous en faites pas.

Wayne acquiesça. Koopman referma la portière. Ils restèrent là, à parler devant la voiture, mais Wayne ne les entendait plus. Au-dessus de leurs têtes, l'hélicoptère décollait en emportant la petite fille. Un chapeau s'envola dans le blizzard. Mais Wayne ne vit rien de tout cela. Tout ce qu'il voyait, c'était la bouche du cheval, mousseuse de sang, et ces yeux dardés sur lui par-dessus le pare-brise déchiqueté. Et longtemps, ce regard-là hanterait ses nuits.

– On le tient, non?

Debout près de son bureau, Annie regardait par-dessus l'épaule de Don Farlow qui lisait le contrat, calé dans son fauteuil. Pour toute réponse, il se contenta de hausser un sourcil roux et acheva sa lecture.

– Je suis sûre qu'on le tient, répéta Annie.

Farlow reposa le contrat sur ses genoux.

– C'est aussi mon avis.

– Ah, tu vois!

Annie leva le poing et traversa son bureau pour se servir un autre café.

La réunion était commencée depuis une demi-heure. Annie, qui avait pris un taxi, s'était retrouvée bloquée dans les embouteillages entre la 43ᵉ Rue et la Septième Avenue, et elle avait préféré terminer à pied le reste du trajet. L'automobiliste new-yorkais réagissait à la neige comme il réagissait à tout le reste : à coups de klaxons et d'invectives. Elle avait trouvé Farlow sur place, la cafetière déjà chaude – initiative qu'elle apprécia.

– Bien évidemment, il niera leur avoir parlé directement.

– C'est une citation précise, Don. Note les détails. Il sera bien forcé de reconnaître sa responsabilité.

Annie retourna boire son café derrière son bureau, grand machin asymétrique en orme et noyer qu'un ami anglais lui avait offert quatre ans plus tôt, lorsque – à la surprise générale – elle avait renoncé à l'écriture pour accepter un poste de rédactrice en chef. Après sa nomination à la tête d'un magazine encore plus important, le meuble l'avait suivie dans son nouveau bureau où il était immédiatement devenu la tête de turc du décorateur engagé à grands frais pour remodeler les lieux au goût de la nouvelle rédactrice en chef. En guise de subtile vengeance, le type avait soutenu qu'avec un truc aussi voyant, le reste devait être à l'avenant. Le résultat était un vrai cauchemar que l'architecte, sans le moindre signe décelable d'ironie, qualifiait d'« Éclectisme déconstructionniste ».

La seule réussite, c'étaient les « œuvres abstraites » que Grace avait barbouillées à l'âge de trois ans, et que sa mère (à la fierté initiale de la petite, et sa subséquente confusion) avait fait encadrer. Les tableaux étaient exposés au mur parmi les distinctions et photos qui montraient Annie souriant joue contre joue avec diverses célébrités. Disposées plus discrètement sur le bureau où elle seule pouvait les voir, se trouvaient les photos de ses proches – Grace, Robert et son propre père.

Par-dessus les cadres des photos, Annie examinait à présent Don Farlow. Ça changeait, de le voir autrement qu'en costume. Le vieux blouson en jean et les rangers l'avaient surprise. Elle qui l'avait classé d'office parmi les B.C.B.G., le genre pantalon de toile, mocassins et pull en cachemire... Il sourit.

– Bref, tu veux lui coller un procès?

– Évidemment! Il s'est engagé par écrit à garder le silence et voilà qu'il me diffame en prétendant que j'ai triché sur les chiffres de ventes.

– Diffamation qui sera reprise à l'envi, s'il y a procès – et développée.

Annie se rembrunit.

– Tu ne me conseilles pas d'écraser, j'espère? Fenimore Fiske est un vieux crapaud aigri, tordu, sans talent et venimeux.

Farlow leva les mains, tout sourire.

– Dis-moi tout, Annie. Vide ton sac.

– Tant qu'il était des nôtres, il a tout fait pour foutre le bordel, et maintenant qu'il est saqué, il essaye de continuer... J'ai décidé de foutre le feu à ses vieilles fesses ridées.

– C'est une expression anglaise?

– Non. Chez nous, ce serait plutôt: « appliquer des braises sur son vénérable fondement ».

– Bon. Après tout, c'est toi le chef. Fondamentalement.

– Tu l'as dit...

Un téléphone sonna sur le bureau d'Annie; elle décrocha. C'était Robert. D'une voix posée, il lui déclara que Grace avait eu un accident. Elle avait été transportée par hélicoptère à l'hôpital d'Albany et placée en réanimation. L'arrêt étant sur sa ligne, Annie se rendrait directement sur place. Ils se retrouveraient là-bas.

2

ANNIE avait dix-huit ans lorsqu'elle avait connu Robert. C'était l'été 68 et, au lieu de passer directement du collège à l'université d'Oxford, où elle était admise, elle avait décidé de prendre une année sabbatique. Recrutée par une organisation de coopération bénévole à l'étranger, elle avait suivi une formation accélérée de deux semaines, où on lui avait appris à enseigner l'anglais, à éviter la malaria, et à repousser les avances des indigènes (Dites non, à voix haute, et avec fermeté).

Ainsi formée, elle s'était envolée pour le Sénégal d'où elle s'était lancée, après un bref séjour à Dakar, dans un poussiéreux périple de sept cents kilomètres à bord d'un bus déglingué, bondé de passagers, de volailles et de chèvres, pour rallier la petite ville où elle allait vivre pendant douze mois. Au bout du deuxième jour, le bus parvint à la tombée de la nuit sur les berges d'un vaste fleuve.

Il faisait une chaleur étouffante et, dans l'air bourdonnant d'insectes, Annie vit clignoter au loin les lumières de la ville. Mais le bac était arrêté jusqu'au lendemain matin, et chauffeur et passagers se demandaient où elle allait bien pouvoir passer la nuit. Il n'y avait pas d'hôtel, et chacun s'inquiétait pour la jeune demoiselle anglaise.

C'est ainsi qu'elle apprit l'existence d'un « toubab », qui vivait dans les parages et serait sûrement prêt à l'héberger.

39

Annie, qui ignorait ce qu'était un « toubab », se retrouva conduite par une imposante procession chargée de ses bagages, le long d'un capricieux sentier de brousse, jusqu'à une hutte en terre nichée parmi baobabs et papayers. Le « toubab » qui se présenta à la porte – car il s'avéra qu'un « toubab » était un Blanc – était Robert.

Membre d'une organisation humanitaire, Robert était là depuis un an, à creuser des puits et enseigner l'anglais. Il avait vingt-quatre ans, sortait de Harvard, et c'était le garçon le plus brillant qu'Annie eût jamais rencontré. Cette nuit-là, il lui servit un plat délicieux à base de poisson épicé et de riz et, devant des bières locales bien fraîches, ils discutèrent à la lueur des bougies jusqu'à trois heures du matin. Robert était originaire du Connecticut et se destinait au barreau. C'était congénital, s'excusa-t-il, l'œil pétillant d'ironie derrière ses lunettes à monture d'acier. Dans sa famille, on était juriste depuis la nuit des temps. C'était « la Malédiction » des Maclean.

D'ailleurs, en véritable homme de loi, il la soumit à un interrogatoire si serré qu'à force de raconter et disséquer son propre parcours elle eut l'impression de le découvrir pour la première fois. Elle lui parla de son diplomate de père, de la vie nomade qu'elle avait menée jusqu'à l'âge de dix ans au hasard des mutations paternelles. Elle et son petit frère avaient vu le jour en Égypte et vécu ensuite en Malaisie puis à la Jamaïque. Leur père était mort brutalement, foudroyé par une crise cardiaque. Annie n'avait trouvé que depuis peu une façon de le dire qui n'interrompît pas la conversation, ses interlocuteurs fixant alors la pointe de leurs souliers. Sa mère avait refait sa vie en Angleterre et les enfants s'étaient retrouvés en pension. Si Annie passa très vite sur cet épisode, elle comprit que Robert avait perçu, derrière les apparences, un abîme de souffrance insurmontée.

Le lendemain matin, il l'emmenait dans sa jeep, prenait le bac avec elle, et la livrait saine et sauve au couvent catholique où elle allait vivre et enseigner pendant toute une année sous l'œil rarement désapprobateur de la mère supérieure, une Québécoise à la bienveillante et providentielle myopie.

Au cours des trois mois qui suivirent, Annie retrouva Robert chaque mercredi, lorsqu'il traversait le fleuve pour se ravitailler. Il parlait couramment le jola, langue locale qu'il lui enseigna à raison d'une leçon par semaine. Ils furent amis, pas amants. Annie perdit sa virginité avec un beau Sénégalais nommé Xavier, aux avances duquel elle se rappelait avoir répondu oui, à voix haute, et avec fermeté.

Puis Robert fut muté à Dakar et, la veille de son départ, Annie traversa le fleuve pour un dîner d'adieu. L'Amérique élisait un nouveau président, et ils suivirent avec une consternation croissante, sur une radio crépitante de parasites, le triomphe de Nixon qui conquérait État après État. C'était comme si Robert venait de perdre un proche et Annie l'entendit expliquer d'une voix étranglée d'émotion ce que signifiait cette élection pour son pays, ainsi que pour ses amis combattant au Viêt-nam. Elle lui ouvrit les bras, le serra contre elle – et comprit pour la première fois ce que c'était qu'être une femme.

Ce ne fut qu'après son départ, en rencontrant d'autres coopérants, qu'elle réalisa combien il sortait de l'ordinaire. Les autres étaient presque tous des crétins ou des emmerdeurs, voire les deux. Elle se souvenait d'un type avec un bandeau à la tête, qui se vantait, les yeux injectés de sang, d'avoir « plané » pendant toute une année.

Elle avait revu Robert lorsqu'elle était retournée à Dakar, pour reprendre l'avion qui devait la ramener en Angleterre. C'était de nouveau l'été. À Dakar, la langue était le wolof, qu'il maîtrisait déjà parfaitement. Il habitait en bordure de l'aéroport, si près qu'il fallait se taire à chaque décollage. Faisant de nécessité vertu, il s'était procuré un énorme répertoire des vols, qu'il avait appris par cœur en deux nuits. Dès qu'un avion passait au-dessus de leurs têtes, il se mettait à décliner le nom de sa compagnie, sa provenance, sa route et sa destination. Cela fit rire Annie, et il en parut quelque peu vexé.

La nuit où elle s'envolait pour l'Angleterre, un homme posait le pied sur la Lune.

Pendant sept ans, ils se perdirent de vue. À Oxford, Annie menait rondement ses études, lançant une virulente revue gauchiste et dégoûtant ses condisciples en décrochant la meilleure note en lettres sans donner l'impression de s'être beaucoup fatiguée. Parce que c'était le métier qui lui répugnait le moins, elle devint journaliste et entra dans un quotidien distribué dans le nord-est de l'Angleterre. Lors de son unique visite, sa mère fut si déprimée par les environs et le taudis noir de suie où logeait sa fille qu'elle rentra à Londres en larmes. Annie avait une « plume ». Elle tint bon une année, puis plia bagages et partit pour New York, où elle s'étonna elle-même en se faisant embaucher à l'esbroufe à *Rolling Stone*, le prestigieux magazine d'avant-garde.

Elle se fit une spécialité des portraits au vitriol de personnalités plus habituées à être encensées. Ses détracteurs – et ils étaient légion – prophétisèrent qu'elle serait bientôt à court de victimes, mais tel ne fut pas le cas. Les candidats se bousculèrent. On retirait une sorte de prestige masochiste à s'être fait « massacrer » ou « couler » (l'expression la suivait depuis Oxford) par Annie Graves.

Un jour, Robert lui téléphona au bureau et, pendant un moment, son nom ne lui dit rien. Il insista : « Le toubab qui vous a hébergée une nuit dans la jungle... »

Ils se donnèrent rendez-vous dans un bar, et elle le trouva bien plus séduisant que dans son souvenir. Il lui déclara qu'il suivait sa carrière dans la presse et paraissait connaître tous ses papiers mieux qu'elle-même. Il travaillait dans un cabinet d'avocats et militait à ses heures perdues pour Jimmy Carter. C'était un idéaliste débordant d'enthousiasme et, surtout, il avait le sens de l'humour. Il était en outre plus franc – et mieux coiffé – que les chevelus qu'elle fréquentait depuis sept ans.

Tandis que la garde-robe d'Annie regorgeait de cuir noir et d'épingles à nourrice, lui était très « col-boutonnéet-velours-côtelé ». Quand ils sortaient ensemble, c'était L. L. Bean frayant avec les Sex Pistols. Et le caractère si peu conventionnel de cette association était pour l'un et l'autre un secret motif de ravissement.

Au lit, zone de leur relation si longtemps évitée, et où, pour être honnête, elle craignait de s'aventurer, Robert se révéla contre toute attente libre des inhibitions qu'elle lui avait prêtées. Et même, il se montra bien plus imaginatif que ces ramollis de camés avec qui elle couchait depuis son arrivée à New York. Lorsque, quelques semaines plus tard, elle lui en fit la remarque, Robert médita un moment, comme jadis à Dakar avant de déclamer l'annuaire des vols, et répliqua avec le plus grand sérieux qu'il avait toujours considéré que le sexe, comme la justice, devait pour s'apprécier pleinement être pratiqué dans les règles de l'art.

Le mariage eut lieu au printemps, et Grace, leur unique enfant, naquit trois ans plus tard.

Annie avait emporté du travail dans le train, non par habitude, mais dans l'espoir de se distraire. La liasse était là devant elle : les épreuves de ce qu'elle espérait être un chef-d'œuvre, commandé à prix d'or à un grand romancier casse-bonbons. L'un de ses « auteurs canon », aurait dit Grace. Annie avait lu trois fois le premier paragraphe sans en comprendre un traître mot.

Puis Robert la contacta sur son téléphone cellulaire. Il était à l'hôpital. Il n'y avait pas de changement. Grace n'avait pas repris connaissance.

— Tu veux dire qu'elle est dans le coma, dit-elle sur un ton qui le mettait au défi d'être franc.

— Ce n'est pas le terme qu'ils ont employé, mais j'imagine que oui, c'est cela...

— Mais encore...? Robert, parle, pour l'amour du ciel !

— Elle a une jambe abîmée. Le camion lui a roulé dessus.

Annie aspira un douloureux filet d'air.

— On est en train de l'opérer. Écoute, Annie, je vais retourner là-bas. Je viendrai te chercher à la gare.

– Pas question. Reste auprès d'elle. Je prendrai un taxi.

– Entendu. Je te rappelle s'il y a du nouveau... Elle s'en sortira.

– Je sais.

Elle enfonça une touche et reposa le téléphone. Dehors, les champs de neige ensoleillés recomposaient leur géométrie au passage du train. Annie fouilla dans son sac à main, chaussa ses lunettes noires et appuya sa tête au dossier.

Son sentiment de culpabilité s'était manifesté aussitôt après l'appel de Robert. Elle aurait dû être là. C'était la première chose qu'elle avait dite à Don Farlow en raccrochant. Il avait eu ce geste adorable de venir l'entourer de ses bras et avait prononcé les mots qu'il fallait.

– Ça n'aurait rien changé, Annie. Tu n'aurais rien pu faire.

– Bien sûr que si ! Je lui aurais défendu de sortir. Qu'est-ce qui a pris à Robert de la laisser monter avec cette neige ?

– C'est une belle journée. Elle ne t'aurait pas écoutée.

Farlow avait raison. Pourtant, la culpabilité demeurait, car elle savait qu'elle avait plus à se reprocher que son contretemps de la veille. Ce remords, c'était tout simplement l'affleurement d'un long gisement de culpabilité dont le filon sinueux serpentait à travers ces treize dernières années et remontait à la naissance de sa fille.

Après l'accouchement, Annie avait pris six semaines de congé et connu un bonheur de tous les instants. Certes, les instants les moins glorieux avaient échu à Elsa, sa nounou jamaïquaine qui restait à ce jour le pivot de leur vie domestique.

Comme bien des femmes ambitieuses de sa génération, Annie avait eu à cœur de prouver que l'on pouvait mener de front carrière et maternité. Mais, contrairement aux autres mères médiatiques qui profitaient de leur profession pour prôner cette philosophie, Annie ne s'était jamais exhibée avec le bébé, refusant systématiquement les doubles pages photo, au point que les magazines féminins avaient vite cessé de la solliciter. Récemment, elle avait surpris Grace à feuilleter un reportage de ce genre, où une animatrice de télévision posait fièrement avec son nouveau-né.

– Pourquoi on nous a jamais prises en photo, nous ? avait dit Grace sans relever la tête.

Annie avait répondu, un brin trop véhémente, qu'elle trouvait immoral d'exploiter sa vie privée.

Grace avait vaguement approuvé, avant de changer de lecture.

– C'est sûr que si on montre pas ses enfants, on fait plus jeune, avait-elle conclu.

Annie avait été tellement ébranlée par ce commentaire – qui plus est, énoncé sans la moindre malice – que, plusieurs semaines durant, elle avait été presque incapable de réfléchir à autre chose qu'à ses rapports avec Grace – ou plutôt (comme elle venait de le découvrir) à leur absence de rapports.

Ça n'avait pas toujours été ainsi. En fait, quatre ans plus tôt, époque où elle avait accédé pour la première fois à un poste de rédactrice en chef, Annie tirait encore fierté de cette complicité qui l'unissait à sa fille et dont elle ne voyait pas d'exemple dans son entourage. Journaliste vedette à la notoriété supérieure à celle des personnalités qu'elle « croquait », elle était libre de son emploi du temps. Elle pouvait à tout moment choisir de travailler à la maison ou de prendre des vacances. Quand elle partait en voyage, c'était souvent avec Grace. Une fois, elles avaient même passé quelques jours en tête à tête dans un palace parisien, à attendre le bon vouloir d'une diva de la mode qui lui avait promis une interview. Dans la journée, elles parcouraient des kilomètres pour faire les boutiques et les musées – et le soir, elles s'empiffraient devant la télé de plats succulents qu'on leur montait des cuisines, blotties dans leur grand lit doré comme deux petites pestes.

La vie d'une rédactrice en chef était fort différente. Et, dans le stress et l'euphorie de faire d'une publication vieillotte le brûlot le plus vendu à New York, Annie avait d'abord refusé de mesurer le tort porté à sa vie familiale. Grace et elle partageaient désormais ce qu'elle qualifiait fièrement de « moments privilégiés ». Avec le recul, il était clair qu'il s'agissait surtout de corvées.

Le matin, elle passait une heure avec sa fille, pour la forcer à répéter son piano, et encore deux heures le soir, pour la forcer à faire ses devoirs. Ses remarques, qui se voulaient les conseils d'une mère, semblaient condamnées à être reçues de plus en plus souvent comme des critiques.

Le week-end, le climat s'améliorait et l'équitation leur permettait de préserver ce qui demeurait de la fragile passerelle qui les reliait encore. Annie ne montait plus mais, à la différence de Robert, elle gardait de sa jeunesse une certaine familiarité avec le petit monde fermé du hippisme. Elle avait plaisir à conduire Grace et le cheval aux manifestations. Mais, même dans le meilleur des cas, cette intimité ne débouchait jamais sur la complicité naturelle que partageaient le père et la fille.

Pour quantité de petites choses, c'était d'abord vers son père que la fillette se tournait. Et Annie était désormais résignée à l'idée que sa propre histoire se répétait inexorablement. Elle-même avait été l'enfant du père, sa mère refusant (à moins qu'elle n'en eût été incapable) de regarder au-delà du cercle doré qui entourait le petit frère. Et voilà qu'Annie, qui n'avait même pas cette excuse, se retrouvait entraînée par une impitoyable hérédité à reproduire ce schéma avec sa propre fille.

Le train ralentit dans une longue courbe et s'arrêta à Hudson. Elle contempla sans bouger l'auvent restauré du quai et ses colonnes en fonte. Un homme se tenait à l'endroit exact où Robert attendait d'habitude. Il s'avança et ouvrit les bras à une femme qui venait de descendre du train avec deux jeunes enfants. L'homme les embrassa à tour de rôle puis les escorta vers l'aire de stationnement. Le petit garçon voulait absolument porter le plus gros bagage, et l'adulte y consentit en riant. Annie détourna les yeux et se sentit soulagée lorsque le train se remit en branle. Dans vingt-cinq minutes, elle serait à Albany.

La trace de Pilgrim fut repérée à quelque distance de là, sur le bas-côté. Des traces de sang encore fraîches souillaient la neige parmi les empreintes de sabots. C'était au chasseur que revenait cette découverte, et il suivit la piste qui descendait vers la rivière en précédant Logan et Koopman sous les arbres.

Harry Logan connaissait le cheval qu'ils recherchaient, quoique pas aussi bien que celui dont il avait vu la carcasse mutilée, retirée en morceaux de l'épave de la remorque. Gulliver comptait parmi les bêtes qu'il suivait régulièrement chez Mme Dyer, mais les Maclean faisaient appel à un autre vétérinaire de la région. Logan avait remarqué le superbe morgan à l'occasion de ses visites. À en juger d'après les traces de sang, ses blessures étaient graves. Encore sous le choc de ce qu'il venait de voir, le vétérinaire regrettait de ne pas être arrivé plus tôt pour abréger les souffrances de Gulliver. Mais alors il aurait vu le cadavre de Judith, et ça lui aurait fichu un coup. Une si bonne gosse. C'était déjà assez dur de voir la petite Maclean, qu'il connaissait à peine.

Le bruit du courant s'amplifiait, et il aperçut la rivière entre les arbres. Le chasseur s'était arrêté pour les attendre. Logan buta dans une branche morte et faillit s'étaler sous l'œil du petit jeune qui le toisait avec un mépris mal dissimulé. Ce morveux. Logan l'avait d'emblée pris en grippe, comme tous les chasseurs. Il aurait dû lui·demander de remettre sa putain de carabine dans sa voiture.

Entraînée par un fort courant, l'eau déferlait sur les rochers et rejaillissait autour d'un bouleau argenté qui surplombait la rive. Le trio resta à contempler l'endroit où la piste se perdait.

— Pour moi, il a voulu traverser, déclara Koopman, plein de bonne volonté.

Mais le chasseur secoua la tête. La rive opposée était trop escarpée et vierge de traces.

Ils longèrent le bord de l'eau en silence. Puis le chasseur fit halte et, d'une main levée, leur demanda de l'imiter.

– Là, dit-il à voix basse, en relevant le menton.

Ils se trouvaient à une vingtaine de mètres du vieux pont. Logan regarda d'un air interrogateur, en s'abritant les yeux du soleil. Rien. Puis quelque chose bougea sous l'arche, et Logan l'aperçut... Le cheval se tenait au fond, dans l'ombre, et il les observait. Sa tête était trempée et des gouttes noires s'écoulaient continuellement de son poitrail. Quelque chose était planté juste sous l'encolure, mais à cette distance, impossible de savoir quoi. À tout instant, il secouait la tête, soufflant par les naseaux un ruban d'écume rose qui flottait au fil de l'eau et se dissolvait dans le courant. Le chasseur déposa son étui à bandoulière et tira sur la fermeture à glissière.

– Désolé, mais ce n'est pas le moment, dit Logan, d'un ton dégagé mais ferme.

Sans même lever les yeux, l'autre sortit sa carabine, un .308 allemand bien astiqué avec une lunette télescopique grosse comme une bouteille. Koopman lui accorda un regard admiratif. Le chasseur sortit des balles de sa poche et se mit à charger tranquillement son arme.

– Il est en train de crever...

– Tiens? Vous êtes véto?

Le petit gars partit d'un ricanement méprisant. Il logea une cartouche dans le magasin et reprit son attitude d'attente, avec l'air horripilant du type convaincu que les faits lui donneront raison. Logan l'eût volontiers étranglé. Il se retourna vers le pont et fit un pas prudent en avant. Aussitôt, le cheval recula. Il était désormais au soleil et Logan réalisa qu'il n'avait rien de fiché dans l'encolure. Il s'agissait tout simplement d'un tablier de peau rose, rabattu d'une affreuse déchirure en L d'environ soixante-dix centimètres de longueur. Le sang giclait de la chair à vif et ruisselait sur le poitrail. Quant à la tête, elle était trempée de sang. Même à cette distance, on voyait que l'os du nez était en miettes.

Logan en était malade. C'était une sacrée belle bête, et il

lui répugnait de l'achever. Mais même s'il pouvait s'approcher suffisamment pour juguler l'hémorragie, vu l'étendue des dégâts, l'animal n'avait pas une chance. Il fit un autre pas en avant, et Pilgrim recula de nouveau, cherchant une issue en amont. Il entendit un claquement sec ; le chasseur manipulait la culasse de son arme. Logan se retourna.

— La paix, merde !

L'autre ne répondit pas, mais jeta à Koopman un regard entendu. Logan sentit que se nouait là une connivence qu'il devait contrer à tout prix. Posant son sac à terre, il s'accroupit et entreprit de fouiller dans ses affaires.

— Koopman, je voudrais essayer de l'atteindre. Vous pourriez le contourner par le pont et lui barrer le passage ?

— Oui, docteur.

— Prenez une branche, n'importe quoi, et agitez-la s'il fait mine de s'approcher. Il faudra peut-être vous mouiller les pieds.

— Bien, docteur.

Il s'éloignait déjà sous les arbres. Logan le rappela.

— Criez, quand vous êtes prêt. Et gardez vos distances !

Logan remplit une seringue de calmants et bourra les poches de sa parka. Il sentait sur lui le regard du chasseur, mais choisit de l'ignorer et se remit debout. Pilgrim, tête basse, ne perdait rien de ses gestes. Ils attendirent, en écoutant le grondement des eaux. Puis Koopman se manifesta et Logan, profitant que le cheval se détournait dans cette nouvelle direction, s'avança dans la rivière en dissimulant de son mieux la seringue qu'il tenait à la main.

Ici et là, dans le lit du cours d'eau, affleuraient des roches plates dont la surface lisse pouvait faire office de marches. Pilgrim se retourna et l'aperçut. L'animal s'agitait, à présent, ne sachant où aller. Il piaffa dans l'eau en soufflant un torrent d'écume sanguinolente. Pour Logan, qui avait atteint la dernière dalle, le moment était venu de se mouiller. Il mit le pied dans le courant et sentit l'eau glacée s'engouffrer dans sa botte. Le choc lui coupa le souffle.

Koopman apparut là où la rivière formait un coude, derrière le pont. De l'eau également jusqu'aux genoux, il s'était emparé d'une grosse branche de bouleau argenté. Le regard du cheval allait de l'un à l'autre. La peur se lisait dans ses yeux, et autre chose aussi, qui n'avait rien de rassurant.

– Tout doux, mon garçon. Tout doux, fit Logan d'une voix chantante.

Il n'était plus qu'à vingt pas de lui, et tâchait d'envisager comment il s'y prendrait pour la piqûre. S'il pouvait attraper la bride, il aurait une chance de pratiquer l'injection dans l'encolure. À toutes fins utiles, il avait rempli la seringue d'une dose de calmants supérieure à ses besoins. S'il touchait une veine, il se permettrait d'injecter moins de produit que s'il piquait dans un muscle. Dans les deux cas, mieux valait ne pas avoir la main trop lourde. On ne pouvait prendre le risque d'endormir un animal dans cet état. Il suffisait de lui administrer une dose suffisante pour le sortir de là et le mettre en sécurité.

Maintenant qu'il était tout près, Logan distinguait la blessure au poitrail. Il n'avait jamais vu un truc aussi moche, et il comprit que chaque minute comptait. Au rythme où il se vidait de son sang, l'animal devait déjà avoir perdu dans les quatre litres.

– Tout doux, petit. On ne va pas te faire de mal.

Pilgrim renâcla, se déporta sur le côté, et fit quelques petits pas vers Koopman en projetant des gouttelettes aux couleurs d'arc-en-ciel.

– Agitez la branche! brailla Logan.

Koopman s'exécuta et Pilgrim se figea. Logan mit à profit cette diversion pour progresser de façon décisive ; ce faisant, il s'enfonça dans un trou et se retrouva trempé jusqu'à l'entrejambe. Bonté divine. Le cheval suivit son avancée de ses yeux bordés de blanc, puis tenta une nouvelle percée du côté de Koopman.

– Attention !

La branche le coupa net dans son élan. Plongeant alors en

avant, Logan tenta sa chance. Il s'empara des rênes, les bloqua d'une torsion du poignet, et sentit le cheval qui s'arc-
boutait et opérait un mouvement tournant. Il essaya de rester
collé à son épaule pour se protéger des postérieurs et, levant
vivement la main, réussit à piquer l'aiguille dans l'encolure. À
ce contact, Pilgrim éclata. Il se cabra avec un hurlement
affolé et Logan n'eut qu'une fraction de seconde pour enfoncer le piston. Au même moment, le cheval le bousculait par le
flanc; déstabilisé, le vétérinaire en perdit à la fois son équilibre et ses moyens. Malgré lui, il injecta tout le contenu de la
seringue.

Sachant d'où venait le danger le plus sérieux, l'animal
s'élança alors sur Koopman. Logan, qui avait gardé les rênes
entortillés autour de sa main gauche, décolla brutalement et
plongea tête la première. Une eau glaciale s'infiltra dans ses
vêtements, et il se retrouva entraîné comme un skieur mala-
droit. Il vit seulement un rideau d'écume. Les rênes lui cisail-
laient les chairs et il cria quand son épaule heurta une pierre.
Puis sa main se libéra et il put enfin redresser la tête et inspi-
rer à pleins poumons. Il vit alors Koopman, qui plongeait de
côté pour libérer le passage, tandis que le cheval s'enfuyait
dans des gerbes d'eau et escaladait le talus tant bien que mal.
La seringue était restée plantée dans son encolure. Lorsque
Logan se releva, l'animal disparaissait dans les bois.

– Merde.
– Ça va? fit Koopman.
Il répondit d'un hochement de tête et entreprit d'exprimer
l'eau de sa parka. Quelque chose bougea dans son champ de
vision, et il aperçut le chasseur sur le pont, accoudé au para-
pet. Il avait suivi toute la scène et souriait benoîtement.
– Va te faire foutre, ducon...

Elle aperçut Robert dès qu'elle eut franchi les portes bat-
tantes. Au bout du couloir, il y avait une salle d'attente avec
des banquettes grises et une table basse ornée d'un bouquet.
Il était là, debout à une fenêtre, et regardait dehors; le soleil

rayonnait autour de sa personne. Alerté par le bruit des pas, il tourna la tête et cligna des yeux dans sa direction, scrutant la pénombre relative du couloir. Annie fut saisie de le voir si vulnérable, avec ce visage à moitié dans la lumière, ce teint pâle et terreux. Puis il la reconnut et se porta au-devant d'elle avec un petit sourire lugubre. Ils restèrent serrés l'un contre l'autre en silence.

– Où est-elle? demanda Annie.

Il la prit par les bras et la regarda en face.

– En bas. En salle d'opération.

Voyant sa réaction, il s'empressa d'ajouter :

– Ils disent qu'elle va s'en tirer. Elle n'a pas repris connaissance, mais ils ont procédé à tous les examens et scanographies... le cerveau ne semble pas lésé.

Il s'interrompit pour déglutir, et Annie attendit. Elle avait deviné, à sa voix mourante, qu'il y avait autre chose, bien sûr.

– Je t'écoute.

Impossible. Il se mit à pleurer. Sans bouger, la tête baissée, les épaules secouées de tremblements. Il la tenait toujours et elle se dégagea doucement pour lui agripper les bras à son tour.

– Parle. Je veux savoir.

Il releva la tête et fixa le plafond un moment.

– Ils sont en train de lui couper la jambe.

Par la suite, Annie devait se sentir à la fois fière et honteuse de la réaction qui fut la sienne, cet après-midi-là. Elle ne s'était jamais crue taillée pour les situations de crise – sauf au bureau, où elles étaient le sel de sa vie professionnelle. Elle n'avait jamais non plus éprouvé de difficulté à exprimer ses sentiments. C'était peut-être Robert qui avait décidé pour elle, en s'effondrant. L'un d'eux devait faire face ou c'était la fin de tout.

Mais Annie ne doutait pas que les rôles auraient pu facilement s'inverser. En réalité, la nouvelle de ce qu'on était en train d'infliger à sa fille, à cet instant même, dans ce même bâtiment, entra en elle comme un poinçon de glace. Outre un besoin de pleurer vite réprimé, tout ce qui lui vint à l'esprit fut une suite de questions, auxquelles leur caractère pratique et objectif donnait une apparence de brutalité.

– À quel niveau ?

Il fronça les sourcils, décontenancé.

– Pardon ?

– Sa jambe. Ils coupent à quel niveau ?

– Ils partent de... (Il s'interrompit, éprouvant le besoin de se ressaisir. Ce détail était si choquant.) Au-dessus du genou.

– Quelle jambe ?

– La droite.

– Quelle hauteur au-dessus du genou ?

– Arrête, Annie ! Quelle importance ?

Il la repoussa et essuya ses pleurs d'un revers de la main.

– Il me semble que c'est très important, au contraire.

Elle ne se reconnaissait plus elle-même. Il avait raison, ça n'avait aucune importance. C'était une question macabre, sans intérêt, mais elle devait savoir.

– Ils coupent juste au-dessus du genou, ou ils lui ôtent la cuisse aussi ?

– Juste au-dessus du genou. Les mesures exactes ne m'ont pas été communiquées, mais tu n'as qu'à descendre, on te laissera sûrement vérifier par toi-même.

Il se tourna vers la fenêtre et Annie le regarda tirer un mouchoir et éponger méticuleusement ses larmes, furieux de s'être laissé aller. Elle entendit des pas dans son dos.

– Madame Maclean ?

Annie fit volte-face. Une jeune infirmière tout en blanc jeta un coup d'œil à Robert et comprit qu'Annie était bien la bonne personne.

– On vous demande au téléphone.

L'infirmière la précéda dans le couloir à petits pas pressés. Ses souliers blancs ne faisaient aucun bruit et elle donnait l'impression de flotter au-dessus du carrelage brillant. Elle désigna un téléphone près de la réception et transmit la communication depuis le bureau.

C'était Joan Dyer, qui appelait des écuries. Elle s'excusa pour le dérangement et demanda avec inquiétude des nouvelles de Grace. Passant la jambe sous silence, Annie répondit que l'enfant était toujours dans le coma. Mme Dyer n'épilogua pas. Son appel concernait Pilgrim. On l'avait retrouvé et Harry Logan voulait savoir ce qu'il devait en faire.

– Je ne comprends pas...

– Le cheval est dans un état très grave. Il souffre de fractures multiples, de plaies profondes, et il a perdu beaucoup de sang. Même si l'impossible est fait pour le sauver, il ne sera plus jamais comme avant.

– Et Liz? Elle ne peut pas aller sur place?

Liz Hammond était le vétérinaire qui suivait Pilgrim, et également une amie de la famille. C'était elle qui, l'été dernier, s'était rendue à leur demande dans le Kentucky afin d'examiner Pilgrim dans l'optique d'une acquisition. Elle aussi était tombée sous le charme.

– Elle est absente. Elle ne sera pas rentrée avant la fin de la semaine prochaine.

– Logan veut l'achever?

– Oui. Je regrette, Annie. Pilgrim est sous calmants et, d'après Harry, il ne se réveillera peut-être pas. Il demande la permission d'en finir.

– D'un coup de fusil?

Voilà qu'elle s'entendait insister lourdement, de nouveau, sur un point de détail, comme avec Robert. Quelle importance, la façon dont ils allaient le tuer?

– D'une injection, je suppose.

– Et si je refuse?

– Dans ce cas, ils devront essayer de le transporter pour pratiquer une opération. À Cornell, peut-être... Toute autre considération mise à part, ça vous coûtera bien plus cher que la somme pour laquelle il était assuré.

Ce fut la question de l'argent qui scella la décision d'Annie, car l'idée que le destin de sa fille était lié à celui du cheval n'avait pas encore pris corps dans son esprit.

– Je me fous de ce que ça pourra coûter ! hurla-t-elle. (Et elle sentit la pauvre femme tressaillir au bout du fil.) Dites à Logan que s'il le tue, je le traîne devant les tribunaux !

– Par ici. C'est bon. Par ici...

Koopman reculait, le dos à la pente, en guidant le camion des deux mains. Le véhicule progressait lentement en marche arrière parmi les arbres, dans le cliquetis des chaînes qui oscillaient au bout du treuil. C'était le camion que les employés de la papeterie tenaient prêt pour le trans-bordement des turbines neuves et que Koopman avait réqui-sitionné en même temps que le personnel. Une grosse camionnette Ford qui tirait une plate-forme les suivait de près. Koopman jeta par-dessus son épaule un coup d'œil au petit groupe massé autour du cheval.

Pilgrim gisait sur le flanc, au milieu d'une mare de sang qui s'élargissait sous les genoux de ceux qui s'efforçaient de le sauver. C'était là que l'injection avait produit son effet. Ses antérieurs s'étaient dérobés et il était tombé à genoux. Pen-dant un moment, il avait résisté, mais à leur arrivée, Logan et Koopman l'avaient trouvé K.O.

Après avoir envoyé Koopman chercher des secours et télé-phoner à Mme Dyer, le vétérinaire s'était accroupi pour ten-ter d'endiguer l'hémorragie. Il plongea la main dans la plaie fumante, palpant des couches successives de chairs molles arrachées, dans l'hémoglobine jusqu'au coude. Il cherchait à tâtons l'origine du saignement et trouva une artère transper-cée – une petite, Dieu merci. Au contact du sang chaud qui pulsait dans sa main, il se rappela qu'il avait emporté des petits clamps et fouilla dans sa poche, où il trouva le néces-saire. Sitôt la pince en place, l'hémorragie cessa. Mais le sang s'échappait toujours par une centaine de veines sectionnées. Le vétérinaire s'extirpa alors avec peine de sa parka gorgée d'eau et de sang, et en vida les poches. Le vêtement essoré et roulé en boule, il le pressa le plus délicatement possible sur la blessure. Merde. Il avait un besoin urgent de plasma. Sa poche de Plasmalyte était restée dans le sac, au bord de la rivière. Il retourna sur les lieux en courant comme un dératé.

À son retour, la brigade de secours était en train de disposer des couvertures sur le cheval. On lui tendit un téléphone.

– Mme Dyer...

– Ce n'est pas le moment, bon sang !

Il s'agenouilla pour relier le sac de Plasmalyte à l'encolure, puis administra des stéroïdes pour amortir le choc. La respiration était faible, hachée, et les membres se refroidissaient rapidement. On les avait déjà bandés pour juguler l'hémorragie, mais Logan réclama d'autres couvertures pour les envelopper.

Des bâches vertes avaient été apportées d'une ambulance. Avec précaution, Logan retira de la plaie la parka imbibée de sang et la remplaça par les bâches. Accroupi sur les talons, hors d'haleine, il prépara une injection de pénicilline. Sa chemise était trempée et entièrement rouge. Du sang goutta de ses coudes lorsqu'il inclina la seringue pour en chasser les bulles d'air.

– C'est de la folie furieuse...

Il pratiqua l'injection dans l'encolure. L'animal était plus mort que vif. La plaie au poitrail aurait déjà suffi à justifier d'en finir – et ce n'était pas la moitié des dégâts. L'os nasal avait été atrocement enfoncé et on devinait des côtes cassées, une hideuse entaille au boulet gauche, sans compter d'innombrables coupures et contusions. Vu la façon dont la pauvre bête avait remonté la berge en boitant, elle devait s'être estropié le haut de l'antérieur droit. Il eût mieux valu abréger ses souffrances. Mais du diable s'il donnerait à ce petit morveux de chasseur, l'as de la gâchette, la satisfaction d'avoir eu raison. Si le cheval décidait de mourir, tant pis.

Koopman avait guidé à bon port le camion de la papeterie et la Ford. Logan découvrit qu'on s'était débrouillé pour lui dégoter des courroies en grosse toile. Mme Dyer était restée en ligne, et Logan prit enfin la communication.

– Bon, je suis à vous..., dit-il, tout en donnant ses indications sur la façon de placer les courroies.

Il écouta la pauvre femme, qui s'efforçait de lui traduire le message avec tact, et se contenta de sourire.

– Formidable. C'est agréable de se savoir apprécié.

Puis il rendit le téléphone et entreprit d'aider à tirer les sangles sous le corps de l'animal qui baignait à présent dans une gadoue rouge. Tout le monde s'était relevé, et Logan trouva amusante la vision de cette brochette de genoux écarlates. On lui tendit un vêtement sec et, pour la première fois depuis qu'il était sorti de la rivière, il réalisa qu'il était complètement gelé.

Koopman aida le chauffeur à attacher les extrémités des courroies aux chaînes du treuil, puis recula comme les autres, tandis que Pilgrim était lentement soulevé dans les airs et déposé comme une carcasse sur la remorque. Logan grimpa sur la plate-forme avec deux auxiliaires et les aida à replacer les membres de l'animal dans leur position initiale. Koopman lui remit ses affaires, tandis qu'on étalait les couvertures.

Logan procéda à une nouvelle injection de stéroïdes et sortit une nouvelle poche de Plasmalyte. Il se sentait soudain très las. Le cheval avait une chance sur cent d'arriver en vie à la clinique.

– On les a appelés, déclara l'adjoint du shérif. Ils vous attendent.

– Merci.

– Vous êtes paré ?

– Je crois.

Koopman tapa à l'arrière de la Ford, et le véhicule remonta lentement la côte en tirant sa remorque.

– Bonne chance ! cria Koopman.

Mais le vétérinaire n'eut pas l'air de l'entendre. Le jeune adjoint du shérif semblait vaguement déçu. Maintenant que tout était terminé, chacun rentrait chez soi. Il entendit une fermeture Éclair coulisser dans son dos et fit volte-face. Le chasseur rangeait la carabine dans son étui.

– Merci pour tout, fit Koopman.

L'autre hocha la tête, prit son sac en bandoulière, et s'éloigna.

Robert s'éveilla en sursaut et, sur le moment, se crut à son bureau. Son écran d'ordinateur était en folie et de frémissantes lignes vertes s'y pourchassaient à travers des rangées de pics dentelés. Oh non, un virus. En train de saccager les fichiers du dossier Dunford. Puis il aperçut le lit, les couvertures soigneusement tendues par-dessus ce qui restait de la jambe de sa fille, et il se rappela où il était.

Il consulta sa montre. Presque cinq heures du matin. La pièce était dans le noir, sauf là où une lampe fixée derrière le lit auréolait la tête et les épaules nues de Grace. Elle avait les yeux clos et les traits sereins, comme parfaitement indifférente aux spirales de tuyaux en plastique qui avaient investi son corps. Une sonde reliée au respirateur lui entrait dans la bouche ; une autre lui remontait dans le nez et atteignait l'estomac. D'autres tuyaux se déroulaient depuis des poches et des flacons suspendus au-dessus du lit, et se rejoignaient dans une farouche mêlée au niveau du cou, comme pour se disputer à qui atteindrait le premier la valve fichée dans la jugulaire. Cette valve était dissimulée sous un adhésif couleur chair, de même que les électrodes placées aux tempes et à la poitrine, et le trou qu'on avait pratiqué au-dessus de son jeune sein pour insérer une sonde en fibre optique dans le cœur.

D'après les médecins, elle devait d'être encore en vie au port de sa bombe. Lorsque sa tête avait heurté la route, c'était le casque qui s'était fendu au lieu du crâne. Un second scanner avait décelé pourtant un épanchement de sang au cerveau, si bien qu'ils avaient foré un trou minuscule dans le crâne et inséré quelque chose qui régulait la pression interne. Le respirateur devait permettre de réduire la tuméfaction du cerveau. Son chuintement cadencé, telles les vagues d'une mer mécanique se brisant sur la grève, avait entraîné Robert dans le sommeil à la façon d'une berceuse. Quand il s'était assoupi, il tenait sa fille par la main. La paume était restée offerte, dans la position où il l'avait lâchée malgré lui. Il la reprit dans les siennes et en sentit la chaleur trompeuse.

Il se pencha pour recoller délicatement un morceau d'adhésif au niveau d'une sonde enfoncée dans un bras, et leva les yeux sur la batterie d'appareils dont il avait tenu à se faire expliquer précisément les rôles respectifs. Sans bouger de son siège, il procéda à un contrôle systématique, scrutant chaque écran, valve et niveau des fluides, pour vérifier que rien n'était arrivé pendant son sommeil. Il savait que tout était relié à des ordinateurs, et qu'en cas de problème un signal d'alarme retentirait au niveau du moniteur central. Mais il tenait à s'en assurer par lui-même. Enfin satisfait, la petite main toujours dans la sienne, il se cala dans son siège. Annie dormait dans une pièce qu'on avait mise à leur disposition au bout du couloir. Elle lui avait demandé de la réveiller à minuit, pour prendre son tour de garde, mais puisqu'il avait lui-même fait un somme, il préféra la laisser se reposer.

Au milieu de tout cet appareillage barbare, Grace faisait la moitié de son âge. Elle qui était toujours si pleine de vie. À part le jour où il avait fallu lui recoudre le genou après une chute de vélo, elle n'était pas retournée à l'hôpital depuis sa naissance. Il est vrai que, ce jour-là, ils avaient eu largement leur compte de drame...

On avait dû pratiquer une césarienne en catastrophe. Au bout de douze heures de travail, Annie avait été placée sous péridurale et, comme la situation semblait stationnaire, Robert avait fait un tour à la cafétéria. À son retour, une demi-heure plus tard, c'était la panique : on se serait cru sur le pont d'un navire de guerre. Les hommes en vert couraient de tous côtés, roulant du matériel, braillant des ordres. Il apprit qu'en son absence le moniteur central avait révélé que le bébé était en péril. Tel le héros d'un film de guerre des années quarante, l'obstétricien avait fait irruption, déclarant à ses troupes qu'il « attaquait ».

Robert avait toujours cru qu'une césarienne était une

affaire de tout repos. Pas de halètements, pas de cris, pas d'efforts – une simple incision le long d'un tracé, et le bébé sortait tout seul ou presque. Rien ne l'avait préparé au corps à corps qui s'ensuivit. Le match était déjà engagé, quand on le laissa entrer, et il resta à l'écart, les yeux grands ouverts. Annie était sous anesthésie générale, et il vit ces hommes – ces parfaits étrangers – qui fouillaient en elle, dans l'hémoglobine jusqu'aux coudes, halant et fourrageant là-dedans à cœur joie. Puis, l'ouverture dilatée par des pinces métalliques, ils avaient tiré, dévissé, peiné, et pour finir l'un d'entre eux, le héros de guerre, avait attrapé quelque chose – alors les autres s'étaient brusquement calmés et l'avaient laissé faire, tandis qu'il extirpait des entrailles béantes d'Annie un tout petit être barbouillé des blanches sécrétions utérines.

Ce type, un gros malin, avait cru drôle de lui jeter par-dessus l'épaule : « Tâchez de faire mieux la prochaine fois. C'est une fille. » Robert l'aurait tué. Mais lorsque, après une toilette rapide – et vérification faite qu'elle avait le bon compte de doigts et d'orteils –, on lui avait tendu le bébé enveloppé d'une couverture blanche, toute sa colère l'avait déserté. Il avait pris l'enfant dans ses bras et l'avait déposé sur l'oreiller d'Annie, pour que ce fût sa première vision à son réveil.

Tâchez de faire mieux la prochaine fois. Il n'y avait jamais eu de prochaine fois. Ils auraient voulu un deuxième enfant, mais Annie avait subi quatre fausses couches, frisant la catastrophe à la dernière, alors que sa grossesse était bien avancée. Il eût été déraisonnable de s'obstiner davantage, leur avait-on dit. Le conseil était superflu car, à chaque épreuve, la douleur se multipliait de façon exponentielle, si bien qu'à la fin ni lui ni elle n'avaient plus été de force à lutter. Après un nouvel échec, quatre ans plus tôt, Annie avait exprimé le désir de se faire stériliser. Devinant que c'était pour se punir, il l'avait suppliée de n'en rien faire. À contrecœur, elle avait accepté la pose d'un stérilet, déclarant avec un humour sinistre qu'avec un peu de chance cela reviendrait au même.

C'était précisément à cette époque qu'Annie s'était vu offrir – et avait accepté, contre toute attente – son premier poste de rédactrice en chef. Par la suite, voyant comment elle canalisait sa colère et sa déception dans ses nouvelles fonctions, il avait compris qu'elle avait accepté pour oublier, à moins que ce ne fût encore pour se punir. Les deux, peut-être. Mais il n'avait pas du tout été surpris par sa réussite, si spectaculaire que tous les grands groupes de presse essayaient de la débaucher.

Leur commun échec à engendrer de nouveau était un chagrin dont ils ne parlaient plus, mais qui continuait à suinter par toutes les failles de leur couple.

La plaie s'était rouverte cet après-midi-là, quand il avait stupidement craqué à l'hôpital. Il le savait, Annie croyait qu'il lui en voulait d'être incapable de lui donner un second enfant. Si elle avait réagi avec une telle dureté, c'était peut-être parce qu'elle voyait dans ses larmes une expression de ce reproche. Elle avait peut-être raison. Car ce frêle enfant charcuté par le bistouri d'un chirurgien, c'était là toute leur richesse. Quelle légèreté, quelle méchanceté de la part d'Annie, de n'avoir donné qu'une fois la vie! Pensait-il vraiment cela? Bien sûr que non. Mais alors comment cette idée pouvait-elle si librement s'exprimer en lui?

Robert avait toujours pensé qu'il aimait sa femme plus qu'elle ne l'aimerait jamais. Elle avait de l'affection pour lui, sans nul doute. Leur ménage, comparé à bien d'autres, était satisfaisant. Tant sur le plan intellectuel que physique, ils restaient capables de se donner mutuellement du plaisir. Mais depuis leur mariage, il ne s'écoulait pratiquement pas de jour sans qu'il s'estimât heureux de lui avoir mis le grappin dessus. Comment une femme si brillante pouvait-elle se plaire avec un homme tel que lui, c'était une énigme.

Pourtant, il ne se sous-estimait pas. Objectivement – et il considérait l'objectivité, *objectivement*, comme son point fort – il ne connaissait pas meilleur avocat que lui. Il était également un bon père, un ami loyal pour ses rares intimes, et en dépit de tout ce qui se racontait de nos jours sur les avocats, d'une authentique intégrité. Mais s'il ne se voyait pas comme un être terne, il savait qu'il ne possédait pas l'étincelle d'Annie, son éclat. Cet éclat qui n'avait cessé de le fasciner depuis leur toute première rencontre, la nuit où elle s'était présentée à sa porte avec ses bagages.

S'il n'était guère que de six ans son aîné, il lui arrivait souvent de se sentir plus vieux que son âge. Et avec tous ces gens merveilleux et puissants qu'elle côtoyait, c'était un petit miracle si elle se contentait de lui. Le plus beau, c'est qu'il était certain – du moins autant qu'un homme pouvait l'être – qu'elle ne l'avait jamais trompé.

Depuis le printemps, date de sa nouvelle prise de fonctions, la situation s'était détériorée. Les « charrettes » au bureau la rendaient irritable et plus critique qu'à l'ordinaire. Grace et Elsa, qui avaient également remarqué le changement, se surveillaient en sa présence. Elsa était désormais soulagée quand Robert rentrait le premier. Elle lui transmettait rapidement les messages, montrait ce qu'elle avait préparé à dîner, et prenait la fuite avant l'arrivée de la maîtresse de maison.

Sentant une main posée sur son épaule, Robert leva les yeux et vit sa femme, debout à son côté, comme convoquée par ses pensées. Elle avait les yeux cernés. Il lui prit la main et la pressa contre sa joue

– Tu as dormi ?

– Comme un loir. Tu devais me réveiller.

– Je me suis assoupi moi aussi.

– Toujours pareil ?

Il acquiesça. Ils avaient parlé à mi-voix, comme par crainte de la réveiller. Pendant un moment, ils restèrent à la contempler, la main d'Annie toujours sur son épaule. Le chuintement du respirateur semblait approfondir le silence. Prise de frisson, Annie croisa frileusement les bras sur son gilet de laine.

– Je crois que je vais rentrer lui chercher des affaires a la maison. Comme ça, à son réveil, elle ne sera pas trop dépaysée.

– J'y vais. Tu ne peux pas conduire maintenant...
– Non, je préfère... Tu me prêtes tes clés?
Il lui confia le trousseau.
– Je vais prendre un sac aussi pour nous. Il te faut quelque chose en particulier?
– Non. Des vêtements, et un rasoir.
Elle s'inclina et l'embrassa sur le front.
– Sois prudente, dit-il.
– Promis.
Il la suivit du regard. Elle s'arrêta à la porte et, comme elle se retournait vers lui, il devina qu'elle avait quelque chose sur le cœur.
– Qu'y a-t-il?
Mais elle se contenta de sourire et hocha la tête. Puis elle se retourna et disparut.

À cette heure-là, les routes étaient dégagées, et même, à l'exception d'une ou deux sableuses solitaires, pratiquement désertes. Annie suivit la 87 puis la 90, avant d'emprunter la même sortie que le poids lourd, la veille.

Ce n'était pas encore le dégel, et les phares éclairaient les murets de neige grise sur les bas-côtés. Les pneus cloutés produisaient un sourd grondement sur les gravillons de la chaussée. À la radio, une mère exprimait ses inquiétudes : son fils adolescent semblait être tombé amoureux de la voiture japonaise qu'elle venait d'acquérir. Il passait des heures à la caresser, et aujourd'hui même, en entrant dans le garage, elle l'avait surpris en train de s'exciter contre le tuyau d'échappement.

– C'est ce qui s'appelle une fixation, non? fit Melvin, l'animateur.

Sur les ondes, la dérision s'exerçait désormais sans pitié. C'était à se demander pourquoi les gens continuaient à appeler, sachant qu'ils s'exposaient à une humiliation. Peut-être était-ce le but recherché. L'auditrice fonça dans le panneau en toute inconscience.

– Oui, c'est sûrement ça, dit-elle. Je ne sais pas quoi faire.

– Ne faites rien, lança Melvin. Il finira par se fatiguer. Auditeur suivant...

Annie quitta la nationale pour s'engager sur la petite route qui s'enroulait autour de la colline jusqu'à sa maison. Une croûte de neige durcie miroitait sur la chaussée et elle conduisit prudemment sous le tunnel d'arbres, avant de tourner dans l'allée que Robert avait dû déblayer dans la matinée. Ses phares balayèrent d'un long panoramique la blanche façade à bardeaux de la maison, dont les pignons se perdaient parmi les cimes des hêtres. Tout était éteint à l'intérieur ; au passage des pinceaux de lumière, murs et plafond du hall s'éclairèrent d'une fugace lueur bleue. Comme Annie contournait la maison, un éclairage extérieur s'alluma automatiquement et elle attendit l'ouverture de la porte du garage souterrain.

La cuisine était restée dans l'état où Robert l'avait laissée. Des placards étaient ouverts, et deux sacs pleins de provisions trônaient encore sur la table. Une crème glacée, qui avait fondu, s'égouttait au sol où elle formait une flaque rose. Le témoin rouge du répondeur était allumé, mais Annie n'avait aucune envie d'écouter les messages. Elle découvrit le petit mot que Grace avait écrit à son père et le fixa avec une sorte de répulsion. Puis elle se détourna brusquement et se mit à l'ouvrage, épongeant la glace et rangeant les aliments qui n'étaient pas gâtés.

À l'étage, alors qu'elle rassemblait des affaires pour Robert, elle éprouva l'étrange sensation d'agir en robot. Elle songea que cet abrutissement était sans doute dû au choc, à moins que ce ne fût de sa part une tentative pour nier la réalité.

En vérité, lorsqu'elle avait revu Grace après l'opération, l'expérience avait été si étrange, si extrême, qu'elle avait été incapable de réaliser. Elle s'était sentie presque jalouse de la souffrance qui ravageait si visiblement son mari, à mesure qu'il découvrait toutes les violences faites à sa fille par les médecins. Annie, elle, s'était bornée à regarder. Ce qu'on avait fait de son enfant n'avait aucun sens pour elle.

Comme ses vêtements et ses cheveux gardaient l'odeur de l'hôpital, elle se déshabilla et prit une douche. Elle laissa l'eau ruisseler sur son corps puis augmenta le débit d'eau chaude jusqu'à la limite du supportable. Le bras levé, elle modifia l'inclinaison du pommeau, choisissant l'angle le plus cruel afin que le jet la mitraillât comme un faisceau d'épingles brûlantes. Les yeux fermés, elle leva la tête et exposa franchement sa figure, à en crier de douleur. Mais elle ne bougea pas, contente de souffrir. Oui, elle avait mal. Au moins, elle n'était pas complètement insensible.

Quand elle sortit de la cabine, la salle de bains était envahie par la vapeur. Elle essuya le miroir avec la serviette, sans réussir à le rendre parfaitement limpide, puis se sécha, les yeux fixés sur l'image brouillée et fluide d'un être qui ne lui ressemblait pas. Elle avait toujours apprécié son corps, même si ses rondeurs outrepassaient les canons de perfection prêchés dans les pages mode de son magazine où, ces jours-ci, seules les pauvres orphelines avaient droit de cité. Mais ce que le miroir brumeux lui renvoyait, c'était une abstraction d'elle-même en rose, déformée comme dans un tableau de Francis Bacon – et cette découverte la déconcerta si fort qu'elle éteignit la lumière et se hâta de sortir.

La chambre de Grace était restée telle que la petite l'avait laissée. Le long tee-shirt qui lui servait de chemise de nuit était étalé sur le lit défait. Un jean traînait au sol; Annie le ramassa. Elle reconnut le pantalon dont les trous effrangés aux genoux avaient été raccommodés avec des pièces de tissu découpées dans l'une de ses vieilles robes à fleurs. Elle se rappelait qu'elle s'était offerte à le faire, et combien elle avait été vexée lorsque Grace avait répondu qu'elle préférait demander à Elsa. Annie lui avait fait le coup du haussement de sourcils offensé, et Grace s'était sentie instantanément dans son tort.

– Pardon, maman, avait-elle dit en lui ouvrant les bras. Mais tu sais bien que tu ne sais pas coudre...

– Je peux *tout* faire! avait répondu Annie, transformant en plaisanterie ce qui à l'origine n'en était pas une.

– O.K. Tu sais. Mais pas bien comme Elsa.

– Pas *aussi* bien qu'Elsa, tu veux dire.

Annie la reprenait toujours sur sa manière de parler, en adoptant pour ce faire son accent british le plus snob. Ce qui amenait immanquablement Grace à répliquer avec un pur accent du terroir :

– Ouais, môman. Comme tu veux, môman.

Annie plia le jean et le rangea. Puis elle fit le lit et parcourut la pièce du regard en se demandant ce qu'il convenait d'emporter. Un genre de hamac, suspendu au-dessus du lit, contenait des dizaines de peluches, une vraie ménagerie allant de l'ours au bison, et du chat à l'épaulard. Elles avaient été rapportées de tous les coins de la planète par des parents et amis et, désormais réunies, partageaient tour à tour la couche de Grace. Chaque soir, avec un scrupuleux sens de l'équité, leur maîtresse en sélectionnait deux ou trois, selon la taille, et les calait contre son oreiller. La nuit dernière, son choix s'était apparemment porté sur une moufette et une horreur de dragon que Robert lui avait un jour rapportée de Hong Kong. Annie les replaça dans le hamac et entreprit de mettre la main sur le plus vieux copain de Grace, le pingouin Godfrey, qu'un collègue de Robert avait fait parvenir à la clinique, le jour de l'accouchement. L'un de ses yeux n'était plus qu'un bouton, et des passages répétés en machine à laver l'avaient tassé et décoloré. Annie l'extirpa du lot et le fourra dans le sac.

Près de la fenêtre, elle ramassa le walkman et la mallette de cassettes de Grace. Le médecin avait conseillé de lui faire entendre de la musique. Sur le bureau, il y avait deux photos encadrées. La première les représentait tous les trois sur un bateau. Grace, au centre, tenait ses parents par l'épaule – ils riaient. Le cliché avait été pris cinq ans plus tôt à Cape Cod ; c'était l'un de leurs plus beaux souvenirs de vacances. Annie glissa le cadre dans son sac et prit l'autre photo. C'était Pilgrim, photographié dans la prairie au-dessus des écuries, peu après son acquisition, l'été dernier. Il ne portait pas de selle ni de bride, pas même une longe, et sa robe chatoyait au soleil. Son corps était tendu vers un point invisible, mais il tournait la tête vers le photographe et regardait franchement l'objectif. Annie, qui examinait ce portrait pour la première fois, se sentit troublée par ce regard fixe.

Elle ignorait si l'animal était encore en vie. Elle ne savait que ce que Mme Dyer lui avait dit la veille au téléphone : on l'avait transporté chez le vétérinaire à Chatham puis à Cornell. Ce portrait était comme un reproche. Pas sur le fait qu'elle aurait dû se renseigner sur son sort, non. C'était plus profond, elle ne savait pas quoi... Elle rangea la photo avec les affaires et redescendit au rez-de-chaussée après avoir éteint.

Une pâle lueur filtrait déjà par les hautes fenêtres du hall. Annie posa son sac et entra dans la cuisine sans allumer. Avant d'écouter les messages, elle eut l'idée de se préparer un café. En attendant que l'antique bouilloire en cuivre consentît à bouillir, elle s'approcha de la fenêtre.

Dehors, à quelques pas de là, elle aperçut une bande de chevreuils. Ils ne bougeaient pas, ils la regardaient. Cherchaient-ils de la nourriture ? Elle ne les avait jamais vus si près de la maison, même au cours des hivers les plus rigoureux. Qu'est-ce que cela signifiait ? Elle les compta. Ils étaient douze. Non, treize. Un pour chaque année que Grace a vécue. Elle se traita d'idiote.

La bouilloire commença à siffler crescendo. Les chevreuils l'entendirent aussi, car ils se retournèrent d'un seul bloc et prirent la fuite, gagnant les bois par-delà la mare, la queue toute frétillante.

Mon Dieu, se dit-elle. Ma petite fille est morte.

3

HARRY LOGAN se gara sous un panneau qui annonçait *Large Animal Hospital,* et trouva curieux qu'une université fût incapable de trouver une formulation propre à indiquer plus clairement si c'était les animaux ou l'établissement qui était *large.* Quittant sa voiture, il traîna ses bottes dans les sillons de gadoue grisâtre, qui étaient tout ce qui restait de la neige du week-end. Trois jours s'étaient écoulés depuis l'accident et, alors qu'il zigzaguait entre les rangées de voitures et de vans en stationnement, il s'étonnait que le cheval fût encore de ce monde.

Il avait mis presque quatre heures à suturer la blessure au poitrail. Elle était truffée d'éclats de verre et d'écailles de peinture, qu'il avait dû retirer avant de procéder à un nettoyage complet. Puis il avait égalisé aux ciseaux les lambeaux de chair déchiquetée, achevé d'agrafer l'artère et cousu des drains à l'intérieur. Après quoi, laissant à ses assistants le soin de surveiller l'anesthésie, l'apport en oxygène et une longue transfusion qui n'avait que trop tardé, il avait manié l'aiguille et le fil.

Il fallait respecter trois étapes : d'abord les muscles, puis les tissus fibreux, et enfin la peau, ce qui représentait dans les soixante-dix points de suture par couche, en utilisant un fil soluble pour la partie interne. Tout ça pour un bourrin dont il aurait juré qu'il ne se réveillerait même pas. Mais cet

68

emmerdeur s'était réveillé. Incroyable. Et le plus beau, c'est qu'il était encore plus enragé que là-bas, dans la rivière. En le voyant se démener dans la salle de réanimation pour se remettre sur pied, Logan avait prié pour que les coutures résistent. Il ne pouvait pas envisager de tout recommencer.

Pilgrim avait été maintenu sous sédatif vingt-quatre heures durant, après quoi on l'avait jugé apte à endurer les quatre heures de voyage pour Cornell.

Logan connaissait bien l'université et son hôpital, même s'il y avait eu beaucoup de changements depuis l'époque où il y avait fait ses études, à la fin des années soixante. Il en gardait de bons souvenirs, surtout liés à la gent féminine. Doux Jésus, ils en avaient passé de bons moments. Surtout les nuits d'été, quand on pouvait s'allonger sous les arbres pour admirer le lac Cayuga. Cornell était décidément le plus beau des campus. Sauf aujourd'hui. Aujourd'hui, il faisait froid, il commençait à pleuvoir, et ce maudit lac restait invisible. Et puis, lui-même n'était pas dans une forme terrible. Il avait éternué toute la matinée, conséquence de s'être gelé les bonbons dans Kinderhook Creek. Il s'engouffra dans la chaleur du hall aux baies vitrées et, à la réception, demanda à parler à Dorothy Chen, la clinicienne qui suivait Pilgrim.

De l'autre côté de la route, on construisait un nouveau bâtiment et, tandis qu'il patientait en observant les figures transies des ouvriers, Logan se sentit mieux. Et même, il était vaguement émoustillé à l'idée de revoir Dorothy. Le sourire de Dorothy, voilà qui le consolerait amplement d'avoir à parcourir chaque jour tous ces kilomètres pour voir Pilgrim. Cette fille avait tout de la virginale princesse de ces films orientaux dont son épouse raffolait. Et quel châssis. Il vit son reflet qui passait la porte et se retourna.

– Salut, Dorothy! Comment va?

– Fraîchement. Et je ne suis pas très contente de vous.

Elle agita le doigt dans sa direction et fronça les sourcils, faussement sévère. Logan lui prit les mains.

– Dorothy, j'ai parcouru des milliers de kilomètres pour vous voir sourire... qu'ai-je donc fait?

– Vous m'envoyez un monstre et vous voulez que je vous sourie...? (Ce fut pourtant ce qu'elle fit.) Venez. Nous avons reçu les radios.

Elle le conduisit à travers un dédale de couloirs, et Logan fit de son mieux pour l'écouter parler tout en s'interdisant de loucher sur le délicat roulement des hanches sous la blouse blanche.

Il y avait assez de radios pour monter une petite exposition. Dorothy les fixa au caisson lumineux et ils les examinèrent ensemble. Comme Logan l'avait deviné, l'écran montrait des côtes fêlées, cinq au total, et une fracture de l'os nasal. Les côtes finiraient par se ressouder. Quant à l'os nasal, Dorothy avait déjà opéré. Elle avait dû le prélever, puis le percer de trous et le remettre en place avec des vis. L'intervention s'était bien déroulée mais il restait encore à extraire les tampons comprimés dans les sinus pour faciliter la coagulation.

– Je saurai maintenant à qui m'adresser, quand je voudrai me faire rectifier le nez, plaisanta Logan.

– Attendez de l'avoir vu. Un vrai profil de champion.

Logan avait redouté une fracture dans le haut de l'antérieur droit ou l'épaule, mais il s'était trompé. En fait, toute cette zone avait simplement été terriblement meurtrie par le choc, et le réseau nerveux de la jambe était gravement lésé.

– Et le poitrail?

– Satisfaisant. Vous avez fait du beau boulot. Combien de points de suture?

– Oh, environ deux cents. (Il se sentit rougir comme un collégien.) On peut le voir?

Pilgrim récupérait dans un box, et ils l'entendirent de très loin. Il s'époumonait d'une voix enrouée par son propre vacarme depuis que le dernier cocktail de calmants avait cessé d'agir. Les cloisons du box, pourtant tapissées d'un épais matelas, vibraient sous le constant pilonnage des sabots. Des étudiants se trouvaient dans la stalle voisine, et le poney qu'ils examinaient était visiblement perturbé par tout ce tapage.

– On vient voir le Minotaure? demanda l'un d'eux.

– Ouais. J'espère, les gars, que vous lui avez donné sa pâtée.

Dorothy tira le verrou du volet supérieur de la porte. Aussitôt, le bruit cessa. Elle ménagea une ouverture tout juste suffisante pour permettre un coup d'œil. Reculé dans un coin, tête basse, les oreilles couchées en arrière, Pilgrim les regardait telle une créature tirée d'un film d'horreur. Il était pratiquement emmailloté de la tête aux pieds de bandages sanguinolents. Il s'ébroua à leur intention, releva le nez et montra les dents.

– T'as raison, ça fait plaisir de se revoir..., dit Logan.

– Vous aviez déjà vu un phénomène pareil?

– Non.

– Moi non plus.

Ils restèrent un moment à l'examiner. Qu'allait-on bien pouvoir faire de lui? Mme Maclean avait téléphoné la veille à Logan pour la première fois, et s'était montrée fort aimable. Probablement un peu honteuse du message dont Mme Dyer s'était fait l'écho. Logan ne lui en voulait pas. En fait, il plaignait cette pauvre femme, après ce qui était arrivé à sa fille. Mais quand elle verrait son cheval, sans doute le menacerait-elle de nouveau des tribunaux, cette fois pour avoir gardé cette misérable créature en vie.

– Il lui faudrait une nouvelle piqûre, déclara Dorothy. Le problème, c'est que les volontaires ne se bousculent pas. C'est de la haute voltige.

– Il faudrait quand même faire attention avec les calmants. Il a déjà reçu de quoi couler un cuirassé... J'aimerais jeter un coup d'œil au poitrail.

Dorothy lui jeta un regard entendu.

– Vous avez fait vos prières?

Elle ouvrit le volet inférieur de la porte. À la vue de Logan, Pilgrim piaffa et renâcla. Et dès que le vétérinaire fit mine de l'approcher, il se mit à danser sur ses postérieurs. Logan se colla à la cloison latérale et essaya de se positionner de manière à s'avancer entre les épaules de l'animal. Mais Pilgrim n'était pas décidé à se laisser faire. Il fonça en avant, se déporta sur le côté et fit une ruade sur les pattes arrière. Logan recula d'un bond, et manqua s'étaler avant d'opérer une prompte et piteuse retraite. Dorothy referma vivement la porte derrière lui. Les étudiants souriaient aux anges. Logan poussa un petit sifflement et épousseta sa veste.

– Donnez-vous du mal pour quelqu'un...

Pendant huit jours, la pluie tomba sans discontinuer. Cette fois, ce n'était plus le crachin froid de décembre, mais une pluie qui prenait des poses. La progéniture polissonne d'un de ces ouragans des Caraïbes au nom suave était venue dans le nord et, la région lui plaisant, y avait élu domicile. Les cours d'eau du Middle West rompirent leurs digues et les bulletins télévisés furent submergés d'images de pauvres gens accroupis sur les toits et de cadavres ballonnés de bestiaux tournoyant dans les champs inondés, comme des matelas pneumatiques à l'abandon. Dans le Missouri, une famille de cinq personnes périt noyée dans sa voiture alors qu'elle faisait la queue devant un McDonald's. Le président, dépêché sur place par avion, déclara qu'il s'agissait là d'une catastrophe, ce dont certains réfugiés sur les toits se doutaient bien un peu.

Dans l'ignorance de ces événements, Grace Maclean restait allongée, isolée dans son coma. Au bout d'une semaine, on avait retiré de sa gorge le tube à air pour le remplacer par un autre, inséré dans son cou par une petite incision. On la nourrissait d'une bouillie marron par l'intermédiaire du tuyau qui lui remontait dans le nez et aboutissait à l'estomac. Trois fois par jour, un kinésithérapeute venait manipuler ses membres tel un marionnettiste pour empêcher la dégradation des muscles et des articulations.

À la fin de la première semaine, Annie et Robert se relayèrent à son chevet, l'un montant la garde tandis que l'autre retournait en ville ou essayait de travailler depuis la maison de Chatham. La mère d'Annie, qui s'était proposée de venir de Londres, en avait été aisément dissuadée. À la place, ce fut Elsa qui vint préparer les repas, répondre au téléphone et faire la navette entre la maison et l'hôpital. Elle les remplaça au chevet de Grace en l'unique occasion où Robert et Annie s'absentèrent en même temps, le jour des obsèques de Judith. Pataugeant sur le gazon détrempé du cimetière du village, ils se joignirent à la foule massée sous le dais des parapluies noirs, puis retournèrent à l'hôpital sans échanger un mot.

Les associés de Robert, des gens de cœur, l'avaient déchargé au maximum de son travail. Le patron d'Annie, Crawford Gates, le président du groupe, l'avait appelée dès qu'il avait appris la nouvelle.

– Ma chère, chère Annie, dit-il d'une voix dont la sincérité cadrait mal avec le personnage, ne vous avisez pas de rentrer avant que votre petite fille soit complètement rétablie... Vous m'avez compris?

– Monsieur le directeur...

– Non! J'insiste. Grace passe avant tout. Rien n'a d'importance en comparaison. En cas de gros pépin, nous savons où vous trouver.

Loin de la rassurer, cette remarque rendit Annie si paranoïaque qu'elle eut toutes les peines du monde à réprimer une envie folle de rentrer par le premier train. Elle appréciait le vieux renard – c'était lui qui l'avait pressée d'accepter le poste – mais elle n'avait aucune confiance en lui. Gates était un incorrigible comploteur; c'était là son péché mignon.

Plantée devant le distributeur de café, dans le couloir d'accès aux soins intensifs, Annie observait les cataractes qui s'abattaient sur l'aire de stationnement. Un vieux monsieur luttait avec un parapluie récalcitrant, tandis que deux bonnes sœurs cinglaient comme des voiliers vers leur automobile. Les nuages semblaient assez bas et menaçants pour bousculer leurs cornettes.

Comme la machine émettait un ultime gargouillis, Annie extirpa le gobelet de son logement et le porta à ses lèvres. Le jus était toujours aussi infect. Mais au moins, c'était chaud et tonifiant. En retournant lentement sur ses pas, elle croisa une jeune infirmière qui quittait le service.

– Elle a bonne mine aujourd'hui, dit la jeune femme en la croisant.

– Vous trouvez?

Annie la dévisagea. Le personnel la connaissait maintenant suffisamment pour s'abstenir de parler à la légère.

– Oui, parfaitement.

L'infirmière s'arrêta sur le seuil, comme prête à ajouter quelque chose. Mais elle se ravisa et poussa la porte.

– Faites-lui bien travailler ses muscles!

Annie se fendit d'un salut militaire.

– Bien, chef!

Bonne mine. En s'approchant du lit de Grace, elle se demanda ce que cela pouvait signifier à propos d'une fillette qui en était à son onzième jour de coma et dont les membres étaient aussi flasques que du poisson crevé. Une autre infirmière, penchée au-dessus de Grace, était occupée à lui changer son pansement à la jambe. Annie se figea sur place et la regarda faire. L'infirmière leva les yeux et lui sourit, avant de poursuivre sa tâche. C'était la seule chose qu'Annie ne pouvait se résoudre à accomplir. Ici, proches et parents étaient encouragés à participer. Elle et Robert s'y connaissaient à présent assez bien en physiothérapie et dans toutes les petites tâches du quotidien, comme essuyer la bouche et les yeux de Grace, ou changer la poche d'urine suspendue à côté du lit. Mais le simple fait de penser au moignon suffisait à la plonger dans une panique froide. Elle supportait à peine sa vue, et encore moins de le toucher.

– Ça se cicatrise bien, déclara l'infirmière.

Annie acquiesça et fit un effort sur elle-même pour continuer à regarder. On avait retiré les points de suture deux jours plus tôt et la longue cicatrice arrondie était rose vif. L'infirmière remarqua son expression.

– Je crois que la cassette est arrêtée, dit-elle en désignant le walkman sur l'oreiller.

Annie profita avec gratitude de cette échappatoire. Elle éjecta la cassette, des *Suites* de Chopin, et trouva dans l'armoire un opéra de Mozart : *Les Noces de Figaro*. Elle inséra la cassette dans l'appareil et ajusta les écouteurs. Tel n'eût sûrement pas été le choix de sa fille, qui avait toujours prétendu qu'elle détestait l'opéra. Mais qu'on ne comptât pas sur sa mère pour lui passer ces prophètes de malheur qu'elle écoutait en voiture. Qui sait quel effet Nirvana ou Alice in Chains pouvaient avoir sur un cerveau diminué ? D'ailleurs, entendait-elle ? Et si oui, se réveillerait-elle en aimant l'opéra ? Plus probablement se jugerait-elle victime d'un nouvel abus de pouvoir maternel...

Annie lui essuya un filet de bave à la commissure des lèvres et écarta une mèche rebelle. Elle ne retira pas sa main et contempla son enfant. Au bout d'un moment, elle comprit que l'infirmière avait terminé son pansement et qu'elle la regardait. Elles échangèrent un sourire, mais il y avait dans les yeux de cette étrangère une lueur si dangereusement proche de la pitié qu'Annie rompit brusquement le charme.

– Et maintenant, les exercices !

Elle retroussa ses manches et approcha une chaise du lit. L'infirmière rassembla ses affaires et bientôt Annie se retrouva seule. Elle prit la main gauche de Grace dans les siennes – elle commençait toujours par la gauche – et remua les doigts l'un après l'autre, puis tous ensemble, faisant jouer les articulations, sentant craquer les phalanges sous la pression. Maintenant, le pouce. Lui faire décrire une rotation, écraser le muscle et bien le pétrir. Inspirée par les notes grêles du Mozart distillées par les écouteurs, elle se mit à travailler en rythme. Au poignet, à présent.

C'était étrangement sensuel, cette nouvelle intimité avec sa fille. Il n'y avait qu'à l'époque où Grace était bébé qu'elle avait connu aussi bien son corps. C'était une révélation, comme revenir dans un pays jadis aimé. Elle découvrait de petites imperfections, des grains de beauté, des cicatrices. Le haut de l'avant-bras de Grace, firmament de minuscules taches de rousseur, était couvert d'un duvet si doux qu'on avait envie d'y promener la joue. Retournant le bras, Annie contempla la peau diaphane et le delta des petites veines qui couraient en dessous.

Elle passa au coude, ouvrit et referma l'articulation cinquante fois, puis massa les muscles. C'était un dur travail et, à la fin de chaque séance, Annie avait mal dans les bras et les mains. Il était temps de contourner le lit pour s'occuper de l'autre côté. Elle reposa le bras de Grace avec délicatesse et s'apprêtait à changer de place quand elle remarqua quelque chose.

C'était si ténu, si rapide, qu'elle crut avoir rêvé. Mais après avoir reposé la main, il lui avait semblé voir un doigt tressaillir sur le drap. Annie resta assise, pour voir si le phénomène se reproduisait. Non. Elle reprit la main et y exerça une pression.

– Grace ? Gracie ?

Rien. Le visage de Grace était vide d'expression. Seule sa poitrine bougeait, montant et s'abaissant au rythme du respirateur. Ce qu'elle avait vu, c'était peut-être tout bonnement la main s'affaissant sous son propre poids. Détournant les yeux du petit visage, Annie s'intéressa alors à la batterie des appareils de contrôle. Elle ne savait pas lire sur les écrans aussi bien que Robert. Sans doute se fiait-elle davantage que lui à leur système d'alarme intégré. Mais elle savait fort bien ce que les plus importants indiqueraient – ceux qui surveillaient le cœur, le cerveau, et la pression artérielle. Le premier écran était signalé par un petit cœur électronique orange, qu'elle trouvait désuet, et même émouvant. Les pulsations avaient toujours marqué « soixante-dix ». Et voilà qu'Annie découvrait que le niveau était monté à « quatre-vingt-cinq » et tremblotait vers le « quatre-vingt-quatre ». Elle fronça les sourcils et regarda autour d'elle. Pas d'infirmière en vue. Inutile de paniquer, ce n'était probablement rien. Elle reporta son attention sur sa fille.

– Grace ?

Cette fois, elle lui serra la main et, relevant les yeux, constata que l'écran était en plein délire. Quatre-vingt-dix. Cent. Cent dix...

– Gracie?

Annie se leva vivement et broya la main dans les siennes, en scrutant le visage de sa fille. Elle se retourna pour appeler au secours, mais n'eut pas à le faire car une infirmière et un jeune interne étaient déjà présents. L'événement avait été repéré sur les écrans du bureau central.

– Je l'ai vu bouger, dit Annie. Sa main...

– Continuez à la serrer, fit l'interne.

Sortant une lampe-stylo de sa poche-poitrine, il ouvrit l'œil de Grace, braqua le faisceau, et attendit une réaction. L'infirmière guettait les moniteurs. Les pulsations étaient stabilisées à cent vingt. L'interne ôta les écouteurs.

– Parlez-lui.

Annie avala sa salive. Sur le coup, l'idiote, elle ne savait plus quoi dire.

– Parlez. Dites n'importe quoi.

– Gracie? C'est moi. Chérie, c'est l'heure de te lever. Allons, réveille-toi.

– Regardez...

Dans l'œil maintenu ouvert, elle vit une petite flamme. De surprise, elle manqua s'étrangler.

– Sa tension est montée à 1/50, déclara l'infirmière.

– Qu'est-ce que ça signifie?

– Qu'elle réagit. Je peux...?

L'interne prit le frêle poignet à son tour.

– Grace. Je vais serrer ta main, et je veux que tu me répondes, si tu le peux. Essaye de toutes tes forces, entendu?

Il exerça une pression, son attention toujours rivée sur la pupille.

– Bien. Maintenant, fais-le pour ta maman.

Annie prit une profonde inspiration, serra de nouveau la main... et perçut la réaction. C'était comme la première, faible et timide réponse d'un poisson au bout d'une ligne. Du fond de ces eaux sombres et dormantes, quelque chose miroitait, prêt à faire surface.

Grace était dans un tunnel. C'était un peu comme dans le métro, sauf qu'il y faisait plus sombre, que tout était inondé et qu'elle se déplaçait à la nage. L'eau n'était pas froide. En fait, ce n'était pas vraiment de l'eau. C'était trop tiède et visqueux. Au loin, elle apercevait un rond de lumière et elle comprit qu'elle avait le choix entre continuer ou faire demitour et repartir dans l'autre direction, où il y avait aussi une lueur, mais plus terne, moins attirante. Elle n'avait pas peur. Le tout était de choisir. Dans les deux cas, tout irait bien.

Puis elle entendit des voix, qui venaient de l'endroit où la lumière était moins vive. Elle ne pouvait encore rien voir mais, parmi ces voix, elle reconnut celle de sa mère. Il y avait aussi la voix d'un homme, mais ce n'était pas son père. C'était quelqu'un d'autre, un inconnu. Elle essaya de nager vers eux, mais l'eau était trop épaisse. On aurait dit de la colle, elle nageait dans de la colle qui la retenait prisonnière... Elle essaya de crier au secours, mais elle n'avait plus de voix.

Ils n'avaient pas l'air de savoir qu'elle était là. Pourquoi ne la voyaient-ils pas ? Leurs voix se perdaient dans le lointain, et elle crut qu'ils allaient s'en aller et l'abandonner Mais non, l'homme l'appelait à présent par son nom. Ils l'avaient vue. Et même si elle ne les voyait toujours pas, elle comprit qu'ils lui tendaient les bras et que, si elle parvenait à faire un dernier gros effort, peut-être la colle cesserait-elle de la retenir, et ils pourraient la sortir de là.

4

L E temps de régler la note, Robert constata en sortant de l'épicerie que le sapin était déjà ficelé et pratiquement chargé à l'arrière de la grosse Ford Lariat qu'il avait achetée l'été dernier pour convoyer Pilgrim depuis le Kentucky. Un samedi matin, Grace et Annie avaient eu la surprise de le voir déboucher devant la maison au volant du véhicule gris métallisé à la remorque assortie. Elles s'étaient précipitées sur la véranda – Grace ravie et Annie furieuse. Mais Robert s'était contenté de hausser les épaules, déclarant avec entrain qu' « enfin quoi, on ne transporte pas un cheval tout neuf dans un vieux tacot ».

Il remercia les deux gamins, leur souhaita un Joyeux Noël, et quitta le parking boueux et défoncé pour reprendre la route. C'était la première fois qu'il s'y prenait si tard, pour le sapin. D'habitude, il allait l'acheter avec Grace un week-end à l'avance, même s'ils attendaient toujours le soir du réveillon pour le rentrer à l'intérieur et le décorer. Au moins, elle ne raterait pas ça – la décoration du sapin. Le réveillon, c'était demain et Grace rentrait à la maison.

Les médecins n'étaient pas très chauds. Elle n'était sortie du coma que depuis deux semaines, mais Annie avait soutenu mordicus que cela lui ferait du bien, et la voix du cœur avait fini par l'emporter : Grace pouvait rentrer, mais seule-

79

ment pour deux jours. Ils passeraient la chercher le lendemain à midi.

Il s'arrêta devant La Boulangerie pour acheter du pain et des brioches. Les brioches du week-end, c'était sacré. La jeune femme à la caisse avait parfois gardé Grace à l'époque où elle était bébé.

– Et comment se porte votre jolie fillette ?

– Elle rentre demain à la maison.

– Vrai ? Formidable.

Robert se rendit compte que les clients ne perdaient rien de la conversation. Tout le monde semblait au courant de l'accident, et certains, qui ne lui avaient jamais adressé la parole, lui demandaient des nouvelles. Personne, toutefois, n'allait jusqu'à faire allusion à l'amputation.

– Eh bien, donnez-lui mon bonjour.

– Je n'y manquerai pas. Merci. Joyeux Noël.

Robert nota que tout le magasin le regardait remonter en voiture. Il passa devant le grainetier, ralentit au niveau de la voie ferrée, et rentra chez lui en passant par la grand-rue du village ; les vitrines étaient en fête et la clientèle se pressait sur les trottoirs étroits, sous les guirlandes électriques. Robert salua des connaissances. La crèche sur la grand-place était une réussite – incontestablement une violation du Premier Amendement – mais une réussite quand même, et puis quoi, c'était Noël, pas vrai ? Il n'y avait que le temps qui ne semblait pas au courant.

Depuis la fin des pluies, le jour où Grace avait ouvert la bouche pour parler, il avait fait une chaleur ridicule. Sitôt après avoir pontifié sur les inondations causées par les ouragans, les climatologues vedettes pouvaient exploiter dans les médias le Noël le plus lucratif de ces dernières années. Officiellement, il était entendu que la planète était soumise à l'effet de serre – ou, du moins, que c'était le monde à l'envers.

Quand il revint à la maison, Annie téléphonait depuis son antre. Elle passait à son correspondant, journaliste apparemment, le classique savon maison. D'après ce qu'il entendait en rangeant la cuisine, le malheureux avait donné son accord pour publier le portrait d'un acteur pour lequel Annie n'avait aucune estime.

– Une *star?* s'exclama-t-elle, incrédule. C'est tout le contraire. Ce pauvre mec est un trou noir!

D'ordinaire, le trait l'eût fait sourire, mais ce ton agressif chassa la bonne humeur de saison qu'il avait ramenée à la maison. Il se doutait bien qu'il était frustrant de diriger un journal branché du fond de la cambrousse. Mais il y avait autre chose. Depuis l'accident, Annie semblait possédée par une rage si intense qu'il en était presque effrayé.

– Quoi? Tu as accepté un tarif pareil...? Tu es tombé sur la tête...? Il pose à poil ou quoi...?

Robert fit le café et dressa la table du petit déjeuner. Il avait acheté des brioches aux raisins, les préférées d'Annie.

– Je regrette, John, ça ne va pas. Téléphone-lui et annule tout... Ça m'est égal... Oui, tu peux m'envoyer un fax. Entendu.

Il l'entendit raccrocher. Pas d'« au revoir », mais ça n'avait rien d'étonnant de la part d'Annie. Ses pas, quand elle descendit l'escalier, exprimaient plus de résignation que de colère. Il l'accueillit par un sourire.

– Tu as faim?

– Non. J'ai pris un muesli.

Il essaya de cacher sa déception. Elle vit les brioches sur la table.

– Pardon.

– Tant pis. Je vais pouvoir m'empiffrer... Café?

Annie acquiesça et se mit à table, survolant sans grand intérêt les journaux qu'il avait achetés. Un long silence s'écoula avant que l'un d'eux reprît la parole.

– Tu as acheté le sapin?

– Tu penses. Il n'est pas aussi beau que celui de l'année dernière, mais il se défend.

Nouveau silence. Il servit le café dans deux bols et prit un siège. Délicieuses, ces brioches. Le silence était si profond qu'il s'entendait mastiquer. Annie poussa un soupir.

– Bon, je suppose qu'il va falloir s'y mettre, dit-elle en portant le bol à ses lèvres.

– Pardon ?

– Le sapin. Il va falloir le décorer.

Robert sourcilla.

– Sans Grace ? Pourquoi ? Elle nous en voudra si on ne l'attend pas.

Annie reposa bruyamment sa tasse.

– Tu dérailles ou quoi ? Tu la vois décorer le sapin sur une jambe ?

Elle se leva dans un grincement de chaise et gagna la porte. Robert était sous le choc.

– Je pense qu'elle pourra se débrouiller, dit-il d'une voix ferme.

– C'est ça... Qu'est-ce que tu veux, qu'elle sautille tout autour à cloche-pied ? Merde, elle arrive à peine à se tenir sur ses béquilles.

Robert se crispa.

– Annie, écoute...

– C'est *toi* qui vas m'écouter..., dit-elle en faisant volte-face. Tu voudrais que tout soit comme avant, mais c'est impossible. Mets-toi bien ça dans le crâne, d'accord ?

Elle marqua une pause devant la porte ouverte, cadrée sur le fond bleu, puis s'éclipsa en invoquant son travail. Et avec un sourd malaise au creux de la poitrine, Robert sut qu'elle avait raison : plus rien ne serait comme avant.

C'était bien joué de leur part, la façon dont ils lui avaient laissé découvrir, pour sa jambe, songea Grace. Car, en y repensant, elle était incapable de repérer l'instant précis où elle avait compris. Ces médecins devaient être super-calés pour vous injecter juste les bonnes doses de calmants sans vous faire disjoncter. Elle avait deviné qu'il se passait quelque chose de ce côté-là bien avant de pouvoir bouger ou parler. Il y avait cette vague sensation, et puis elle avait remarqué que les infirmières passaient plus de temps au-dessus de sa jambe. Mais cette observation n'avait fait que glisser à l'intérieur de sa conscience, comme quantité d'autres faits, tandis qu'ils la tiraient de son tunnel.

– Alors, sur le départ... ?

Elle releva la tête. À la porte se tenait la grosse femme qui venait chaque jour lui demander ce qu'elle voulait à manger. Une mama très sympa, au rire tonitruant capable de traverser un mur de briques. Grace sourit et confirma de la tête.

– Bon, je vois. Alors tu ne seras pas là pour goûter à ma bûche ?

– Gardez-m'en une part. Je reviens après-demain.

Elle avait la voix éraillée. On lui avait laissé au cou le pansement qui cachait le trou qu'on lui avait fait pour passer la sonde du respirateur. La femme tressaillit.

– Entendu, ma petite. Compte sur moi.

Restée seule, Grace consulta sa montre. Plus que vingt minutes avant l'arrivée de ses parents. Elle était assise sur son lit, habillée de pied en cap et prête à partir. Une semaine après qu'elle avait émergé du coma, on l'avait transportée dans cette chambre et, débarrassée du respirateur, elle avait alors pu parler pour de bon au lieu de faire seulement des grimaces. C'était une pièce petite, avec une vue d'enfer sur le parking et des murs peints dans ce jaune pisseux particulièrement déprimant qu'on dirait exclusivement réservé aux hôpitaux. Enfin, il y avait quand même la télé, et avec tous ces cadeaux, ces fleurs, ces cartes un peu partout, ça mettait de l'ambiance.

Elle baissa les yeux sur sa jambe. Une infirmière avait soigneusement épinglé le pan flottant de son caleçon gris. On dit que les mutilés continuent à éprouver des sensations, et c'est vrai. La nuit, c'était fou comme ça la démangeait. Par exemple, maintenant. Et le plus étrange, c'était que même là, alors qu'elle avait les yeux dessus, elle ne le reconnaissait pas comme un truc à elle, ce drôle de bout de jambe qu'on lui avait laissé.

Ses béquilles étaient calées contre le mur, à côté de la table de chevet – et entre les deux, Pilgrim en photo lui faisait signe.

Judith était morte. Gulliver aussi. On lui avait dit cela aussi. Mais, comme pour sa jambe, ça ne l'avait pas particulièrement frappée. Non qu'elle eût refusé de le croire – pourquoi lui aurait-on menti ? Elle avait pleuré quand son père lui avait appris la nouvelle. Et pourtant, peut-être à cause des drogues qu'elle prenait, elle n'avait pas vraiment l'impression de pleurer. C'était un peu comme si elle s'était regardée verser des larmes. Et depuis, chaque fois qu'elle y repensait (ce qui était rare, car elle réussissait toujours à penser à autre chose), la réalité de la mort de Judith semblait rangée provisoirement dans un coin de son cerveau, bien à l'abri derrière une porte qui empêchait tout examen approfondi.

La semaine d'avant, un policier était venu l'interroger et prendre des notes sur ce qui s'était passé. Le pauvre, il était si nerveux ! Et ses parents qui n'avaient pas quitté la chambre, au cas où elle aurait piqué sa crise... Ils s'étaient inquiétés pour rien. Elle avait répondu qu'elle ne se souvenait plus de rien depuis le moment où elle avait dévalé la pente. Mais c'était faux. Elle savait bien que, si elle l'avait voulu, elle aurait pu se rappeler un tas de choses. Mais voilà, elle ne le voulait pas.

Son père avait expliqué qu'il lui faudrait faire ultérieurement une nouvelle déclaration, un genre de déposition auprès de la compagnie d'assurances, mais seulement quand elle irait mieux. C'était quoi, « mieux » ?

Grace contemplait toujours la photo de Pilgrim. Sa décision était prise. Elle savait que ses parents voudraient la faire remonter à cheval. Mais ça, jamais. Elle leur demanderait de le rendre à ses anciens propriétaires, dans le Kentucky. Elle ne pouvait pas envisager de le revendre dans la région, au risque de le croiser un jour, monté par un étranger. Elle irait le voir une dernière fois, pour lui dire adieu, mais ça s'arrêterait là.

Pilgrim rentra lui aussi pour Noël, une semaine avant Grace, et personne à Cornell ne le regretta. Plusieurs étudiants portaient les marques de sa reconnaissance. L'un d'eux avait le bras dans le plâtre et une demi-douzaine d'autres, des coupures et des ecchymoses. Dorothy Chen, qui avait mis au point une technique acrobatique pour lui administrer ses piqûres quotidiennes, s'était vu récompensée par une superbe morsure à l'épaule.

– Je vois ça quand je suis dans ma salle de bains, avait-elle dit à Logan. Ça passe par toutes les nuances de l'arc-en-ciel. Vous n'imaginez pas...

Logan imaginait fort bien, au contraire. Dorothy Chen, examinant son épaule nue dans le miroir de sa salle de bains. Fichtre.

Joan Dyer et Liz Hammond firent le déplacement pour l'aider à assurer le transport. Le vétérinaire s'entendait à merveille avec Liz, en dépit de leur rivalité professionnelle. C'était une femme de tête et de cœur – de sa génération, de surcroît – et il fut content de faire le trajet en sa compagnie, car il trouvait Joan un peu pénible dans l'intimité.

Joan était une femme entre deux âges, au visage sévère et marqué, et qui donnait toujours l'impression de juger son prochain. Elle avait pris le volant, apparemment satisfaite d'écouter, tandis que Logan et Liz parlaient boutique. À Cornell, elle avait habilement reculé la remorque juste devant la stalle de Pilgrim. Mais malgré une injection de calmants, ils avaient mis pratiquement une heure à l'embarquer.

Au cours des dernières semaines, Liz s'était montrée aussi efficace que généreuse. Dès son retour, elle s'était rendue à Cornell sur la demande des Maclean qui souhaitaient apparemment lui confier le blessé. Logan n'aurait pas demandé mieux. Mais Liz avait fait son éloge et conseillé à ses clients de ne rien changer. Finalement, il avait été convenu qu'elle assurerait une sorte de contrôle continu. Logan ne s'en était pas formalisé. C'était bon de pouvoir échanger des points de vue sur un cas aussi épineux.

Joan Dyer, qui n'avait pas revu Pilgrim depuis l'accident, accusa le coup. Les cicatrices étaient déjà passablement impressionnantes. Mais jamais encore elle n'avait vu un cheval manifester cette agressivité sauvage, démentielle. Tout au long du voyage du retour, pendant quatre longues heures, ils l'entendirent ruer contre les parois. Toute la remorque en vibrait. Joan n'était pas tranquille.

– Où je vais bien pouvoir le mettre ?

– Que voulez-vous dire ? demanda Liz.

– Il ne peut pas retourner dans la grange dans cet état. Ce serait dangereux.

Une fois sur place, ils le laissèrent enfermé, tandis que Joan nettoyait une enfilade de petites stalles désaffectées derrière la grange. Ses deux grands fils, Éric et Tim, lui donnèrent un coup de main. Tous deux, remarqua Logan, tenaient de leur mère leur caractère taciturne et un visage en lame de couteau. Lorsque tout fut prêt, Éric, le plus âgé et maussade des deux, déplaça la remorque. Mais le cheval refusait de sortir.

De guerre lasse, Joan demanda aux garçons d'entrer dans la remorque par l'autre côté avec des bâtons. Logan les vit distribuer des coups au cheval qui répliqua par des ruades, aussi terrifié que ses agresseurs. C'était terrible à voir, et Logan redoutait que la blessure au poitrail se rouvrît, mais il ne voyait pas d'autre solution, et finalement le cheval recula jusque dans la stalle dont le portail fut refermé à la volée.

Ce soir-là, en rentrant en voiture retrouver sa femme et ses gosses, Harry Logan n'avait pas le moral. Il revoyait le chasseur, le jeune à la toque de fourrure, qui ricanait depuis le pont du chemin de fer. Ce petit saligaud avait raison. L'animal aurait dû être abattu.

Chez les Maclean, Noël débuta sous de mauvais auspices et tout alla de mal en pis. La voiture roulait vers la maison, Grace à l'arrière, allongée sur la banquette. Ils n'en étaient pas à la moitié du parcours qu'elle parla du sapin.

– On va le décorer en arrivant ?

Annie regarda droit devant elle, laissant à Robert le soin d'expliquer que c'était déjà fait – sans préciser toutefois dans quelles circonstances : au beau milieu de la nuit, dans un silence sans joie et une atmosphère chargée d'électricité.

– Ma puce, j'ai cru que ça ne te dirait rien, ajouta-t-il.

À l'entendre endosser la faute, Annie se sentit contrariée de ne ressentir ni attendrissement ni gratitude. Elle attendit, presque irritée, l'inévitable blague dont Robert ne manquerait pas de pimenter son propos.

– Hé, miss, tu as du boulot qui t'attend à la maison. Il faut couper du bois, faire le ménage, la cuisine...

Grace eut un rire poli et, dans le silence qui suivit, Annie ignora sciemment le coup d'œil en biais de son mari.

Une fois à la maison, ils s'appliquèrent tous les trois à mettre un peu de gaieté. Grace déclara que le sapin était génial. Elle passa un moment dans sa chambre, à écouter Nirvana assez fort pour tranquilliser ses parents. Elle se débrouillait plutôt bien sur ses béquilles et réussit même à se déplacer dans l'escalier. Elle ne tomba qu'une fois, en voulant descendre les babioles qu'elle avait achetées pour ses parents par l'entremise des infirmières.

– Ça va..., déclara-t-elle à son père qui volait à son secours.

Sa tête avait heurté violemment le mur, et Annie qui sortait de sa cuisine comprit qu'elle s'était fait mal.

– Tu es sûre ?

Robert brûlait de lui apporter son aide, mais la petite fit de son mieux pour s'en passer.

– Ça va, papa...

Annie remarqua le regard embué de Robert quand sa fille alla disposer les cadeaux sous le sapin, et cette vision l'exaspéra à tel point qu'elle préféra retourner à ses fourneaux.

La tradition voulait que l'on échangeât les « Christmas stockings ». Annie et Robert avaient garni ensemble la pochette de Grace. Au matin, elle débarquerait dans leur chambre, prendrait place sur le lit, et chacun déballerait à tour de rôle les cadeaux, blaguant sur le Père Noël qui avait été si bien inspiré ou qui avait oublié d'ôter un prix. Mais pour Annie, ce rite était dorénavant, comme le sapin, à la limite du soutenable.

Grace monta se coucher de bonne heure et, quand il fut certain qu'elle était endormie, Robert alla à pas de loup déposer les cadeaux dans sa chambre. Annie se dévêtit et écouta le tic-tac de l'horloge montant du rez-de-chaussée. Elle était dans la salle de bains lorsque Robert revint dans la chambre et, percevant un bruit de papier froissé, elle comprit qu'il venait de fourrer son « Christmas stocking » sous la place qu'elle occupait dans le lit. Elle venait d'en faire autant pour lui. Quelle farce.

Lorsqu'il parut dans la salle de bains, elle se brossait les dents. Il avait mis son pyjama anglais à rayures et lui souriait dans la glace. Annie cracha dans le lavabo et se rinça la bouche.

– Cesse ces jérémiades, dit-elle.

– Quoi ?

– Je t'ai vu quand elle est tombée dans l'escalier. Arrête de la plaindre. Ta pitié, elle s'en fout.

Il la considéra sans mot dire et, lorsqu'elle se retourna pour rentrer dans la chambre, leurs regards se croisèrent.

– Annie, tu es incroyable.

– Merci.

– Qu'est-ce qui t'arrive... ?

Elle passa son chemin sans répondre, se mit au lit et éteignit sa lampe. Quelques minutes plus tard, il l'imitait. Ils restèrent là, étendus dos à dos. Annie contemplait fixement la lame de lumière jaune qui s'allongeait sur le parquet depuis le palier. Ce n'était pas la colère qui l'avait empêchée de répondre à sa question : elle ignorait tout bêtement la réponse. Comment avait-elle pu lui parler sur ce ton ? Peut-être était-ce les larmes de Robert qui l'avaient rendue folle de jalousie... Pas une fois elle n'avait pleuré depuis l'accident.

Elle se retourna et tendit les bras d'un air coupable en se pressant contre lui.

– Pardon, dit-elle en embrassant sa nuque.

Sur le moment, Robert ne fit pas un geste. Puis il roula lentement sur le dos et étira le bras pour qu'elle pût se nicher contre lui, la tête contre sa poitrine. Elle l'entendit pousser un profond soupir et, pendant une éternité, ils restèrent là sans bouger. Puis elle lui passa lentement la main sur le ventre et prit délicatement son pénis, qui s'érigea. Elle se redressa, enfourcha son mari et ôta par la tête sa chemise de nuit, qui alla atterrir doucement sur le parquet. Il leva les bras, comme il le faisait toujours, et posa les mains sur ses seins, tandis qu'elle s'empalait sur lui. Son membre était complètement durci; elle le guida en elle et le sentit tressaillir. Entre eux, pas un mot ne fut prononcé. Mais lorsque, dans la pénombre, elle le contempla, cet homme foncièrement bon et qui partageait sa vie depuis si longtemps, elle vit dans ses yeux, sous le voile du désir, une affreuse – une irrémédiable tristesse.

Le jour de Noël, le temps se rafraîchit. Des nuages métalliques défilaient par-dessus les bois comme un film en accéléré, et le vent se déplaça vers le nord, appelant des masses d'air polaire qui s'abattirent en tourbillons dans la vallée. Blottis dans la maison, ils entendaient hurler la bise dans la cheminée, tandis qu'ils disputaient une partie de scrabble au coin du feu.

Ce matin-là, ils avaient fait de gros efforts en ouvrant les cadeaux. Jamais Grace n'avait été aussi gâtée, même bébé. Presque toutes leurs relations avaient envoyé quelque chose, et Annie avait compris, mais trop tard, qu'elle aurait dû faire un tri. Flairant l'attention charitable, Grace avait laissé de nombreux paquets intacts.

Ses parents n'avaient pas su quoi lui acheter. Ces dernières années, le cadeau avait toujours eu trait à l'équitation. Mais à présent, toutes leurs idées semblaient chargées d'une allusion dans la mesure même où les chevaux n'y avaient pas leur part. De guerre lasse, Robert avait fini par acheter un aquarium de poissons exotiques. Ils savaient qu'elle en désirait un, mais Annie craignait qu'on pût y déchiffrer un message du genre : « Maintenant, assieds-toi et regarde. Tu n'as pas le choix. »

Robert avait installé l'aquarium, emballé d'un papier cadeau, dans le petit salon. Ils amenèrent Grace sur place et la virent s'illuminer lorsqu'elle découvrit son cadeau.

– Oh! là, là!... Super!

Ce soir-là, après avoir débarrassé la table du dîner, Annie découvrit dans l'obscurité le père et la fille affalés sur le canapé, devant l'aquarium illuminé et agité d'un léger bouillonnement. Perdus dans leur contemplation, ils s'étaient endormis dans les bras l'un de l'autre. Les oscillations des plantes et l'ombre glissante des poissons dessinaient des motifs spectraux sur leur visage.

Le lendemain matin, au petit déjeuner, Grace était pâle comme un linge. Robert lui toucha les mains.

– Ça va, puce?

Elle fit oui de la tête. Au moment où Annie revenait avec une carafe de jus d'orange, Robert rectifia sa position. Annie devina que Grace avait une annonce difficile à leur faire.

– J'ai bien réfléchi à Pilgrim..., dit-elle d'une voix égale.

C'était la première fois qu'il était fait allusion au cheval. Annie et Robert restèrent assis sans bouger. Annie eut honte à l'idée que ni elle ni Robert n'étaient allés le voir depuis l'accident – ou du moins, depuis son retour chez Mme Dyer.

– Hum hum, fit Robert. Et alors...?

– Je pense que nous devrions le renvoyer dans le Kentucky.

Un ange passa.

– Gracie, dit Robert. Rien ne presse. Il se peut que...

Grace lui coupa la parole.

– Je sais ce que tu vas dire... que d'autres dans mon cas sont remontés à cheval, mais moi... Moi, je ne veux pas. S'il vous plaît...

Annie observa Robert, et elle devina qu'il avait senti son regard, qui le défiait d'y aller de sa larme.

– Je ne sais pas s'ils voudront le reprendre, poursuivit Grace. Mais je ne veux pas qu'il reste dans la région.

Robert hocha la tête, montrant qu'il comprenait même s'il n'approuvait pas. Grace poussa son avantage.

– Je voudrais lui dire adieu, papa. Et si on allait le voir ce matin? Avant que je rentre à l'hôpital?

Annie n'avait parlé qu'une seule fois avec Logan. Un appel qui l'avait mise mal à l'aise, car si sa menace de procès n'avait pas été évoquée, son souvenir n'avait cessé de planer sur toute la conversation. Logan s'était montré charmant et, du coup, Annie n'avait jamais été aussi près d'exprimer des excuses – du moins dans le ton. Mais depuis, elle n'avait eu de nouvelles de Pilgrim que par l'intermédiaire de Liz Hammond. Pour ne pas ajouter à leurs soucis, Liz lui avait brossé un portrait aussi rassurant que mensonger du convalescent.

La cicatrisation des plaies était en bonne voie. Les greffes de peau avaient pris au niveau du boulet. L'opération de l'os nasal avait réussi au-delà de leurs espérances. Tout cela n'était pas faux. Mais rien n'avait préparé les Maclean à ce qu'ils étaient sur le point de voir, alors qu'ils remontaient l'allée pour se garer devant la maison des Dyer.

Joan sortit de l'écurie et traversa la cour dans leur direction en s'essuyant après sa vieille veste bleue matelassée qu'elle ne quittait jamais. Le vent rabattit sur sa figure des mèches grises, qu'elle chassa en souriant. Ce sourire était si peu dans son caractère qu'Annie en resta interdite. C'était sans doute la gêne de voir Grace s'extirper de la voiture avec l'aide de son père.

– Hello, Grace. Comment vas-tu, mon enfant?

– Elle va très bien, dit Robert. Pas vrai, miss...?

Pourquoi répond-il donc à sa place? songea Annie. Grace eut un sourire brave.

– Ça roule...

– Tu as passé un bon Noël? Tu as eu beaucoup de cadeaux?

– Des tonnes. C'était géant, hein?

Cette fois, elle prenait sa mère à témoin.

– Absolument, confirma Annie.

Personne ne savait comment continuer la conversation et ils restèrent là, dans les courants d'air, embarrassés. Des nuages roulaient furieusement par-dessus leurs têtes, et les murs rouges de la grange s'enflammèrent d'un brusque coup de soleil.

– Grace est venue voir Pilgrim..., dit Robert. Il est dans la grange?

Le visage de Mme Dyer se contracta.

– Non. Il est derrière.

Annie flaira un problème et vit que Grace était aussi dans ce cas.

– Bon, fit Robert. On peut le voir?

Mme Dyer tiqua.

– Certainement...

Elle se retourna et montra le chemin. Ils la suivirent à travers la cour, jusqu'à une rangée de boxes désaffectés qui se trouvaient derrière la grange.

– Attention à vous. Ça glisse joliment par ici.

Par-dessus son épaule, elle jeta un coup d'œil à Grace qui progressait sur ses béquilles, puis darda sur Annie un regard qui avait tout d'un avertissement.

– Elle sait y faire, hein...? s'exclama Robert. J'ai du mal à la suivre...

– Oui, je vois ça...

Mme Dyer eut un sourire fugace.

– On l'a changé de place... pourquoi? s'enquit Grace.

Pas de réponse. Ils étaient arrivés devant les stalles. Mme Dyer s'arrêta devant l'unique porte close, puis se retourna et leur fit face. Après avoir dégluti nerveusement, elle s'adressa à Annie.

– J'ignore ce que Harry et Liz vous ont dit exactement...

92

Annie haussa les épaules.

– On sait qu'il a de la chance d'être encore en vie, intervint Robert.

Silence. Chacun était suspendu aux lèvres de Mme Dyer. Elle donnait l'impression de chercher les mots justes.

– Grace..., dit-elle. Pilgrim a changé. Il est très perturbé depuis l'accident. (Aussitôt, Grace donna des signes d'inquiétude et Mme Dyer chercha de l'aide du côté des parents.) Franchement, je me demande si cette visite s'impose...

– Quoi...? fit Robert.

Mais Grace s'interposa.

– Je veux le voir. Ouvrez.

Mme Dyer attendait une décision de la mère. Annie comprit qu'il était trop tard pour revenir en arrière. Elle acquiesça. À contrecœur, Mme Dyer tira le verrou supérieur. Au même moment, il y eut à l'intérieur une explosion qui les fit tous sursauter. Puis plus rien. Comme Mme Dyer ouvrait lentement le battant du haut, Grace scruta l'obscurité, ses parents dans son dos.

Elle mit un certain temps à s'habituer à la pénombre. Enfin, elle le vit. Sa voix, quand elle parla, était si ténue et frêle qu'on avait du mal à l'entendre.

– Pilgrim?

Puis elle poussa un cri et se détourna si vivement que Robert dût réagir prestement pour l'empêcher de tomber.

– Non, papa! Non!

Il la prit par les épaules et l'entraîna vers la cour. Le bruit de ses sanglots s'estompa, emporté par le vent.

– Annie, dit Mme Dyer. Je regrette. Je n'aurais pas dû la laisser...

Annie lui jeta un regard vide et s'approcha du portail. D'âcres relents d'urine lui montèrent à la gorge et elle vit que le sol était jonché de crottin. Réfugié dans un coin noyé de pénombre, Pilgrim l'observait. Il avait les sabots tournés en dehors et l'échine si basse que sa tête rasait presque le sol. Son mufle balafré de façon grotesque pointait vers elle comme pour la défier d'avancer, et il haletait, pris de brefs éternuements irrités. Annie en eut froid dans le dos, et la bête dut le sentir, car elle coucha ses oreilles en arrière et la lorgna d'un œil torve, montrant les dents en une parodie de menace.

Et tandis qu'elle fixait ces yeux injectés de sang, Annie comprit pour la première fois comment on pouvait en venir à croire au Diable.

5

LA réunion s'étirait en longueur et Annie s'ennuyait ferme. Son bureau, pris d'assaut par des gens perchés un peu partout, était le théâtre à huis clos d'un débat houleux et ésotérique sur la nuance particulière de rose la plus appropriée à une prochaine couverture. Les maquettes en compétition étaient là, étalées sous les yeux. Annie les trouvait toutes ignobles.

– Vraiment, je ne crois pas que notre lectorat soit du genre rose layette, lança une voix.

Le directeur artistique, visiblement de l'avis contraire, était acculé dans ses retranchements.

– Ce n'est pas rose layette, mais rose bonbon.

– Justement. Je ne crois pas non plus que nos lecteurs soient très rose bonbon. Ça fait trop « années 80 ».

– C'est la meilleure !

D'ordinaire, Annie aurait tranché depuis belle lurette. Elle aurait exprimé son opinion et la chose eût été réglée. Le hic, c'est qu'elle n'arrivait pratiquement pas à se concentrer, ni même – point plus inquiétant – à s'intéresser.

Et ç'avait été ainsi toute la matinée. D'abord, petit déjeuner pour faire la paix avec l'agent de Hollywood dont le « trou noir » de client avait disjoncté en apprenant l'annulation de son portrait. Puis la fabrication avait débarqué dans son bureau pour se répandre, deux heures durant, en lamentations sur le coût du papier qui grimpait en flèche. Un type s'était aspergé d'une eau de Cologne si entêtante qu'elle avait dû ensuite ouvrir toutes les fenêtres. Mais l'odeur était tenace.

Ces dernières semaines, elle s'était reposée davantage sur son amie et adjointe, Lucy Friedman, le grand gourou de la mode. La couverture en question, liée à un papier que Lucy avait commandé sur les « dandys », représentait une photo souriante d'un éternel rocker dont les rides avaient déjà été contractuellement gommées par ordinateur.

Devinant qu'Annie avait la tête ailleurs, Lucy présidait de fait la séance. C'était une femme baraquée et pugnace, à l'humour mordant et à la voix pareille à un silencieux de voiture rouillé. Elle adorait semer la confusion, ce qu'elle était justement en train de faire en déclarant que le fond ne devait pas être rose pour commencer, mais vert fluo.

Comme la discussion reprenait de plus belle, Annie s'évada. De l'autre côté de la rue, un homme à lunettes et en complet-veston exécutait ses exercices de taï-chi devant la fenêtre de son bureau. Annie admira la précision et la beauté des arabesques des bras, en contraste avec l'immobilité de la tête, et se demanda quel bienfait cet inconnu pouvait en retirer.

Un mouvement attira son regard, et elle aperçut Anthony, son assistant, qui grimaçait derrière la baie vitrée en désignant sa montre. Il était bientôt midi et elle avait rendez-vous à la clinique orthopédique.

– Qu'en dis-tu, Annie ?

– Pardon, Luce... Où en est-on ?

– Vert fluo. Et les gros titres en rose.

– Génial.

Le directeur artistique grommela une remarque qu'Annie préféra ignorer. Elle se pencha en avant et posa les mains à plat sur le bureau.

– Bon, si on en finissait ? Je dois partir...

Une voiture l'attendait sur le trottoir. Elle communiqua

l'adresse au chauffeur et s'installa à l'arrière, emmitouflée dans son manteau, tandis que le véhicule slalomait dans l'East Side en direction du centre-ville. Rues et passants étaient également grisâtres et lugubres. C'était le temps de la sinistrose, quand la nouvelle année est déjà bien entamée et qu'il est patent qu'elle ne sera guère plus brillante que la précédente. À un feu rouge, Annie remarqua deux clochards recroquevillés sous un porche ; l'un déclamait avec grandiloquence vers le ciel à côté de son compagnon endormi. Elle enfonça ses mains glacées dans les poches de son manteau.

La voiture passa devant chez Lester, le salon de thé sur la 84ᵉ Rue, où Robert emmenait parfois Grace prendre le petit déjeuner. Ils n'avaient pas encore parlé de l'école, mais le temps approchait où la petite devrait y retourner, quitte à affronter les regards de ses camarades. Ça ne serait pas facile, mais plus ils reculeraient l'échéance, plus elle souffrirait. Si la prothèse convenait, celle qu'elle devait essayer ce jour même à la clinique, Grace pourrait bientôt marcher. Quand elle serait rodée, elle pourrait reprendre sa scolarité.

Annie parvint à destination avec vingt minutes de retard ; Grace était déjà entre les mains de Wendy Auerbach, la prothésiste. Déclinant l'offre de la réceptionniste qui proposait de lui garder son manteau, elle se fit piloter le long d'un étroit couloir blanc jusqu'au cabinet des essayages. Grace était assise sur un lit, en culotte. Elle regardait ses jambes, mais Annie ne vit rien, car la vue lui était bouchée par la prothésiste qui procédait à genoux à des ajustements. Debout à son côté, Robert suivait l'opération.

– Et là... ? Ça va mieux ? (Grace confirma.) Ça colle. Maintenant, voyons ce que ça donne quand tu es debout.

Elle se releva, et Annie vit alors sa fille, les traits tendus par la concentration, se soulever lentement du lit et grimacer à mesure que son poids se déportait sur la prothèse. Elle leva les yeux et aperçut sa mère.

– Salut ! dit-elle, avec un sourire brave.

Les deux adultes se retournèrent.

– Hello, fit Annie. Qu'est-ce que ça donne?

Grace haussa les épaules. Comme elle est pâle! songea Annie. Si frêle.

– Je vous félicite pour votre petite fille, déclara Wendy Auerbach. Désolée, chère maman, nous avons dû commencer sans vous.

Annie signifia d'un geste que c'était sans importance. Cette impitoyable jovialité lui tapait sur le système. Le « ça colle » passait déjà assez mal. L'appeler « chère maman » relevait de l'appel au meurtre. Elle n'arrivait pas à détacher les yeux de la jambe et sentait que Grace guettait sa réaction. La prothèse était couleur chair et, mis à part la charnière et le trou pour la valve, représentait un pendant acceptable à la jambe gauche. Mais pour Annie, c'était tout bonnement hideux, révoltant. Elle ne savait que dire. Robert vint à sa rescousse.

– La nouvelle rotule s'emboîte à merveille.

Après le premier essayage, on avait réalisé un nouveau moulage en plâtre du moignon pour façonner cette nouvelle rotule mieux adaptée. La fascination de Robert pour la technologie avait facilité les choses. Il avait amené Grace à l'atelier et posé tant de questions qu'il devait en savoir assez pour s'installer à son compte. Annie savait que son but était de les distraire, lui comme Grace, de l'horreur de tout cela. Il avait réussi, et Annie lui en était reconnaissante.

On apporta un déambulateur et les Maclean regardèrent Wendy Auerbach faire une démonstration. Dans un jour ou deux, prétendit-elle, Grace retrouverait des sensations. Elle pourrait alors se contenter d'une canne, qui se révélerait par la suite également inutile. Grace se rassit, tandis que la prothésiste passait à une liste de conseils d'entretien et d'hygiène, rebondissant de point en point. Si elle s'adressait surtout à Grace, elle s'efforça aussi d'impliquer les parents. Bientôt, ses efforts se concentrèrent sur Robert, car c'était lui qui posait les questions. D'ailleurs, elle semblait consciente de la réticence d'Annie.

– Ça colle, dit-elle enfin en frappant dans ses mains. Je crois que tout est dit.

Elle les raccompagna à la porte. Grace avait gardé sa prothèse mais marchait avec ses béquilles. Robert transportait le déambulateur et un lot d'accessoires que Wendy Auerbach lui avait remis. Il la remercia pour tout. Poussant la porte, la prothésiste se fendit d'un dernier conseil :

— Surtout, n'oublie pas : il n'est pratiquement pas d'activité qui te soit interdite. Alors, ma petite demoiselle, j'espère que tu vas remonter bien vite sur ton joli cheval !

Grace baissa les yeux. Robert lui mit la main sur l'épaule, et Annie poussa le duo sur le trottoir.

— Elle ne veut pas, dit-elle entre ses dents, en passant son chemin. Et son joli cheval non plus, chère madame...

Pilgrim dépérissait. Fractures et cicatrices étaient guéries, mais les lésions aux ligaments de l'épaule l'avaient rendu boiteux. Seule une rééducation combinée à la réclusion pouvaient l'aider. Mais il réagissait avec une telle violence, lorsqu'on voulait l'approcher, que la mise en œuvre de la première de ces méthodes était grosse de dangers. Restait l'isolement. Dans la puanteur de son sombre cachot, derrière la grange où il avait connu le bonheur, Pilgrim maigrissait.

Harry Logan n'avait ni le culot ni l'adresse de Dorothy Chen pour administrer les piqûres. Les fils de Mme Dyer inventèrent donc un stratagème pour l'aider. Ils découpèrent dans la partie basse de la porte un petit guichet à coulisse par où ils glissaient sa pitance. Avant chaque injection, ils l'affamaient. Puis, tandis que Logan se tenait prêt avec la seringue, les écuelles étaient placées devant le guichet, qui était alors découvert. Cachés sur le côté, les garçons attendaient en ricanant que la nécessité vînt à bout de la peur de Pilgrim. Quand l'animal appâté tendait prudemment le cou, ils rabattaient la pièce de bois pour lui bloquer la tête. Logan avait horreur du procédé – et des gloussements des deux compères.

Début février, il contacta Liz Hammond et lui donna rendez-vous. Une fois sur place, ils jetèrent un coup d'œil au cheval, puis retournèrent s'installer en voiture. Éric et Tim arrosaient la cour au jet en faisant les idiots.

– J'en ai assez, déclara enfin Logan. Je vous le laisse.

– Vous en avez parlé avec Annie?

– Je lui ai téléphoné une dizaine de fois. Il y a un mois déjà, je lui avais dit qu'il fallait l'achever... Elle n'en démordra pas. Mais je vous garantis que je n'en peux plus. Ces deux zigotos me rendent marteau. Je suis vétérinaire, Lizzie. Mon rôle est d'empêcher les bêtes de souffrir, pas de les torturer. Je déclare forfait.

Pendant un temps, aucun mot ne fut plus prononcé. Ils restaient à leur place, à suivre le manège des adolescents. Éric s'efforçait d'allumer une cigarette, mais Tim braquait sans arrêt le jet sur lui.

– Elle m'a demandé si je connaissais des psychiatres pour chevaux, dit Liz.

Logan préféra en rire.

– Ce n'est pas un psy qu'il lui faut. C'est une lobotomie. (Il réfléchit.) Je connais bien un rebouteux des chevaux à Pittsfield, mais ce n'est pas un cas pour lui. Je ne vois personne d'autre. Et vous?

Liz hocha la tête.

Personne. Logan soupira. Tout cela n'avait été qu'un échec navrant sur toute la ligne. Et il n'entrevoyait aucun espoir d'amélioration.

Deuxième partie

6

C'EST en Amérique que le cheval vagabonda pour la première fois. Un million d'années avant l'apparition de l'homme, des hordes broutaient déjà l'herbe drue des vastes plaines, avant de se répandre sur d'autres continents par des ponts de pierre, bientôt coupés par le retrait des glaces. Il connut d'abord l'homme comme la proie connaît le chasseur, car longtemps avant de voir en lui un allié pour tuer d'autres espèces, ce dernier le chassa pour consommer sa chair.

Des peintures rupestres nous renseignent sur le procédé. Lorsque le lion ou l'ours faisaient face pour combattre, l'homme en profitait pour les transpercer de sa lance. Mais le cheval était un fuyard et, avec une froide logique de mort, le chasseur exploita cette particularité pour l'éliminer. Attirés en haut des ravins, des troupeaux entiers se précipitaient dans le vide au galop. Des monceaux d'ossements brisés en témoignent. Et lorsque l'homme se prétendit par la suite son ami, cette alliance resta fragile, car la peur était trop profondément ancrée dans le cœur de l'animal pour en être déracinée.

Depuis le néolithique, âge où le cheval fut domestiqué, il se trouva des individus pour comprendre cette peur.

Ils possédaient l'art de sonder les âmes de ces créatures et d'en panser les plaies secrètes. On les considérait souvent comme des sorciers, peut-être à raison. Certains préparaient des philtres avec des os blanchis de crapauds, arrachés d'un cours d'eau au clair de lune. D'autres, disait-on, pouvaient d'un seul regard figer dans la glèbe tout un attelage au labour. Ils étaient gitans et bateleurs, chamans ou charlatans. Et ceux qui possédaient réellement le don étaient avisés d'en faire bon usage, car il était dit que celui qui pouvait chasser le Mal pouvait aussi l'attirer. Il arrivait que le propriétaire d'un cheval guéri serrât la main de son bienfaiteur – pour danser ensuite autour du bûcher dressé sur la place du village.

Ces hommes, qui murmuraient des secrets aux oreilles dressées et inquiètes, on les appelait « Chuchoteurs ».

C'étaient surtout des hommes, semblait-il – détail qui troubla Annie, alors qu'elle poursuivait sa lecture à la lueur d'une lampe à abat-jour, dans la vaste et sombre salle de consultation d'une bibliothèque. Il lui semblait qu'une femme aurait eu plus de finesse pour ces choses-là. Des heures durant, elle resta retranchée derrière une barrière de livres qu'elle avait empruntés, assise à une longue table en acajou verni, et s'attarda jusqu'à la fermeture de la bibliothèque.

Elle apprit ainsi l'histoire de cet Irlandais nommé Sullivan, qui vécut voici deux cents ans et dont le don pour mater des chevaux enragés est attesté par de nombreux témoignages. Il s'isolait avec l'animal dans une grange obscure et personne ne pouvait dire ce qui se passait lorsque la porte était refermée. Lui-même prétendait faire exclusivement usage d'un charme indien troqué contre un repas à un vagabond affamé. Nul ne sut si c'était la vérité, car il emporta son secret dans la tombe. Tous les témoins ont affirmé que, lorsque le cheval sortait à l'air libre, sa fureur s'était complètement dissipée. Certains disaient qu'il avait l'air hypnotisé par la peur.

Un autre personnage, John Solomon Rarey, natif de Groveport, Ohio, mata son premier cheval à l'âge de douze ans. La rumeur se fit l'écho de ce don et, en 1858, il fut mandé au château de Windsor pour dompter le cheval de la reine Victoria. Devant la souveraine et son entourage stupéfaits, Rarey apposa les mains sur l'animal, qui se coucha à terre.

L'homme s'allongea à son tour, la tête sur les sabots. Sa Majesté eut un petit gloussement ravi et le gratifia de cent dollars. C'était un homme modeste et tranquille, mais la célébrité l'avait rattrapée et les journalistes réclamaient du spectacle. Un appel fut lancé pour trouver le cheval le plus féroce de toute l'Angleterre.

On le trouva.

C'était un étalon nommé Cruiser, autrefois le plus rapide coursier du pays. Hélas, il était devenu, à en croire le passage que Annie parcourait, « le démon incarné », et portait une muselière en acier pesant huit livres, après avoir massacré un nombre impressionnant de garçons de ferme. Ses propriétaires le gardaient en vie pour la reproduction et, afin de pouvoir procéder en toute sécurité, ils avaient l'intention de le rendre aveugle. Contre l'avis général, Rarey entra dans l'écurie où personne n'osait jamais s'aventurer et referma la porte. Trois heures plus tard, il reparaissait en menant un cheval sans muselière et doux comme un agneau. Impressionnés, les propriétaires lui firent cadeau de l'animal. Rarey ramena sa conquête dans l'Ohio, où Cruiser survécut neuf années à son nouveau maître avant de s'éteindre le 6 juillet 1875.

Annie quitta la bibliothèque et descendit l'escalier entre les majestueux lions de pierre qui montaient la garde sur le trottoir. La rue résonnait des bruits de la circulation, et un vent glacial s'engouffrait entre les hautes murailles des buildings. Elle avait encore pour trois à quatre heures de travail au bureau, mais n'avait aucune envie de prendre un taxi et se mit à marcher. L'air froid mettrait peut-être de l'ordre dans ces récits qui tourbillonnaient dans sa tête. Peu importaient les noms, les lieux, les dates : ces chevaux ressemblaient tous à Pilgrim. C'était aux oreilles de Pilgrim que l'Irlandais avait psalmodié sa formule, et c'était encore les yeux de Pilgrim qu'elle voyait derrière le masque d'acier.

Quelque chose mûrissait en Annie, qu'elle ne savait pas définir. C'était viscéral. Au cours de ces derniers mois, elle avait observé sa fille, arpentant l'appartement d'abord avec le déambulateur, puis la canne. Elle l'avait aidée – tout le monde s'y était mis – dans l'accomplissement de ces corvées barbares, fastidieuses, que représentaient les exercices quotidiens de kinésithérapie – séances interminables dont chacun sortait également perclus de douleur. Au plan physique, c'était une accumulation constante de menues victoires. Mais Annie voyait bien qu'en proportion presque égale, quelque chose dépérissait chez sa fille.

Grace tâchait de le cacher – à ses parents, à Elsa, à ses amis, et même à l'armée de psychologues et de thérapeutes pourtant chèrement payés pour déceler ces choses-là – sous une sorte d'entrain têtu. Mais Annie l'avait percée à jour et voyait bien son expression quand elle ne se savait pas observée. Le silence, tel un monstre patient, enveloppait sa fille de ses bras.

En quoi le sort d'un cheval sauvage, claquemuré dans un sordide box à la campagne, pouvait-il être lié de si cruciale façon au déclin de sa fille, Annie n'en avait aucune idée. Voilà qui défiait la logique. Elle respectait la volonté de Grace de ne plus monter – cela la rassurait. Et lorsque Harry Logan et Liz lui serinaient qu'il eût été plus charitable de mettre un terme à cette existence, misérable à tout point de vue, elle savait qu'ils avaient raison. Alors pourquoi leur opposait-elle un refus ? Et pourquoi, alors que la courbe des tirages accusait un tassement, avait-elle passé deux après-midi à lire des histoires sur ces doux dingues qui parlaient aux chevaux ? Parce que tu es folle, ma pauvre fille.

Quand elle revint au journal, tout le monde en partait. Elle se mit à son bureau et Anthony lui communiqua la liste des messages, lui rappelant le petit déjeuner d'affaires auquel elle avait espéré échapper. Puis il prit congé et la laissa seule. Annie donna quelques coups de téléphone, qui aux dires d'Anthony ne pouvaient pas attendre, et appela à la maison.

Robert lui déclara que Grace faisait ses exercices. Tout allait bien, d'après lui. Il ne prétendait jamais autre chose.

Annie expliqua qu'elle serait en retard et qu'il faudrait dîner sans elle.

– Tu as l'air fatigué. Dure journée...?

– Non. J'ai lu des histoires sur les Chuchoteurs.

– Quoi...?

– Je t'expliquerai.

Elle se plongea dans la pile de paperasses qu'Anthony avait mises à sa disposition, mais ses pensées ne cessaient de dériver vers des rêveries saugrenues inspirées de ses lectures. Et si John Rarey avait transmis son don à un lointain descendant? Et si elle mettait une annonce dans le *Times* pour retrouver sa trace? *On recherche le Chuchoteur.*

Au bout de combien de temps avait-elle sombré dans le sommeil, elle n'aurait su le dire, mais elle se réveilla en sursaut pour apercevoir un vigile à sa porte. L'homme faisait sa ronde et s'excusa de la déranger. Annie lui demanda l'heure et apprit, consternée, qu'il était déjà onze heures du soir.

Elle appela un taxi et s'affala d'un air maussade sur la banquette arrière, tandis que le véhicule se dirigeait vers Central Park. Le baldaquin de l'immeuble semblait avoir perdu sa couleur verte à la lueur des éclairages publics.

Robert et Grace étaient au lit. Campée devant la chambre de sa fille, Annie attendit que ses yeux se fussent accoutumés à l'obscurité. La jambe artificielle montait la garde dans un angle de la pièce. Grace bougea dans son sommeil et murmura quelques mots. Et soudain, Annie comprit que ce besoin qu'elle ressentait de maintenir Pilgrim en vie, de trouver quelqu'un capable d'apaiser son cœur tourmenté, n'avait rien à voir avec Grace. C'était peut-être elle-même qui était en question.

Elle tira doucement la couverture sur l'épaule de l'enfant et repartit dans le couloir en direction de la cuisine. Robert avait laissé sur la table un feuillet arraché d'un bloc-notes jaune.

Le message disait que Liz Hammond avait téléphoné. Elle avait le nom d'une personne qui pourrait peut-être les aider.

7

Tom Booker se réveilla à six heures du matin et suivit le bulletin régional à la télévision en se rasant. Un type originaire d'Oakland s'était arrêté au beau milieu du pont du Golden Gate, puis il avait tué sa femme et ses deux gosses avant de faire le grand saut. Le trafic était bloqué dans les deux sens. Dans la banlieue est, une femme avait été tuée par un couguar alors qu'elle faisait tranquillement son jogging sur les hauteurs derrière son domicile.

L'éclairage de la glace donnait des reflets verdâtres à son visage bronzé, barbouillé de mousse à raser. La salle de bains était minable et étroite ; il fallait se courber pour tenir sous la douche bricolée au-dessus de la baignoire. À croire que ces motels étaient conçus pour une race d'elfes qui ne se montraient jamais ; des petits êtres qui préféraient effectivement des savonnettes aux dimensions d'une carte de crédit et enveloppées comme il convenait à leurs petits doigts agiles.

Une fois vêtu, il s'assit sur le lit pour enfiler ses bottes et jeta un coup d'œil au modeste parking envahi par les camionnettes et les tout-terrain de sa clientèle. Comme la veille, ils seraient une vingtaine au dressage et à peu près autant en équitation. C'était trop, mais il n'aimait pas refuser un client. Plutôt pour le bien du cheval que du maître. Il enfila sa veste en grosse laine verte, ramassa son chapeau, et emprunta l'étroit couloir aux murs de ciment brut qui menait à la réception.

Le jeune gérant chinois déposait un plateau de beignets d'aspect redoutable près de la machine à café. Il gratifia Tom d'un sourire épanoui.

– Bonjour, monsieur Booker ! Bien dormi ?

– Oui, merci.

Tom posa sa clé sur le comptoir.

– Un petit beignet ?

– Non, ça ira.

– Tout est prêt pour la consultation ?

– Oh, on devrait s'en sortir. À plus tard...

– Au revoir, monsieur Booker...

Il faisait encore frisquet et humide, mais les nuages étaient haut dans le ciel, et Tom comprit en rejoignant sa camionnette que ça taperait dur dans le courant de la matinée. Chez lui, dans le Montana, le ranch était sous deux pieds de neige, mais à son arrivée dans le comté de Marin, la veille au soir, c'était déjà le printemps. Ah, la Californie ! Tout était détraqué ici, même le temps. Vivement la maison.

Il engagea la Chevy rouge sur la grande route et rejoignit la 101 en effectuant une boucle. Le centre équestre se nichait sur le versant d'un vallon boisé à quelques kilomètres en dehors de la ville. Avant de passer à l'hôtel, la veille, il avait conduit la remorque sur place et lâché Rimrock dans le pré. Quelqu'un avait déjà planté des pancartes en bordure de route : CLINIQUE BOOKER. Il le regretta. Si l'endroit avait été plus difficile à trouver, les plus crétins ne seraient pas venus.

Le portail franchi, il se gara dans l'herbe près de la grande arène ; le sable avait été arrosé et soigneusement ratissé. Personne. Rimrock l'aperçut depuis le fond de la prairie et, au moment où Tom parvenait à la barrière, il était déjà là, à l'attendre. C'était un petit cheval marron de huit ans, avec une étoile blanche au front et quatre socquettes qui lui donnaient l'allure pimpante d'un joueur de tennis. Tom l'avait élevé et dressé. Il lui flatta l'encolure et se laissa câliner la joue

– Tu as du pain sur la planche, mon joli.

En principe, Tom préférait disposer de deux chevaux, pour répartir les contraintes. Mais sa jument, Bronty, avait dû rester dans le Montana où elle attendait un poulain. Autre raison pour laquelle il lui tardait de rentrer.

Il se retourna et, adossé à la barrière, contempla l'espace encore vide qui, cinq jours durant, allait être fréquenté par des chevaux tendus, flanqués de leurs maîtres plus tendus encore. À l'issue du stage, la plupart retourneraient chez eux un peu plus à l'aise et ce résultat justifiait son travail. Mais c'était le quatrième stage qu'il s'apprêtait à donner en un peu moins d'un mois, et voir resurgir à tout bout de champ les mêmes problèmes absurdes était lassant.

Pour la première fois depuis une vingtaine d'années, il avait l'intention de chômer pendant tout le printemps et l'été. Finis stages et pérégrinations. Il resterait au ranch, à faire courir ses poulains, à donner un coup de main à son frère. C'était décidé. Peut-être qu'il se faisait vieux. Il allait sur ses quarante-six piges. Au début de sa carrière, il pouvait travailler toute l'année à raison d'un stage par semaine sans jamais se lasser. Si seulement les gens pouvaient être aussi sympas que les chevaux.

Rona Williams, directrice de ce centre où le stage avait lieu chaque année, l'avait aperçu des écuries et venait à sa rencontre. C'était un petit bout de femme maigrichonne aux yeux d'exaltée, et qui, malgré une quarantaine dynamique, arborait deux belles tresses. Ce côté enfantin était en contradiction avec la virilité de sa démarche – l'allure d'une femme habituée à être obéie. Tom l'aimait bien. Elle se donnait beaucoup de peine pour que cette consultation fût un succès. Il effleura son chapeau. Elle sourit et leva les yeux au ciel.

– Belle journée, on dirait...

– Ouais, on dirait... J'ai vu que vous aviez fait des frais en pancartes. Au cas où l'un de ces quarante zozos de chevaux se perdrait dans la nature.

– Trente-neuf.

– Ah ? Un désistement... ?

– Non. Trente-neuf chevaux – plus un âne. (Elle sourit.) Le maître est acteur, je crois. Originaire de Los Angeles.

Il soupira et lui adressa un regard entendu.

– Vous êtes sans pitié, Rona. Un jour, vous allez m'amener un grizzli...

– C'est une idée.

Ils marchèrent ensemble jusqu'à l'arène et discutèrent du programme. Tom donnerait le coup d'envoi avec les poulains, en les prenant un par un. Compte tenu du nombre, il y passerait pratiquement toute la journée. Demain, cours d'équitation, avec les soins aux bêtes en fin de journée – s'il restait du temps et pour ceux que cela intéresserait.

Tom avait apporté de nouveaux haut-parleurs et voulait les tester. Rona l'aida à les sortir de la voiture et à les fixer au-dessus des gradins réservés au public. Dès que le contact fut mis, les appareils poussèrent un cri aigu qui régressa en grondement menaçant, tandis que Tom traversait l'espace de sable vierge en parlant dans le micro du casque à écouteurs.

– Bonjour tout le monde !

Sa voix retentit parmi les arbres dressés avec une immuable dignité dans la paix de la vallée.

– Bienvenus chez Rona Williams. Je suis Tom Booker, dresseur de baudet devant l'Éternel...

Une fois toutes les vérifications faites, ils se rendirent en ville pour le petit déjeuner. Smoky et TJ, les deux jeunes gars du Montana que Tom avait emmenés avec lui pour l'assister sur ces quatre stages, étaient déjà attablés. Rona commanda un muesli et Tom des œufs brouillés avec du pain grillé et un grand jus d'orange.

– Vous avez entendu l'histoire de la femme tuée par un couguar en faisant son jogging ? lança Smoky.

– Le couguar courait lui aussi ? s'enquit Tom avec de grands yeux bleus innocents.

Éclat de rire général.

– Pourquoi pas ? dit Rona. Vous savez, les gars, vous êtes en Californie.

111

– Tout juste, fit TJ. Il paraît qu'il portait une combinaison en lycra et des petits écouteurs...

– Ah bon, encore un qui fait de la publicité pour Sony..., dit Tom.

Smoky attendit sans se vexer qu'ils eussent fini. Ces taquineries étaient devenues rituelles le matin. Tom avait de l'affection pour lui. Intellectuellement, ce n'était pas une lumière, mais il comprenait les chevaux. Plus tard, s'il voulait, il ferait un bon dresseur. Tom allongea le bras et lui ébouriffa la tignasse.

– Ça va, petit... ?

Deux buses décrivaient des cercles paresseux dans le bleu limpide du ciel. Elles se laissaient soulever toujours plus haut par les courants ascendants, peuplant de miaulements sinistres et sporadiques l'espace compris entre les arbres et le haut de la colline. Deux mille mètres plus bas, dans un nuage de poussière, se déroulait le dernier des vingt drames de la journée. Le soleil et peut-être aussi les pancartes avaient attiré une foule telle que Tom n'en avait jamais vue. On se serrait sur les gradins et le public affluait toujours, payant ses dix dollars par tête de pipe à l'employé de Rona posté au portail. Les femmes à la buvette ne chômaient pas et de bonnes odeurs de barbecue flottaient dans l'air.

Au milieu de l'arène, on avait dressé un petit enclos. C'était là que Tom travaillait avec Rimrock. La sueur commençait à couler en rigoles sur sa figure plâtreuse de poussière, et il s'essuyait à la manche de sa chemise bleu pâle à boutons pression. Ses jambes cuisaient sous les vieilles jambières en cuir qui recouvraient son jean. Il en avait terminé avec son onzième poulain et celui-ci était donc le douzième, une superbe bête de race.

Tom avait coutume de commencer par une conversation avec le propriétaire, pour s'enquérir de l' « itinéraire » du cheval, expression qu'il affectionnait. Avait-il déjà été monté ? Des problèmes particuliers s'étaient-ils présentés ? La réponse était toujours oui mais, le plus souvent, c'était le cheval lui-même qui vous indiquait la nature du problème.

Ce petit pur-sang était un cas classique. D'après sa propriétaire, il avait tendance à ruer et avançait de mauvaise grâce. Il était paresseux, voire caractériel. Mais à présent que Tom et Rimrock le faisaient circuler dans l'enceinte du corral, le cheval racontait une tout autre histoire. Tom ne manquait jamais de commenter la scène en direct au micro, de façon à ce que la foule pût comprendre ce qui se passait. Il essaya de ne pas donner une image trop ridicule de la propriétaire.

— Bon, nous avons là une autre version... C'est toujours intéressant de connaître le point de vue du cheval. S'il était fainéant ou caractériel, comme vous dites, nous verrions sa queue agitée de soubresauts et ses oreilles se coucher en arrière. Mais ce n'est pas un cheval paresseux. C'est un cheval qui a peur. Vous voyez comme il est contracté?

La femme regardait de l'extérieur du corral, penchée à la barrière. Elle acquiesça. Tom faisait pivoter Rimrock sur place, à petits pas adroits sur ses socquettes blanches, de façon à toujours faire face au pur-sang.

— Vous voyez comme il rentre ses postérieurs? Je parie que la raison pour laquelle il répugne à galoper, c'est qu'à chaque fois il lui arrive des bricoles...

— Il est nul en transitions, dit la femme. Vous savez... quand je veux l'amener à passer du trot au galop...

Tom devait se mordre la langue quand il entendait des trucs pareils.

— Bon... Ce n'est pas ce que je vois. Vous croyez sans doute que vous lui demandez de galoper, mais votre corps tient un autre discours. Vous y mettez trop de conditions. Vous lui dites: « Vas-y, euh, n'y va pas! » Ou encore: « Fonce mais pas trop vite! » C'est quelque chose qu'il ressent. Votre corps ne ment pas. Ça vous arrive de le cravacher?

— C'est la seule façon de le faire bouger.

– Alors il démarre, et comme il vous semble qu'il va trop vite, vous lui tirez sur la bouche?

– Ça m'arrive. Quelquefois.

– Quelquefois. Oui, oui. Et puis, les ruades...

La femme hocha la tête.

Il se tut un instant. La femme avait compris et commençait à être sur la défensive. Elle prenait visiblement grand soin de sa personne, avec un maquillage à la Barbara Stanwyck et tout l'attirail. Le chapeau à lui seul devait avoir coûté dans les cent dollars. Dieu savait combien elle avait dépensé pour ce cheval. Tom s'appliqua à concentrer sur lui l'attention de l'animal. Il avait dans les vingt mètres de corde enroulée. Il lança son lasso qui alla claquer contre le flanc du pur-sang – celui-ci partit au galop. Tom enroula la corde et recommença. Il continua ainsi pendant un moment, enchaînant les passages du trot au galop.

– Je veux que ça devienne clair pour lui, dit-il. Il commence à piger. Il n'est plus tendu ni crispé comme au début. Vous voyez, il décontracte les jarrets. Et la queue n'est plus pincée comme avant. Il fait des découvertes...

Tom lança de nouveau la corde, et le changement d'allure s'effectua en souplesse.

– Vous avez vu? Il s'améliore déjà. Sous peu, avec de l'application, vous réussirez à lui faire effectuer ces transitions à guides relâchées.

Et les poules auront des dents, songea Tom. Une fois rentrée chez elle, elle continuerait à le monter comme par le passé et tout ce travail se révélerait vain. Comme toujours, cette pensée lui fit embrayer la vitesse supérieure. S'il faisait du bon boulot avec le cheval, peut-être parviendrait-il à l'immuniser contre la peur et la bêtise de cette femme. Le pur-sang marchait joliment bien à présent mais, comme Tom ne lui avait fait travailler qu'un côté, il le fit se retourner et reprit tout de zéro.

Cela dura presque une heure. À la fin, l'animal était mouillé de sueur. Mais lorsque Tom le laissa se reposer et s'arrêter au point mort, il en parut quelque peu désappointé.

– Il pourrait jouer comme ça toute la journée..., dit Tom. « Oh, monsieur, rendez-moi mon ballon! » (Rires dans la foule.) Il ne vous posera plus de problème – tant que vous oublierez la cravache.

Tom considéra la femme. Elle hocha la tête et s'efforça de sourire, mais il vit qu'elle se sentait penaude et eut pitié. Toujours en selle, il s'approcha de la barrière et coupa le micro, afin qu'elle fût seule à l'entendre.

– C'est de l'autoprotection, dit-il doucement. Ces bêtes-là ont un cœur gros comme ça... Elles ne demandent qu'à vous plaire. Mais quand le message est brouillé, il ne leur reste plus qu'à sauver leur peau.

Il sourit et ajouta :

– Allez donc le seller et voir par vous-même...

La femme était au bord des larmes. Elle escalada la barrière et se dirigea vers son cheval. Le petit pur-sang la regarda venir droit sur lui et se laissa caresser. Tom ne perdait rien de la scène.

– Il oubliera le passé, si vous faites de même. Il n'y a pas plus indulgentes créatures sur cette Terre.

Elle partit avec le cheval et Tom ramena Rimrock au pas au milieu de l'enclos, ménageant un suspens. Il ôta son chapeau et s'essuya le front, clignant des yeux vers le ciel. Les deux buses étaient toujours là. Lugubre, ce miaulement. Il remit son chapeau et tourna le bouton du micro.

– Bien. À qui le tour...?

Il s'agissait du type au baudet.

8

PLUS de cent ans ont passé depuis l'époque où Joseph et Alice Booker, les ancêtres de Tom, entreprirent leur long voyage à l'ouest vers le Montana, attirés comme des milliers d'autres par la promesse d'une terre. Il leur mourut deux enfants au cours de la traversée, l'un de la scarlatine et l'autre noyé. Mais ils réussirent à atteindre la Clark's Fork River – et là plantèrent des piquets autour de cent soixante arpents de terres fertiles.

À l'époque où Tom était enfant, ce ranch s'était développé sur vingt mille arpents. Une telle prospérité, arrachée au cruel cycle des sécheresses, inondations et rapines, était surtout l'œuvre de John, le grand-père de Tom. Il était donc logique qu'il fût également à l'origine de sa perte.

John Booker, homme de grande vigueur et à la bonté plus grande encore, avait deux fils. La maison rustique, qui avait depuis longtemps succédé à la hutte goudronnée des fondateurs, était surplombée par une falaise rocheuse où les enfants jouaient à cache-cache et cherchaient des pointes de flèche. Depuis la crête, on apercevait la rivière qui décrivait une courbe comme la douve d'un château et, au loin, les pics enneigés des montagnes Pryor et Beartooth. Parfois les petits garçons s'accroupissaient là, côte à côte, et contemplaient sans un mot le domaine paternel. Pour le plus jeune, c'était là tout son univers. Daniel, le père de Tom, aimait le ranch de toute son âme, et si parfois ses pensées s'égaraient au-delà, cela ne faisait que renforcer son sentiment que tout ce qu'il pouvait souhaiter était enclos à l'intérieur de ces limites. À ses yeux, les montagnes lointaines étaient de rassurantes murailles protégeant tout ce qu'il chérissait des turbulences extérieures. Pour Ned, de trois ans son aîné, c'étaient les murs d'une prison. Il lui tardait de s'évader, ce qu'il fit dès sa seizième année. Il alla chercher fortune en Californie et, à la place, dilapida celle d'une succession d'associés trop naïfs.

Daniel resta au ranch et travailla avec son père. Il épousa Ellen Hooper, une jeune fille native de Bridger, et ils eurent trois enfants : Tom, Rosie et Frank. Les terrains que John avait ajoutés aux premiers arpents du bord de l'eau étaient dans l'ensemble de médiocres pâturages, collines de terre rouge piment piquetées de touffes de sauge et entaillées de roches volcaniques noires. Le travail se faisait à dos de cheval, et Tom se tint sur une selle presque avant de savoir marcher. Sa mère racontait qu'à l'âge de deux ans on l'avait retrouvé dans la grange, endormi dans la paille et blotti entre les sabots imposants d'un percheron. On eût dit que l'étalon le veillait.

Le débourrage des yearlings avait lieu au printemps. L'enfant y assistait, perché sur le plus haut barreau du corral. Son père et son grand-père usaient de douceur avec les animaux et il devait découvrir seulement plus tard qu'il y avait d'autres méthodes.

– C'est comme inviter une femme à danser, disait le vieil homme. Si tu n'as pas confiance, si tu as la frousse et que tu t'approches en regardant tes bottes, sûr qu'elle va te rembarrer. Après, bien sûr, tu peux toujours lui mettre le grappin dessus et la faire valser de force, mais au bout du compte, ça ne vous fera plaisir ni à toi ni à elle.

Son grand-père était un excellent danseur. Tom se souvenait de lui, glissant avec grand-mère sous les lampions au bal de la fête du 4 juillet, comme en apesanteur. C'était pareil quand il était à cheval.

— La danse et le cheval, c'est le même topo... une histoire de confiance et de consentement entre deux êtres. L'homme conduit, mais il ne traîne pas sa cavalière, il donne seulement le tempo ; la femme le perçoit et s'accorde à son partenaire. Ils évoluent alors en toute harmonie, toujours sur le tempo.

Tout cela, Tom le savait déjà, même s'il ignorait comment il l'avait appris. Il comprenait le langage des chevaux, tout comme il distinguait les odeurs, les couleurs. À tout moment, il devinait ce qui leur passait par la tête, et il savait que c'était réciproque. Il « démarra » son premier poulain (jamais il ne parla de les « briser ») à l'âge de sept ans.

Il en avait douze lorsque ses grands-parents décédèrent le même hiver, à un court intervalle. John léguait le ranch dans son intégralité au père de Tom. Ned arriva par avion de Los Angeles pour l'ouverture du testament. Ses visites avaient été rares et, si l'enfant se souvenait de lui, c'était pour ses souliers chic bicolores et son regard hanté. Il l'appelait « fiston » et lui apportait toujours des cadeaux inutiles, des gadgets qui faisaient fureur chez les gamins de la ville. Cette fois, il repartit sans dire un mot. Mais il leur adressa son avocat.

Ce litige traîna trois années. Tom entendait parfois sa mère sangloter dans la nuit, et la cuisine était toujours pleine d'hommes de loi, d'agents immobiliers et de voisins appâtés par l'argent. Tom fuyait tout cela auprès des chevaux. Il faisait l'école buissonnière pour aller les retrouver, et ses parents avaient trop de soucis pour le remarquer ou s'en inquiéter.

Il ne se rappelait avoir vu son père heureux qu'une seule fois à cette époque : au printemps, pendant les trois jours où ils guidèrent les troupeaux vers les hauts pâturages d'été. Sa mère, Frank et Rosie étaient venus. Ils avaient passé les journées à cheval et dormi à la belle étoile.

— Si seulement cet instant pouvait durer pour l'éternité, dit Frank, une nuit où ils étaient allongés à admirer une grosse moitié de lune par-dessus la ligne sombre de la montagne.

Frank avait onze ans, et n'avait pas la fibre philosophique. Ils étaient tous restés cois, à réfléchir. Quelque part, au loin, un coyote lança son cri.

– Moi, je crois que c'est ça l'éternité, répondit le père. Rien qu'une longue suite de « maintenant ». Et je pense aussi qu'il est bon de s'efforcer de vivre un moment à la fois, sans trop se soucier du passé ni du futur.

Tom s'était dit que c'était la meilleure recette de vie qu'il eût jamais entendue.

Son père sortit brisé des trois années de procès. Le ranch fut vendu à une société pétrolière et l'argent qui resta, après que les juristes et les percepteurs eurent prélevé leur dîme, fut partagé en deux. Ned ne donna plus jamais de ses nouvelles. Daniel et Ellen emmenèrent leurs enfants plus loin dans l'Ouest. Ils achetèrent sept mille arpents et une vieille baraque en ruines au pied des Rocheuses – là où les Grandes Plaines venaient buter contre une muraille de calcaire vieille de cent millions d'années. C'était un lieu d'une âpre et majestueuse beauté, que Tom devait finir plus tard par aimer. Mais il n'était pas prêt. Son véritable foyer venait de lui être confisqué, et il aspirait à partir. Dès que ses parents furent installés, il s'en alla.

Il se rendit dans le Wyoming et se loua à la journée. Puis il vit de ces choses qui dépassaient l'entendement. Des cowboys qui fouettaient et éperonnaient leur monture à sang. Dans un certain ranch, non loin de Sheridan, il comprit le sens de l'expression « briser » un cheval. Il vit un homme ligoter un yearling par l'encolure à une barrière, puis lui entraver une jambe et le frapper avec un tuyau en zinc pour obtenir sa soumission. Jamais Tom n'oublierait la terreur dans le regard de l'animal, ni la stupide victoire de cet homme quand, au bout de plusieurs heures, le cheval se résigna à la selle pour sauver sa vie. Tom dit à cet homme qu'il était un abruti, fut entraîné dans une bagarre, et viré sur l'heure.

Il partit dans le Nevada où il travailla sur de vastes propriétés. Partout où il allait, il mettait son point d'honneur à rechercher les chevaux les plus ombrageux et s'offrait à les monter. La plupart de ses collègues étaient déjà dans le

119

métier avant sa naissance et, au début, certains ricanaient sous cape en le voyant enfourcher une bête enragée qui avait catapulté à maintes reprises les meilleurs d'entre eux. Mais ils révisaient leur attitude en voyant comment le gamin s'y prenait et le changement qui s'opérait chez l'animal. Tom ne comptait plus le nombre de bêtes qu'il avait vues complètement bousillées par la crétinerie ou la cruauté humaine, mais jamais il n'en rencontra d'irrécupérable.

Telle fut sa vie pendant cinq années. Il passait chez lui de temps en temps, tâchant d'être là quand son père avait le plus besoin d'aide. Pour Ellen, ses visites étaient comme des instantanés témoignant de l'évolution de son fils. Il était grand et maigre – de loin le plus beau de ses trois enfants. Ses cheveux blondis au soleil, il les portait plus longs qu'avant, et elle le taquina à ce sujet. Mais, en secret, elle était ravie. Il était toujours bronzé, même en hiver, et cela donnait de l'éclat à ses yeux bleu pâle.

Sa vie, telle qu'il la décrivait à sa mère, semblait bien solitaire. Il citait des camarades, mais aucun véritable ami. Il avait des amourettes, mais rien de sérieux. De son propre aveu, le temps qu'il ne passait pas auprès des chevaux, il le consacrait à lire et à suivre des cours par correspondance. Ellen remarqua qu'il s'exprimait moins, ne parlait qu'à bon escient. Mais à la différence de son père, ce mutisme n'avait rien de triste. C'était plutôt le signe d'une profonde sérénité.

Avec le temps sa réputation s'établit et, partout où il travaillait, on le contactait pour lui demander s'il voulait bien jeter un coup d'œil à un cheval à problèmes.

– Tu leur prends combien ? lui demanda un jour son frère Frank, un soir d'avril où ils dînaient tous ensemble, à l'époque du marquage.

Rosie était en pension et Frank, âgé à présent de dix-neuf ans, travaillait à plein temps au ranch. Il avait le sens des affaires et c'était lui qui gérait de fait le domaine tandis que leur père s'enfonçait dans les ténèbres de la mélancolie.

– Oh, rien du tout...

Frank reposa sa fourchette et lui jeta un long regard.

– Tu ne les fais pas payer...? Jamais?

– Non.

– Et pourquoi donc, bon sang? Ils ont du fric, non?

Tom considéra la question, la bouche pleine. Ses parents aussi le regardaient. La question semblait intéresser tout le monde.

– Vous savez, je ne le fais pas pour les gens. Mais pour les chevaux.

Un ange passa. Frank sourit et hocha la tête. Il était clair que leur père le trouvait lui aussi un peu bizarre. Ellen se leva et se mit à remplir les assiettes non sans une pointe d'agressivité.

– Eh bien moi, je trouve ça très bien.

Cela donna à réfléchir à Tom. Mais il s'écoula quelques années avant que l'idée de donner des consultations prît forme. Entre-temps, il étonna tout le monde en annonçant qu'il allait étudier à l'université de Chicago.

Inscrit en lettres et sciences humaines, il tint bon pendant dix-huit mois. Il ne s'accrocha aussi longtemps que parce qu'il était tombé amoureux d'une jeune fille du New Jersey qui jouait du violoncelle dans un quatuor d'étudiants. Tom assista à cinq concerts avant de pouvoir lui parler. Elle avait une abondante chevelure noir de jais qu'elle rejetait derrière les épaules, et portait de grandes boucles d'oreilles en argent comme une chanteuse folk. Quand elle jouait, la musique semblait nager à travers son corps. Il n'avait jamais rien vu d'aussi excitant.

La sixième fois, elle ne cessa de le regarder pendant toute la durée du concert et il l'attendit à la sortie. Elle parut et prit son bras sans un mot. Elle s'appelait Rachel Feinerman et cette nuit-là, dans une chambre inconnue, Tom crut qu'il allait mourir et toucher au paradis. Il la regarda allumer les bougies. Puis elle se retourna et ôta sa robe en le fixant droit dans les yeux. Il trouva étrange qu'elle gardât ses anneaux, mais en fut heureux par la suite, lorsque la flamme des bougies s'y refléta tandis qu'ils faisaient l'amour. Elle ne ferma pas les yeux, mais se cambra contre lui et le regarda faire, tandis qu'il contemplait avec émerveillement ses mains lancées dans leur exploration. Elle avait les tétons couleur chocolat et la luxuriante toison triangulaire au creux de son ventre chatoyait comme l'aile d'un corbeau.

Il la ramena chez lui pour Thanksgiving, et elle prétendit qu'elle n'avait jamais eu aussi froid de sa vie. Elle s'entendit avec tout le monde, même les chevaux, et déclara que c'était le plus beau paysage qu'elle eût jamais contemplé. Tom savait lire sur le visage de sa mère. Cette jeune femme, pensait-elle, dont ni la façon de se chausser ni la religion ne convenaient, n'avait vraiment rien d'une épouse de cow-boy.

Peu de temps après, il dit à Rachel qu'il en avait assez des lettres et sciences humaines, et de Chicago, et qu'il rentrait chez lui dans le Montana. Elle lui fit une scène.

– On veut retourner jouer au cow-boy? dit-elle, caustique.

Tom répondit que oui, parfaitement, c'était bien là son idée. Ils se trouvaient dans sa chambre. Rachel pivota sur elle-même et désigna d'un geste exaspéré les livres sur les rayonnages.

– Et ça, tu t'en fous?

– Non. C'est aussi pour cela que je plaque mes études. Quand je travaillais de mes mains, j'avais hâte de retrouver mes bouquins après ma journée de boulot. Les livres, c'est mystérieux... Mais ces profs à la fac, à force de déblatérer sur tout... Il me semble qu'à trop parler de ces choses-là, le mystère s'évapore, et il ne reste plus que la parlote...

Elle le toisa un moment, le menton dardé, et le gifla.

– Grand bêta. Tu ne veux donc pas me demander en mariage?

Ainsi fut fait. Une semaine plus tard, ils filaient dans le Nevada pour convoler en justes noces, conscients l'un comme l'autre que c'était sans doute une erreur. Les parents Feinerman se montrèrent furieux. Les siens, juste stupéfaits. Tom et Rachel s'installèrent dans la grande maison pendant près d'une année, le temps de retaper le cottage, une bicoque délabrée en surplomb de la rivière. Il y avait là un puits et sa vieille pompe en fonte. Tom le répara, refit la margelle, et imprima leurs initiales dans le ciment frais. Rachel emménagea juste à temps pour accoucher de leur fils. On l'appela Hal.

Tom se mit à travailler avec son père et Frank. Pendant ce temps, sa femme entamait une lente descente aux enfers. Elle passait des heures au téléphone avec sa mère, pleurant ensuite toute la nuit dans le lit, à lui expliquer combien elle se sentait seule, et combien c'était bête de sa part, car elle les aimait si fort, lui et Hal, qu'elle n'avait aucune raison de se morfondre. Elle lui demandait sans cesse s'il l'aimait, l'éveillait parfois au cœur de la nuit pour lui poser toujours cette même question, alors il la prenait dans ses bras et affirmait que oui.

La mère de Tom déclara que ces choses-là arrivaient parfois après un accouchement et qu'ils seraient peut-être bien inspirés de partir quelque temps, de prendre des vacances. Alors ils lui confièrent Hal et s'envolèrent pour San Francisco. Là-bas, et bien que la ville restât sous l'emprise d'un brouillard froid et épais pendant toute la semaine qu'ils y passèrent, Rachel retrouva son sourire. Ils allèrent au concert, au cinéma, dans les restaurants chic, et se comportèrent en parfaits touristes. Mais au retour, ce fut pire encore.

L'hiver vint – jamais, de mémoire humaine, on n'avait vu un froid pareil dans la région. La neige tomba sans trêve dans la combe, transformant en pygmées les peupliers géants au bord de l'eau. Une nuit, assaillis par un froid polaire, ils perdirent trente têtes de bétail, qu'ils retrouvèrent une semaine plus tard, enchâssées dans la glace telles les statues déchues d'un rite ancien.

Le violoncelle de Rachel prenait la poussière dans un recoin de la maison. Lorsqu'il lui demanda pourquoi elle ne jouait plus, elle répondit que la musique ne donnait rien par ici ; elle se perdait, avalée par l'atmosphère. Quelque temps plus tard, en nettoyant le foyer, Tom découvrit une corde métallique noircie et, en fouillant dans les cendres, l'extrémité carbonisée de la volute. Dans l'étui, ne restait que l'archet.

À la fonte des neiges, Rachel lui annonça qu'elle retournait dans le New Jersey avec Hal. Tom hocha la tête, l'embrassa et la serra dans ses bras. Elle venait d'une planète trop lointaine, dit-elle, comme tous deux l'avaient compris depuis le début sans vouloir se l'avouer. Elle ne pouvait plus vivre ici, dans ces grands espaces oppressants balayés par les vents – pas plus qu'elle n'eût vécu sur la Lune. Il n'y eut pas d'aigreur, seulement une tristesse sans fond. Tom ne souleva aucune objection sur le fait qu'elle emmenait l'enfant. Ce n'était que justice.

Le jeudi matin avant Pâques, il chargea les valises à l'arrière de la camionnette pour les conduire à l'aéroport. Le front montagneux se perdait dans les nuages et un crachin froid venait des plaines. Tom prit le fils qu'il connaissait – et connaîtrait – à peine, entortillé dans une couverture, et vit sa famille alignée avec embarras pour les adieux. Rachel embrassa chacun à tour de rôle, en terminant par la mère. Les deux femmes étaient en larmes.

– Je vous demande pardon, dit Rachel.

Ellen la retint et lui caressa les cheveux.

– Non, ma petite. C'est moi qui vous demande pardon. Tous, nous vous demandons pardon.

Au printemps de cette année-là, Tom Booker donnait sa première consultation à Elko, Nevada. De l'avis général, ce fut un grand succès.

9

ANNIE appela Liz Hammond de son bureau, le lendemain du jour où elle avait reçu le message.

– Il paraît que vous m'avez trouvé un Chuchoteur...?

– Un... quoi?

Annie partit d'un petit rire.

– Rien. Une lecture que j'ai faite hier. C'était le nom qu'on leur donnait autrefois.

– Chuchoteur... Ça me plaît. Celui-ci m'a l'air plutôt d'un cow-boy. Il vit dans le Montana.

Elle expliqua comment elle avait trouvé sa trace. La chaîne était longue : un ami connaissait quelqu'un, qui s'était rappelé qu'une connaissance lui avait dit qu'un gars qui avait un cheval à problèmes était allé avec ledit cheval dans le Nevada pour voir un type... Liz ne lui avait fait grâce d'aucun détail.

– Liz, vous avez dû dépenser une fortune. Je vous rembourserai la facture du téléphone.

– Pensez-vous. Ils ont l'air d'être rares à pratiquer dans l'Ouest, mais on m'a affirmé qu'il était le meilleur. Bref, j'ai son téléphone.

Annie en prit note et remercia.

– À votre service... Mais si c'est Clint Eastwood, vous me le gardez au chaud, promis?

Annie réitéra ses remerciements et raccrocha. Elle contempla le numéro sur son bloc-notes. Elle ne savait pas pourquoi mais elle ressentait une subite appréhension. Se traitant d'idiote, elle souleva le combiné.

Traditionnellement, il y avait toujours un barbecue chez Rona à l'issue du premier jour de stage. Cela rapportait un peu d'argent et, comme la viande était bonne, Tom restait volontiers, quoiqu'il lui tardât de quitter sa chemise poussiéreuse et mouillée de sueur pour se plonger dans un bain chaud.

Le repas était servi sur de longues tables disposées en terrasse, devant la maison blanche en pisé de style traditionnel. Tom se retrouva assis à côté de la femme au pur-sang. Il savait que ce n'était pas un hasard, car elle lui courait après depuis le début de la soirée. Le chapeau avait disparu et ses cheveux étaient dénoués. Elle avait la trentaine – belle femme, selon lui. Et elle en était consciente. Ses grands yeux noirs étaient dardés sur lui, mais elle forçait un peu la note, posant des tas de questions et l'écoutant comme si elle n'avait jamais rencontré un type aussi passionnant de sa vie. Il savait déjà qu'elle s'appelait Dale, qu'elle travaillait dans l'immobilier et possédait une maison en bord de mer près de Santa Barbara. Ah oui, et qu'elle était divorcée.

– Vraiment, je n'en reviens pas, répéta-t-elle pour la énième fois. Vous avez fait un miracle. Il est comme... *délivré*.

Tom opina et haussa vaguement les épaules.

– C'est cela même. Il avait juste besoin d'être rassuré, et vous aviez juste besoin de lui lâcher un peu la bride.

La tablée voisine explosa de rire, et ils se retournèrent ensemble pour voir ce qui se passait. L'homme au baudet débitait un potin de Hollywood relatif à deux stars de cinéma dont Tom n'avait jamais entendu parler, et qui avaient été surprises dans une voiture à faire des choses dont les détails lui échappaient.

– D'où vous vient cette science, Tom ?

Il se retourna.

– Quelle science ?

126

– Les chevaux... Vous avez été initié par un gourou, un maître... ?

Il fixa sur elle un regard grave, comme avant de proférer un oracle.

– Vous savez, Dale, c'est l'éternelle histoire de l'écrou et de la vis.

Elle cilla.

– C'est-à-dire... ?

– Quand le maître est fêlé, le cheval débloque...

Elle partit d'un gloussement un peu trop joyeux et lui posa la main sur le bras. La blague n'en méritait pas tant.

– Non... Dites-moi, sérieusement...

– Ces choses-là, ça ne s'enseigne pas. On ne peut que mettre ceux qui veulent vraiment apprendre sur la bonne voie. Les meilleurs professeurs, ce sont encore les chevaux. Vous trouverez beaucoup de gens qui ont des opinions, mais si vous voulez du solide, adressez-vous directement aux bêtes.

Elle lui adressa un regard chargé apparemment de lui communiquer un émerveillement religieux devant sa vertigineuse profondeur, en même temps qu'autre chose de plus charnel. Le moment était venu de lever le camp.

Il quitta la table sous le prétexte de lâcher Rimrock dans le pré – c'était fait depuis longtemps. Dale, à qui il souhaita le bonsoir, parut un peu fâchée d'avoir dépensé tant d'énergie en vain.

Sur la route du motel, il songea que ce n'était pas un hasard si la Californie avait toujours bien accueilli les sectes qui mêlaient sexe et religiosité. Les gens d'ici étaient de grands naïfs.

Au fil de sa carrière, Tom avait rencontré quantité de femmes comme Dale. Toutes cherchaient quelque chose. Et pour nombre d'entre elles, cela avait étrangement à voir avec la peur. Elles dépensaient une fortune pour un cheval fougueux qui les terrifiait. Elles avaient besoin qu'on les aide à dompter cette peur-là, ou peut-être la peur en général. Elles auraient pu choisir le deltaplane, l'escalade ou la pêche au requin. Le hasard leur avait fait choisir le cheval.

127

Elles arrivaient au stage avec une immense soif d'enseignement et de chaleur humaine. Pour l'enseignement, Tom ne
savait pas – mais, dans un joli nombre de cas, la chaleur
humaine avait été généreusement dispensée de part et
d'autre. Dix ans plus tôt, pour un regard comme celui de
Dale, ils seraient rentrés au motel à tombeau ouvert et
auraient sauté au lit avant que la porte ait eu le temps de se
refermer.

Aujourd'hui, il était certes loin de fuir systématiquement
les bonnes fortunes. Mais il avait de plus en plus le sentiment que cela n'en valait pas la peine. Car la peine était
toujours de la partie. Rares étaient en effet celles qui attendaient la même chose que lui de ces coucheries. Il avait
mis du temps à le réaliser et à découvrir quelles étaient ses
propres motivations, à défaut de comprendre celles de sa
conquête d'un soir.

Longtemps, il s'était accusé de sa faillite conjugale. Il
savait bien que ce n'était pas seulement l'isolement qui en
était la cause. Rachel attendait de lui quelque chose qu'il
n'avait pas su lui donner. Pourtant, quand il lui disait qu'il
l'aimait, il était sincère. Et son départ avec l'enfant avait
creusé un vide qu'il n'avait jamais su combler, même en
s'abrutissant de travail.

Il s'était toujours plu en compagnie des femmes et considérait que le sexe était une chose qui venait tout naturellement, sans y penser. Aussi, lorsque sa carrière avait pris
son essor et qu'il avait passé sur les routes une bonne partie de l'année, il avait trouvé un certain réconfort dans ces
rencontres de hasard. C'étaient pour la plupart des aven-
tures sans lendemain, sauf avec certaines femmes, aussi
décontractées que lui en ce domaine, et qui encore
aujourd'hui, lorsqu'il passait par chez elles, l'accueillaient
dans leur lit en vieux camarade.

Pourtant, il avait continué à se sentir coupable vis-à-vis
de Rachel. Jusqu'au jour où il avait compris que cette
chose que Rachel n'avait pas trouvée en lui, c'était le reflet

de ses propres manques. Il aurait fallu qu'il dépendît d'elle comme elle dépendait de lui. Et Tom savait que c'était sans espoir. Car il n'était pas homme à dépendre de quiconque, fût-ce de Rachel. Et sans se l'être jamais avoué ni en tirer la moindre gloire, il savait qu'il possédait de naissance une sorte d'équilibre intérieur – cet équilibre que d'autres recherchent âprement toute leur vie. Il ne voyait rien d'exceptionnel à cela. Il se sentait tout simplement intégré à un tout, relié à un ordre des êtres et des choses tant par l'esprit que par la chair.

La Chevy bifurqua sur le parking du motel, et il trouva une place juste sous sa chambre.

La baignoire était trop petite pour donner envie de s'y prélasser ; il fallait choisir entre avoir les pieds ou les épaules au froid. Il alla se sécher devant la télévision. L'histoire du couguar faisait toujours la une. Une expédition se préparait pour l'exterminer. Des hommes armés de fusils, en gilet jaune fluorescent, ratissaient un versant de colline. Tom trouva le détail amusant. Le couguar verrait ces gilets de très, très loin. Il se mit au lit, coupa la télévision, et appela à la maison. C'est son neveu Joe, l'aîné des trois fils de Frank, qui répondit.

– Salut, Joe... Ça va ?

– Ça baigne. Tu es où ?

– Dans un motel paumé... et un lit pour nains. Je ne risque pas d'oublier d'ôter mes bottes et mon chapeau.

Joe s'esclaffa. C'était un garçon de douze ans assez flegmatique, comme Tom à son âge. Il savait s'y prendre avec les chevaux.

– Et comment va notre brontosaure ?

– Ça va. Elle est énorme. Papa dit qu'elle va pouliner avant la fin de la semaine.

– Tu l'aideras bien à faire ce qu'il faut, hein ?

– Compte sur moi. Tu veux lui parler ?

– ... S'il est dans les parages.

Il entendit le petit appeler son père. La télévision était allumée et, comme d'habitude, Diane braillait après l'un des jumeaux. Ça lui faisait toujours quelque chose de penser qu'ils vivaient tous dans la grande maison. Pour lui, c'était toujours la maison de ses parents, même s'il y avait déjà trois années que son père était mort et que sa mère était partie habiter chez Rosie, à Great Falls.

Lorsque Frank avait épousé Diane, le jeune couple avait repris la petite maison, celle que Tom et Rachel avaient brièvement occupée, et procédé à des aménagements. Mais avec trois enfants en pleine croissance, ils s'étaient retrouvés à l'étroit et Tom avait insisté pour qu'ils s'installent dans la grande maison. De toute façon, il était toujours par monts et par vaux et, quand il était chez lui, l'endroit lui paraissait immense et désert. Il ne demandait qu'à procéder à un simple échange, mais Diane avait soutenu qu'il n'en était pas question, il y avait de la place pour tous. Tom avait donc conservé sa chambre et tout le monde vivait à présent au même endroit. La petite maison, réservée aux visiteurs, à la famille et aux amis, restait déserte la plus grande partie de l'année.

Tom perçut un bruit de pas et comprit que Frank approchait du téléphone.

– Salut! Comment ça se passe?

– Ça roule. J'ai des clients par-dessus la tête et je couche chez les Sept Nains, mais à part ça...

La conversation s'orienta sur le ranch. Ils étaient en pleine période de vêlage, époque de nuits blanches, quand il faut se rendre sur les pâturages en pleine nuit pour surveiller le troupeau. Le travail était dur, mais ils n'avaient perdu aucun veau et Frank était content. Tom apprit qu'ils avaient reçu de nombreux appels. On voulait savoir s'il y avait une chance pour qu'il revînt sur sa décision de suspendre ses consultations à la belle saison.

– Qu'est-ce que tu as répondu?

– Que tu étais un homme âgé, usé...

– Merci, vieux.

– Une Anglaise a appelé de New York. Elle n'a pas dit pourquoi elle appelait, juste que c'était urgent. Tu l'aurais entendue quand j'ai refusé de lui donner ton numéro ! Je lui ai dit que tu la rappellerais.

Tom prit le bloc sur la table de chevet et nota le nom d'Annie ainsi que les quatre numéros de téléphone qu'elle avait laissés.

– C'est tout ? Pas de numéro pour la villa de Miami ?

– Eh non...

Ils parlèrent encore de Bronty puis raccrochèrent. Tom considéra le bloc-notes. Il ne connaissait guère de monde à New York, à part Hal et Rachel. Peut-être cet appel les concernait-il ? Non, la femme l'aurait dit. Il consulta sa montre. Vingt-deux heures trente. Cela donnait une heure trente à New York. Il reposa le bloc et éteignit la lumière. Il appellerait dans la matinée.

Il n'en eut pas l'occasion. Il faisait encore nuit lorsque le téléphone sonna. Il alluma avant de répondre et constata qu'il était seulement un peu plus de cinq heures du matin.

– Tom Booker ?

À l'accent, il comprit qui c'était.

– Il me semble. Quoiqu'il soit un peu tôt pour en être certain...

– Je comprends. J'ai pensé que vous deviez vous lever de bonne heure et je ne voulais pas vous manquer. Annie Graves au téléphone... J'ai appelé votre frère hier, j'ignore s'il vous l'a dit...

– La commission a été faite. J'allais vous rappeler. Je croyais qu'il ne vous avait pas communiqué mon numéro.

– Je me suis débrouillée autrement. Bon, je crois savoir que vous aidez les personnes qui ont des chevaux à problèmes...

– Non, ma petite dame...

Il y eut un silence interloqué à l'autre bout de la ligne.

– Oh, pardon...

– C'est tout le contraire. J'aide les chevaux qui ont des maîtres à problèmes.

Voilà qui ne les avançait guère et Tom regretta d'avoir fait le malin. Il demanda quel était le problème en question et la laissa raconter en silence son histoire. C'était un récit terrible, d'autant plus qu'il était raconté sur un ton mesuré, presque détaché. L'émotion était bien là, mais enfouie en profondeur et dûment contrôlée.

– C'est affreux, dit-il lorsque ce fut fini. Je suis désolé.

Il l'entendit prendre une profonde respiration.

– Oui. Bon... Vous viendrez le voir?

– Où... à New York?

– Oui.

– Ma petite dame, je crains...

– Naturellement, je payerai vos frais de déplacement.

– Ce que j'allais dire, c'est que je ne fais pas ce genre de choses. Même sans la question de la distance... Je donne des consultations, c'est tout. Et d'ailleurs, je m'apprête à prendre des vacances. C'est mon dernier stage jusqu'à l'automne...

– Vous avez donc toute liberté pour venir...

Ce n'était pas une question. Elle avait une sacrée arrogance. Peut-être l'accent.

– Quand s'achève votre stage?

– Mercredi, mais...

– Vous ne voulez pas venir jeudi...?

Ce n'était pas seulement l'accent. Elle avait décelé l'ombre d'une hésitation et poussait son avantage à fond. On agissait de même avec un cheval : toujours travailler le point de moindre résistance.

– Désolé, madame, dit-il avec fermeté. Je suis navré de ce qui vous arrive. Mais j'ai du travail qui m'attend chez moi et je ne peux rien pour vous.

– Ne dites pas cela. Je vous en prie, ne dites pas cela. Promettez-moi au moins de réfléchir...

Là non plus, ce n'était pas une question.

– Madame...

132

– Je vous laisse. Pardon de vous avoir réveillé...
Et sans lui laisser placer un mot ni lui dire au revoir, elle
raccrocha.

Le lendemain matin, à la réception, le gérant du motel lui
remit un colis envoyé en express. L'envoi contenait la photo
d'une fillette montée sur un splendide morgan – et un billet
d'avion pour New York.

10

Tom allongea le bras sur le dossier de la banquette en moleskine et regarda son fils s'affairer derrière le comptoir. On eût dit que le gosse avait fait ça toute sa vie, à voir avec quel naturel il déplaçait et retournait les biftecks sur le grill tout en plaisantant avec un serveur. À en croire Hal, il se trouvait dans le restaurant le plus branché de Greenwich Village.

L'adolescent travaillait là gracieusement trois ou quatre fois dans la semaine contre un hébergement dans un loft qui appartenait au propriétaire, un ami de Rachel. Le reste du temps, il fréquentait une école de cinéma. Un peu plus tôt, il avait raconté à son père le scénario d'un court métrage de son cru en cours de tournage.

– C'est l'histoire d'un type qui bouffe la moto de sa copine pièce après pièce.

– Sujet « coriace », on dirait...

– Je veux ! C'est comme un road movie, sauf que toute l'action se déroule dans un même lieu.

Tom était pratiquement sûr que c'était une blague. Enfin, c'était à espérer.

– Quand il a fini la moto, il fait pareil avec la fille.

Tom hocha la tête.

– L'histoire d'un amour dévorant, en quelque sorte...?

Hal s'esclaffa. Il tenait de sa mère ses épais cheveux noirs et son regard ténébreux, quoiqu'il eût les yeux bleus. Tom avait une grande affection pour lui. Si leurs relations étaient épisodiques, ils s'écrivaient et avaient toujours grand plaisir à se voir. Hal avait été élevé à la ville, mais il aimait venir dans le Montana. Et il se défendait d'ailleurs pas mal à cheval.

Tom n'avait pas revu sa mère depuis des années, mais ils se téléphonaient pour parler de leur fils, et là non plus la conversation n'était jamais difficile.

Rachel avait épousé un marchand d'art, Léo, qui lui avait fait trois enfants aujourd'hui adolescents. Hal, qui avait une vingtaine d'années, semblait avoir connu une enfance heureuse. C'était la perspective de le voir qui avait décidé Tom à accepter l'offre de l'Anglaise. Ils s'étaient fixé un rendez-vous dans l'après-midi.

– Et voilà! Un cheeseburger au bacon.

Hal déposa l'assiette devant son père et prit place, l'air content. Lui-même ne s'était accordé qu'un café.

– Tu ne manges pas?

– Plus tard. Goûte...

Tom avala une bouchée et manifesta son approbation.

– Excellent.

– Certains se contentent de les laisser sur le gril. Il faut savoir les saisir pour préserver les sucs...

– Tu as le droit de faire une pause?

– Pas de problème. S'il y a du monde, j'irai donner un coup de main.

Il n'était pas encore midi et le calme régnait dans l'établissement. Tom n'avait jamais beaucoup d'appétit à déjeuner et n'était pas non plus un gros mangeur de viande, mais Hal avait proposé de lui préparer ce bifteck avec un tel enthousiasme qu'il n'avait pas su refuser. À la table voisine, quatre hommes en complet aux poignets chamarrés de breloques parlaient tout fort d'une affaire qu'ils venaient de conclure. Pas la clientèle habituelle, lui avait précisé discrètement Hal. Mais Tom avait apprécié le spectacle. New York était une ville formidable. Heureusement toutefois qu'il n'était pas obligé d'y vivre.

– Et ta mère, ça va...?
– La forme. Elle s'est remise au violoncelle. Léo lui a organisé un concert dans une galerie pour dimanche...
– Formidable.
– Elle voulait passer te voir, mais hier au soir il y a eu une méga-engueulade avec la pianiste, et maintenant c'est la panique pour trouver un remplaçant. Tu as son bonjour.
– Tu lui donneras le mien.

La conversation porta sur les études de Hal et ses projets pour l'été. Il déclara qu'il aimerait passer quelques semaines dans le Montana, et Tom eut le sentiment qu'il était sincère et ne pensait pas seulement à lui faire plaisir. Il expliqua de son côté qu'il ferait travailler les yearlings et les autres poulains plus âgés. À force d'en parler, il lui tardait d'y être. Enfin un été sans consultations, sans ennuis. Rester là, sous la protection des montagnes, et regarder le pays renaître à la vie.

Le restaurant s'animait, et Hal devait retourner au travail. Il refusa l'argent de son père et l'accompagna sur le trottoir. Tom remarqua son regard, quand il remit son Stetson. Il espérait qu'il n'était pas trop embarrassant d'être vu en compagnie d'un cow-boy. Les adieux étaient toujours maladroits, car Tom avait le réflexe d'embrasser son fils mais, ces derniers temps, ils avaient pris l'habitude de se serrer simplement la main. Ce qu'ils firent là encore.

– Bonne chance avec le cheval.
– Merci. Bonne chance pour ton film.
– Merci. Je t'enverrai une cassette.
– Avec plaisir. Allez, à la prochaine...
– Salut!

Tom décida de marcher un peu avant de chercher un taxi. Il faisait un temps froid et gris, et de la vapeur s'échappait en écharpes des bouches d'égout. Un jeune mendiait, debout dans un coin. Il avait les cheveux hirsutes, en queue de rat, et une mine de papier mâché. Ses doigts sortaient de ses mitaines effilochées et, comme il n'avait pas de manteau, il battait la semelle pour se réchauffer. Tom lui donna un billet de cinq dollars.

Il avait rendez-vous aux écuries à seize heures, mais lorsqu'il arriva à la gare, il constata qu'il y avait un train plus tôt dans la journée et décida d'en profiter. Autant voir l'animal à la lumière du jour. De surcroît, il aurait ainsi une chance de jouir d'un peu de tranquillité. C'était toujours mieux, quand on n'avait pas le client sur le dos. Les chevaux sentent les tensions. L'Anglaise ne s'en formaliserait pas.

Annie s'était demandé comment s'y prendre pour parler à Grace de Tom Booker. Le nom de Pilgrim n'avait pratiquement plus été prononcé depuis la fameuse visite à l'écurie. Une fois, Annie et Robert avaient bien essayé d'aborder le sujet, mais Grace s'était montrée si susceptible que sa mère avait abandonné.

– Je m'en fous... Je vous ai dit ce que je voulais. Je veux qu'il retourne dans le Kentucky. Mais comme vous savez tout mieux que moi, débrouillez-vous.

Robert avait posé une main lénifiante sur son épaule en ajoutant quelques mots, mais elle l'avait repoussé brutalement en criant : « Laisse-moi ! » L'affaire en était donc restée là.

En fin de compte, ils s'étaient quand même décidés à lui parler de l'homme du Montana. Grace se borna à déclarer qu'elle ne voulait pas être présente quand il viendrait à Chatham. Il fut donc convenu qu'Annie ferait seule le déplacement. Elle était venue la veille par le train et avait passé la matinée à la ferme, à donner des coups de téléphone et à essayer de se concentrer sur l'écran de son ordinateur où s'affichait un texte transmis par modem de New York.

Impossible. Le lent tic-tac de l'horloge, d'habitude si rassurant, était une torture. Et à mesure que les heures s'écoulaient, sa fébrilité augmentait. Elle se demandait pourquoi il devait en être ainsi et ne trouvait pas de réponse satisfaisante. Seulement l'intuition, aussi aiguë qu'irrationnelle, que ce n'était pas seulement le destin de Pilgrim que cette visite allait sceller irrévocablement – mais celui de toute la famille.

À la gare de Hudson, il n'y avait pas de taxi. Il bruinait et Tom dut attendre cinq minutes sous la marquise. Lorsque enfin un véhicule s'arrêta, il monta à l'arrière avec son sac et donna au chauffeur l'adresse des écuries.

Hudson donnait l'impression d'un village qui avait dû être autrefois charmant, mais qui était à présent dans un état déplorable. De beaux édifices de l'époque coloniale tombaient en ruines. Nombre de boutiques bordant ce qui devait avoir été la grand-rue étaient barricadées, et celles qui restaient ouvertes proposaient de la camelote. Les passants arpentaient les trottoirs, courbés sous la pluie.

Il était un peu plus de quinze heures lorsque le taxi s'engagea dans l'allée qui montait chez Mme Dyer. Tom aperçut des chevaux sous la pluie, dans la boue des champs. Ils pointèrent les oreilles sur son passage. L'entrée de la cour était bloquée par un van. Tom descendit après avoir prié le chauffeur de l'attendre.

Comme il se faufilait entre le mur et le van, il entendit des éclats de voix et des bruits de sabots martelant le pavé.

– Coince-le, ce trou-du-cul !

Les fils Dyer s'évertuaient à charger deux poulains apeurés dans le van. Tim tirait le premier par la longe. À ce petit jeu-là, il eût aisément perdu, si Éric ne s'était trouvé par-derrière, à jouer du fouet en esquivant les coups de sabots. Sa main libre retenait par la longe l'autre poulain tout aussi effaré. Tout cela, Tom le découvrit en débouchant dans la cour.

– Eh là, qu'est-ce qu'il se passe ici ?

Les deux garçons se retournèrent et le dévisagèrent sans mot dire, avant de reprendre leur occupation comme si de rien n'était.

– Ça ne va pas, nom de Dieu..., disait Tim. Essayons avec l'autre...

Il éloigna la bête si brutalement que Tom dut se plaquer contre le mur pour les laisser passer. Finalement, Éric le considéra à nouveau.

– Vous cherchez quelque chose?

C'était dit avec un tel mépris dans l'œil et dans la voix que Tom ne put qu'en sourire.

– Effectivement, jeune homme. Je cherche un cheval nommé Pilgrim. Propriété de Mme Annie Graves.

– Vous êtes qui?

– M. Booker...

Éric désigna la grange de la tête.

– Voyez avec ma vieille...

Tom remercia et prit la direction indiquée. Il entendit un ricanement assorti d'une plaisanterie sur Clint Eastwood, mais passa son chemin sans se retourner. Mme Dyer sortait justement des écuries. Il se présenta et lui serra la main qu'elle venait d'essuyer après sa veste. Elle hocha la tête en contemplant la scène qui se jouait dans la cour.

– Il est d'autres façons de procéder, dit-il.

– Je sais, soupira-t-elle. (Mais à l'évidence, elle préférait en rester là.) Vous êtes en avance. Annie n'est pas encore arrivée.

– J'ai pris un train plus tôt. J'aurais dû prévenir... Ça vous ennuie si je jette un coup d'œil...?

Elle hésita. Il lui adressa alors un sourire de conspirateur, qui signifiait qu'elle-même, connaissant les chevaux, comprendrait ce qu'il allait dire.

– Vous savez bien que c'est parfois plus facile quand le maître n'est pas dans les parages...

Elle comprit l'allusion et acquiesça.

– Par ici...

Tom fit avec elle le tour de la grange et découvrit les écuries désaffectées. Devant une certaine porte, elle se retourna, soudain nerveuse, et lui fit face.

– Je dois vous avertir qu'il s'agit d'une histoire lamentable de bout en bout. Je ne sais pas ce qu'elle vous a dit, mais en vérité, tout le monde sauf elle considère qu'on aurait dû abréger les souffrances de cette pauvre bête depuis le début. Pourquoi les vétérinaires lui ont cédé, je l'ignore. Franchement, j'estime que garder cette bête en vie est cruel et absurde.

Cette sortie prit Tom par surprise. Il opina vaguement et contempla la porte fermée au verrou. Il avait déjà remarqué le liquide moutarde qui suintait sous le battant et l'odeur fétide.

– Il est ici ?

– Oui, soyez prudent.

Tom débloqua le verrou et entendit aussitôt du vacarme. La puanteur lui souleva le cœur.

– Personne ne nettoie... ?

– Nous avons tous peur..., dit Mme Dyer à mi-voix.

Tom ouvrit lentement le volet supérieur et se pencha à l'intérieur. Il vit le cheval dans la pénombre, qui le regardait aussi, les oreilles aplaties, en montrant ses dents jaunes. Soudain la bête s'élança et se cabra en le visant de ses sabots. Tom se rejeta vivement en arrière et les fers s'abattirent contre la partie inférieure du battant, le manquant de peu. Tom referma le volet et le verrou.

– Qu'un inspecteur voie ça, et vous mettez la clé sous la porte, dit-il.

Devant cet accès de colère froide, Mme Dyer baissa les yeux.

– Je sais, j'ai essayé de leur dire...

– C'est une honte !

Il fit volte-face et rebroussa chemin. La cour vibrait des vrombissements d'un moteur emballé et des cris d'un cheval affolé par un klaxon. En tournant le coin de la grange, il constata que l'un des poulains était attaché dans le van. Il saignait à la jambe. Éric faisait de son mieux pour tirer l'autre à l'intérieur en le fouettant, tandis que son frère, installé dans une vieille guimbarde, l'aiguillonnait par-derrière à coups de klaxon. Tom marcha droit sur le véhicule, ouvrit la portière à la volée, et traîna le gamin par le cou.

— Putain, vous vous prenez pour qui...? protesta l'adolescent.

Mais la fin de son intervention se perdit dans les aigus, car Tom venait de lui faire exécuter un demi-tour qui s'acheva dans la poussière.

— Clint Eastwood! gronda Tom.

Et il passa son chemin en direction d'Éric qui battit en retraite.

— Eh là, cow-boy...

Tom l'empoigna par la gorge, libéra le poulain et, d'une torsion du poignet, arracha le fouet au gamin qui poussa un glapissement de douleur. L'animal s'échappa dans la cour pour se mettre à l'abri. D'une main, Tom tenait le fouet, et de l'autre la gorge d'Éric, dont les yeux étaient exorbités par la peur. Tom le tint devant lui – face contre face.

— Si je pensais que tu en valais la peine, je botterais tes fesses de petit merdeux jusqu'à ce qu'il ne te reste plus rien pour t'asseoir...

Il le repoussa et le dos du garçon alla percuter le mur. Par-dessus son épaule, Tom aperçut Mme Dyer, qui s'avançait dans la cour. Il se retourna et se glissa entre le mur et le flanc de la remorque.

Juste au moment où il s'extirpait du passage, une femme sortit d'une Ford Lariat gris métallisé garée à côté du taxi. Pendant un moment, Tom et Annie Graves se firent face.

— Monsieur Booker?

Tom était hors d'haleine. Sur le coup, il nota seulement la chevelure auburn et les yeux verts au regard troublé.

— Annie Graves... Vous êtes en avance...

— Non, madame. J'arrive foutrement trop tard, au contraire...

Il monta dans le taxi, claqua la portière, et donna le signal du départ. Le taxi était déjà au bout de l'allée lorsqu'il réalisa qu'il avait gardé le fouet. Il abaissa la vitre et le jeta dans le fossé.

11

CE fut Robert qui suggéra d'aller prendre le petit déjeuner chez Lester. Une décision qu'il mûrissait depuis deux semaines. Ils n'étaient pas retournés là-bas depuis que Grace avait repris l'école, et ce fait dont personne ne parlait commençait à lui peser. Si le sujet n'avait pas été abordé, c'était qu'un petit déjeuner chez Lester n'avait rien d'un événement exceptionnel. L'autre raison, tout aussi importante, était qu'il fallait prendre le bus.

Cette petite tradition remontait aux jeunes années de Grace. Parfois Annie les accompagnait mais, en général, c'était une affaire entre le père et la fille. Ils allaient s'asseoir au fond du bus en faisant comme si c'était une grande aventure. Ils s'amusaient à chuchoter à tour de rôle des histoires sur les autres passagers. Le chauffeur était en réalité un tueur androïde et ces vieilles dames des rock stars déguisées. Par la suite, ils s'étaient contentés de potiner mais, jusqu'à l'accident, jamais il ne leur serait venu à l'esprit de ne pas prendre le bus. Et maintenant, il se demandait si Grace serait capable de grimper à bord.

Jusque-là, elle n'avait repris l'école que pour deux, puis trois jours par semaine, et seulement le matin. Robert la conduisait en voiture et Elsa passait la chercher en taxi à midi. Annie et lui essayaient d'avoir l'air naturel lorsqu'ils lui demandaient comment ça se passait. Très bien, d'après elle.

Tout allait très bien. Et comment se portent Becky, Cathy et Mme Shaw? Très bien aussi. Robert la soupçonnait de deviner parfaitement les interrogations qu'ils n'osaient pas formuler. Est-ce qu'on regarde ta jambe? Est-ce qu'on te pose des questions? Est-ce qu'on jase dans ton dos?

— Et si on allait chez Lester? demanda Robert ce matin-là, d'une voix à la neutralité affectée.

Annie était déjà partie à une réunion. Grace haussa les épaules.

— Ouais. Pourquoi pas?

Ils descendirent par l'ascenseur et saluèrent Ramon, le portier.

— Je vous appelle un taxi?

Robert hésita, juste une fraction de seconde.

— Merci, nous prenons le bus.

En chemin, il bavarda et essaya d'avoir l'air naturel, comme s'il était parfaitement normal de marcher à ce pas de tortue. Il savait que Grace ne l'écoutait pas. Ses yeux rivés au trottoir cherchaient à repérer les chausse-trapes, et elle se concentrait pour bien placer l'embout caoutchouté de la canne avant de balancer sa jambe en avant. Quand ils atteignirent l'arrêt du bus, elle était en sueur malgré le froid.

Lorsque le bus se présenta, elle monta à l'intérieur avec l'aisance d'une vieille habituée. Il y avait affluence et, pendant un moment, ils restèrent debout à l'avant. Un vieux monsieur, qui avait remarqué la canne de Grace, lui offrit sa place. Elle refusa poliment, mais il insista. Robert aurait voulu lui crier de n'en rien faire, mais il n'osa pas et Grace, le feu aux joues, s'assit à regret. Elle leva les yeux sur Robert avec un petit sourire humilié qui lui brisa le cœur.

En entrant dans le salon de thé, Robert comprit brusquement qu'il aurait dû prévenir afin d'éviter les questions embarrassantes. Mais il s'était inquiété pour rien. Quelqu'un, peut-être de l'école, avait déjà colporté la nouvelle, et tout le personnel se montra aussi alerte et enjoué que de coutume. Ils s'installèrent à leur table près de la fenêtre, et passèrent leur commande habituelle : bagels à la crème aigre et saumon fumé. En attendant d'être servi, Robert fit de son mieux pour entretenir la conversation. C'était nouveau pour lui, ce besoin de meubler les silences quand ils étaient tous les deux. Lui qui avait toujours eu un bon contact avec Grace... Il remarqua que son regard se déportait sans cesse vers les passants qui se hâtaient sur le trottoir. Lester, petit homme sémillant à la moustache en brosse à dents, avait allumé la radio derrière son comptoir et, pour une fois, Robert lui fut reconnaissant de ce constant et inepte flux de conseils aux automobilistes. Lorsque les assiettes arrivèrent, Grace toucha à peine à ses bagels.

– Ça te dirait de visiter l'Europe cet été ?

– Tu veux dire en vacances ?

– On pourrait aller en Italie, louer une maison en Toscane. Qu'en dis-tu ?

Elle haussa les épaules.

– Bon, d'accord.

– On peut aller ailleurs...

– Non, c'est chouette.

– Si tu es sage, on pourra aussi voir ta grand-mère en Angleterre.

Grace grimaça d'un air entendu. La menace de la larguer chez la mère d'Annie était une vieille blague familiale. Grace regarda par la vitre puis se tourna vers son père.

– Bon, j'y vais...

– Tu n'as pas faim ?

Elle fit non de la tête. Il comprit : elle voulait entrer à l'école avant la cohue. Il reposa brusquement sa tasse et régla l'addition.

Grace préféra le quitter au coin de la rue plutôt que de se laisser accompagner jusqu'à l'entrée. Il s'éloigna après l'avoir embrassée, luttant contre l'envie de se retourner pour la regarder disparaître à l'intérieur du bâtiment. Elle aurait pu s'en apercevoir et prendre son attention pour de la pitié. Il repartit à pied vers la Troisième Avenue et se rendit à son bureau.

Pendant qu'ils prenaient le petit déjeuner, le ciel s'était éclairci. Cela promettait d'être l'une de ces journées lumineuses et glaciales comme Robert les aimait. Un temps idéal pour la marche, et il avança d'un bon pas en s'efforçant de chasser de son esprit l'image de cette silhouette solitaire clopinant vers l'école, pour songer plutôt aux tâches qui l'attendaient au bureau.

D'abord, comme d'habitude, téléphoner à l'avocate qu'il avait mandatée pour suivre cet imbroglio juridique que l'accident de Grace semblait condamné à devenir.

Seul un individu sensé eût été assez naïf pour croire que l'affaire se résumait à déterminer si les fillettes avaient commis une faute en chevauchant sur cette route ce matin-là, ou si le camionneur avait commis une faute en les renversant. Au lieu de quoi, tout le monde faisait des procès à tout le monde : les assurances des victimes, le chauffeur, sa compagnie d'assurances, la société de transport à Atlanta, sa propre compagnie d'assurances, la société qui avait vendu le camion au routier en crédit-bail, la compagnie d'assurances de cette dernière, le fabricant du camion, celui des pneus, le comté, la papeterie, les chemins de fer. Personne n'avait encore engagé de poursuites contre le bon Dieu responsable de la neige, mais l'affaire en était à ses débuts. C'était un paradis pour juristes, que Robert découvrait de l'autre côté de la barrière avec une certaine consternation·

Au moins, Dieu merci, ils avaient réussi à préserver Grace de tout cela. En plus de son témoignage à l'hôpital, il ne lui restait plus qu'à faire une déposition sous serment à l'avocate. Grace l'avait déjà rencontrée de façon informelle et n'avait pas paru ennuyée de reparler de l'accident. Elle avait répété qu'elle ne se souvenait plus de rien après sa chute.

Peu après le Nouvel An, le chauffeur leur avait adressé une lettre d'excuse. Robert et Annie avaient longuement argumenté sur l'opportunité de la montrer à Grace, pour décider finalement que tel était son droit. Après lecture, elle l'avait rendue en déclarant simplement que c'était bien de sa part.

Pour Robert, la question était de savoir s'il fallait ou non la montrer à l'avocate qui, naturellement, se jetterait avec joie sur cet aveu de culpabilité. L'avocat en Robert était pour. Sa fibre charitable était contre. Pour se couvrir, il avait joint la pièce au dossier.

Au loin, il aperçut les froids reflets du soleil sur les parois en verre de la tour vertigineuse où il avait son bureau.

Un membre amputé, avait-il lu dans une publication professionnelle digne de foi, valait de nos jours dans les trois millions de dollars en dommages et intérêts. Il revit le visage livide de sa fille, tourné vers la vitre du salon de thé. Ils étaient bien calés, ces experts, pour avoir su chiffrer cela.

Le hall de l'école était plus animé que de coutume. Grace survola la foule du regard, dans l'espoir de n'apercevoir aucune de ses camarades. La mère de Becky parlait avec Mme Shaw, mais ni l'une ni l'autre ne la remarqua, et Becky elle-même n'était nulle part en vue – elle devait être déjà à la bibliothèque, penchée sur un ordinateur. Autrefois, c'est là que Grace aurait filé elle aussi. Elles se seraient amusées à se laisser des messages dans leur « boîte à lettres » jusqu'à la sonnerie. Et ensuite, elles auraient fait la course dans l'escalier en chahutant jusqu'à la porte de la classe.

Depuis que Grace ne pouvait plus monter l'escalier, toutes ses copines se sentaient obligées de l'accompagner dans l'ascenseur, une antiquité poussive. Pour leur épargner cet embarras, Grace se rendait directement en classe et elle était déjà assise quand les autres arrivaient.

Elle se fraya un chemin jusqu'à l'ascenseur et appuya sur le bouton d'appel, en évitant de tourner la tête pour permettre à celles qui l'auraient éventuellement aperçue de l'éviter.

Tout le monde était si sympa avec elle, depuis son retour en classe. C'était bien là le problème. Elle aurait préféré plus de naturel. Et ce n'était pas tout. En son absence, ses amies semblaient s'être subtilement regroupées. Becky et Cathy, ses deux meilleures copines, s'étaient rapprochées. Toutes trois étaient jadis inséparables. Elles papotaient, se taquinaient, se disputaient – et tous les soirs se réconciliaient au téléphone. Leur trio était parfaitement équilibré. Mais maintenant, bien qu'elles fissent de leur mieux pour l'inclure, ce n'était plus pareil. Comment pouvait-il en être autrement ?

L'ascenseur arriva et Grace entra dans la cabine, contente d'être seule à en profiter. Mais juste avant la fermeture des portes, deux élèves de la petite section se ruèrent à l'intérieur en jacassant avec entrain. À sa vue, elles se calmèrent aussitôt.

Grace sourit.

– Salut...

– Salut.

Elles avaient répondu en chœur, mais la conversation ne s'engagea pas, et les trois fillettes restèrent figées dans leur malaise, tandis que l'ascenseur entamait sa laborieuse ascension. Grace remarqua l'application avec laquelle les petites étudiaient les murs et le plafond nus, posant les yeux partout sauf sur ce qu'elles brûlaient de regarder : sa jambe. Toujours la même chose.

Elle en avait parlé à la psychologue, encore une spécialiste des traumatismes, qui venait la voir une fois par semaine à la demande de ses parents. Cette femme voulait bien faire et était sans doute compétente, mais Grace trouvait que ces séances étaient du temps perdu. Comment cette étrangère – comment quiconque – aurait-elle pu savoir ce qu'elle ressentait ?

– Dis-leur qu'elles peuvent regarder, avait conseillé la spécialiste. Explique-leur que ça ne te dérange pas d'en parler.

Mais ce n'était pas ça, le problème. Grace ne voulait pas qu'on la regarde, elle ne voulait pas parler. Parler. Ces psy croyaient que tout pouvait se résoudre par la parole, mais ce n'était pas vrai.

La veille, la psychologue avait voulu la faire parler de Judith et c'était la dernière chose dont Grace avait envie.

– Quels sont tes sentiments vis-à-vis de Judith ?

147

Grace en aurait hurlé. Mais elle se borna à déclarer froidement : « Elle est morte. Qu'est-ce que vous voulez que je ressente ? » La femme avait fini par comprendre et le sujet avait été abandonné.

Quelques semaines plus tôt, elle avait également essayé de la faire parler de Pilgrim. Il était aussi estropié et inutile qu'elle, et chaque fois que Grace pensait à lui, elle ne voyait plus que ces yeux atroces, luisant dans la pénombre de cette stalle puante. À quoi pouvait bien servir d'y penser ou d'en parler ?

La cabine se stabilisa à un étage, et les deux petites en sortirent. Grace les entendit reprendre aussitôt leur conversation dans le couloir.

Comme elle l'espérait, elle trouva sa classe encore déserte. Elle sortit ses affaires de son cartable, dissimula soigneusement sa canne sous son pupitre, et s'assit lentement sur le spartiate siège en bois. Si spartiate que, à la fin de la matinée, elle en aurait des élancements à la jambe. Mais elle le supporterait. Cette douleur-là était supportable.

Annie mit trois jours à pouvoir parler à Tom Booker. Elle imaginait sans mal ce qui s'était passé à l'écurie. Après avoir vu le taxi repartir dans l'allée, elle s'était rendue dans la cour et avait compris l'essentiel en voyant la mine des fils Dyer. Leur mère lui avait déclaré froidement que Pilgrim devrait avoir vidé les lieux avant lundi prochain.

Annie avait contacté Liz Hammond, et elles s'étaient rendues ensemble chez Harry Logan. Le vétérinaire venait d'achever une hystérectomie sur un chihuahua et sortait de la salle d'opération en tenue de chirurgien. À leur vue, il étouffa un cri et fit mine de se cacher. Il avait derrière sa clinique quelques stalles de réanimation où – après bien des soupirs – il accepta d'héberger Pilgrim.

– Seulement une semaine !

– Deux ! dit Annie.

Il adressa à Liz un sourire de vaincu.

– C'est votre amie... ? Entendu, deux semaines. Maximum. Le temps que vous trouviez une autre solution.

– Harry, vous êtes un amour, dit Liz.

– Je suis un idiot. Ce canasson me mord, me donne des coups de sabot et me traîne dans une rivière glaciale, et qu'est-ce que je fais ? Je l'invite chez moi !

– Merci, Harry, dit Annie.

Le lendemain matin, tous trois se rendirent sur place. Les fils Dyer ne se montrèrent pas, et leur mère ne fit qu'une brève apparition à sa fenêtre. Au bout de deux heures d'une lutte acharnée et après une triple dose de calmants, Pilgrim monta dans la remorque et partit pour la clinique.

Le jour suivant l'altercation, Annie avait tenté de reprendre contact avec Tom Booker dans le Montana. La femme qui répondit au téléphone – son épouse, sans doute – répondit qu'il était attendu pour le lendemain au soir. Son ton n'était guère aimable, et Annie s'était dit qu'elle avait eu vent de la scène. Elle promit toutefois de transmettre le message. Annie attendit deux longues journées sans recevoir de nouvelles. À l'issue du deuxième jour, elle profita que Robert lisait au lit et que Grace était endormie pour rappeler. Ce fut encore la femme qui décrocha.

– Il est à table.

Annie entendit une voix masculine demander qui c'était, et une main s'emparer du combiné. Une voix chuchota : « C'est encore l'Anglaise. » Silence. Annie réalisa qu'elle retenait son souffle et se força au calme.

– Tom Booker à l'appareil...

– Monsieur Booker, je voulais m'excuser pour ce qui s'est passé... J'aurais dû être au courant, mais j'ai sans doute préféré fermer les yeux...

– Ça se comprend...

Elle attendit qu'il continuât sur sa lancée, mais non.

– Nous l'avons changé de lieu, il est beaucoup mieux installé, et je me demandais si vous pourriez... (Elle comprit combien sa requête était vaine, stupide, avant d'avoir terminé.) Je me demandais si vous seriez disposé à revenir le voir.

– Je regrette, c'est non. Même si j'avais le temps, franchement, je ne vois pas à quoi ça servirait.

– Vous ne pouvez pas vous libérer un ou deux jours ? Votre prix sera le mien.

Elle l'entendit rire et regretta ses paroles.

– Madame, pardonnez ma brutalité, mais que cela soit clair : il y a des limites à la capacité de souffrance de ces bêtes. Je crois que votre cheval en a trop vu depuis trop longtemps.

– Alors vous croyez qu'il faut l'abattre, vous aussi... ? S'il était à vous, monsieur Booker, vous feriez cela ?

– Chère madame, il ne s'agit pas de mon cheval et je me félicite de ne pas avoir à prendre cette décision. Mais à votre place : oui, c'est ce que je ferais.

Elle fit une nouvelle tentative pour le fléchir, sans résultat. L'homme était courtois, pondéré, et inébranlable. Elle raccrocha après l'avoir remercié et se rendit dans le living.

Tout était éteint et le couvercle du piano luisait vaguement dans l'obscurité. Elle s'approcha de la fenêtre et resta un moment à contempler les grands immeubles de l'East Side par-delà la ligne des arbres du parc. On eût dit la toile de fond d'une scène de théâtre, ces milliers de petites fenêtres épinglées sur une nuit factice. On avait du mal à se dire que, derrière chacune, une vie se déroulait avec son lot de joies et de peines.

Robert s'était endormi. Elle lui ôta le livre des mains, éteignit sa lampe de chevet et se dévêtit dans le noir. Longtemps, elle resta allongée sur le dos, à écouter sa respiration, les yeux fixés sur les formes orangées que dessinaient au plafond les éclairages publics filtrés par les jalousies. Elle savait déjà ce qu'elle allait faire. Mais elle ne dirait rien à ses proches avant d'avoir tout mis au point.

12

POUR son talent à promouvoir aux postes clés de son empire des jeunes loups aux dents longues, Crawford Gates avait reçu, entre autres sobriquets peu flatteurs, celui de « Roi des Salopards ». Raison pour laquelle Annie était toujours un peu ennuyée d'être vue en sa compagnie.

Attablé devant elle, il était en train de déguster son espadon fumé sans jamais regarder son assiette. Annie voyait avec fascination la fourchette piquer le prochain morceau, et atteindre infailliblement son objectif comme sous l'attraction d'un aimant. C'était dans ce même restaurant qu'il l'avait invitée un an plus tôt pour lui offrir son poste de direction – un vaste volume sans âme au décor minimaliste d'un noir mat, dont le sol de marbre blanc évoquait vaguement un abattoir.

Un mois de congé, c'était certes beaucoup, mais elle savait qu'elle le méritait. Jusqu'à l'accident, elle n'avait pratiquement pas pris de vacances et, même depuis, ses absences avaient été rares.

– J'ai le téléphone, un fax, un modem, tout... Vous ne verrez pas la différence.

Flûte Voilà un quart d'heure qu'elle argumentait et son ton ne convenait plus du tout. Elle donnait l'impression de plaider sa cause, au lieu d'aller droit au but et de dévoiler carrément ses intentions. Pour l'instant, rien dans l'attitude du grand patron ne trahissait la désapprobation. Il se contentait d'écouter, tandis que ce damné espadon s'autopilotait dans sa bouche. Quand elle était inquiète, Annie avait la manie idiote de combler les silences de la conversation. Elle décida d'arrêter et attendit une réaction. Crawford Gates finit de mastiquer sa bouchée, acquiesça, et prit une longue gorgée de Perrier.

– Vous emmenez Robert et Grace ?

– Seulement Grace. Robert a trop de travail. Mais Grace a besoin de souffler. Depuis qu'elle a repris sa scolarité, elle régresse. Un changement d'air sera salutaire.

Ce qu'elle passait sous silence, c'est que ni Grace ni Robert n'étaient au courant de ses projets. C'était pratiquement le dernier détail à régler. Tout le reste, elle l'avait mis au point depuis son bureau avec la complicité d'Anthony.

Elle avait trouvé une location à Choteau, la localité la plus proche du ranch de Tom Booker. Elle n'avait pas eu le choix, mais la maison était meublée et, au vu du descriptif envoyé par l'agence, adaptée à leurs besoins. Elle avait déniché un kinésithérapeute sur place et des écuries prêtes à accueillir Pilgrim (de fait elle était loin d'avoir été franche sur son cas). Le plus dur serait de traîner la remorque à travers sept États. Mais Liz Hammond et Harry Logan avaient pris leur téléphone et mis en place une série de points de chute où ils pourraient se reposer en cours de route.

Crawford Gates se tamponna les lèvres.

– Ma chère Annie, au risque de me répéter, je vous affirme que vous êtes entièrement libre... Les enfants sont un précieux don du ciel et, dans le malheur, nous devons être à leurs côtés et agir au mieux.

Pour un homme qui avait plaqué quatre épouses et huit enfants, le couplet était magnifique. Il était aussi sincère que Ronald Reagan après un échec retentissant, et cette sincérité hollywoodienne ne fit qu'aiguiser la colère qu'Annie ressentait depuis sa pitoyable intervention. Cette vieille crapule déjeunerait sans doute dès demain, à cette même table, avec son successeur. Elle avait à demi espéré qu'il aurait la réaction de la virer sur-le-champ.

Dans la Cadillac noire ridiculement longue qui la ramenait au bureau, Annie résolut de tout dire à Robert et Grace le soir même. Grace pousserait les hauts cris et Robert lui dirait qu'elle était folle. Mais comme toujours, ils céderaient.

Resterait alors à prévenir l'unique autre personne de qui dépendait l'ensemble du plan : Tom Booker. C'était peut-être curieux, mais elle ne se faisait pas le moindre souci de ce côté-là. En sa qualité de journaliste, elle savait comment s'y prendre. Sa spécialité, c'étaient les gens qui disaient non. Un jour, elle avait fait huit mille kilomètres jusqu'à une île du Pacifique pour frapper à la porte d'un célèbre écrivain qui ne donnait jamais d'interviews. Elle avait passé deux semaines en sa compagnie et son article avait été primé et traduit partout dans le monde.

Car c'était là une vérité toute simple et irréfutable à ses yeux – qu'à une femme qui avait pris son bâton de pèlerin pour aller se jeter à ses pieds, aucun homme ne pouvait rien refuser.

13

ENTRE les clôtures convergentes, la route s'étirait en ligne droite sur d'innombrables kilomètres vers l'horizon bombé d'un noir d'orage. Au loin, là où la voie semblait s'élever dans le ciel, des éclairs dansaient dans l'atmosphère comme pour vaporiser l'asphalte. Derrière les barrières, de chaque côté, la prairie de l'Iowa se déployait à l'infini tel un océan plat et anonyme, allumé par intermittences entre les bandes de nuages par des flèches de soleil éclatantes et onduleuses, décochées par quelque géant en quête de sa proie.

Dans un tel paysage, le temps et l'espace étaient comme disloqués et Annie ressentit les prémices de ce qui, si elle se laissait aller, tournerait à la panique. Elle scruta la ligne d'horizon à la recherche d'un point de repère, un signe de vie, un silo à grains, un arbre, un oiseau, n'importe quoi. En vain. Elle compta alors les poteaux des barrières ou les bandes jaunes de la route qui affluaient du lointain, comme imprimées par les éclairs. Elle se représentait la Ford Lariat gris métallisé et sa remorque fuselée, gobant ces marques en cadence.

En deux jours, elles avaient parcouru plus de mille huit cents kilomètres et, pendant tout ce temps, Grace avait à peine ouvert la bouche. Elle avait passé presque toute sa journée à dormir, recroquevillée sur la banquette arrière. Quand elle était réveillée, elle restait à sa place, à écouter son walkman ou à regarder vaguement par la vitre. Une fois, une seule, Annie avait surpris son regard dans le rétroviseur et lui avait souri. Grace avait détourné aussitôt les yeux.

Elle avait réagi au projet exactement comme sa mère l'avait prédit, piquant une crise de nerfs et déclarant qu'elle n'irait pas, on ne pouvait pas la forcer, point final. Elle avait quitté la table pour se retirer dans sa chambre en claquant la porte. Annie et Robert étaient restés assis en silence. Annie avait parlé un peu plus tôt à son mari, ripostant par des arguments massue à chacune de ses objections.

– Elle ne peut pas éluder indéfiniment la question. C'est son cheval, bon sang. Elle ne peut pas s'en laver les mains.

– Pense à ce qu'elle a subi...

– Ce n'est pas de fuir ses problèmes qui l'aidera. Tu sais combien elle est attachée à ce cheval. Tu as vu sa réaction à l'écurie. Tu ne vois pas qu'elle est hantée par ce souvenir ?

Il ne répondit pas, mais baissa les yeux. Annie lui prit les mains.

– Nous avons les moyens d'agir, dit-elle avec douceur. J'en suis certaine. Pilgrim peut se rétablir. Cet homme en a le pouvoir. Et Grace aussi ira mieux.

Robert la regarda.

– Il est sûr de lui ?

Annie hésita, mais pas assez pour lui laisser un doute.

– Oui, dit-elle.

C'était la première fois qu'elle mentait pour de bon à ce sujet. Tout naturellement, Robert supposait que Tom Booker était au courant. Grace avait été également entretenue dans cette illusion.

Ne trouvant pas en son père un allié, la petite s'était inclinée, comme Annie l'avait prédit. Mais le mutisme plein de ressentiment en quoi sa colère s'était muée durait depuis plus longtemps que prévu. Jadis, avant l'accident, Annie aurait sapé cette bouderie par des taquineries ou en l'ignorant allégrement. Mais ce silence était d'un genre nouveau, aussi épique et immuable que l'aventure dans laquelle la fillette avait été embarquée et, à mesure que les kilomètres défilaient, Annie ne pouvait que s'émerveiller de tant d'endurance.

Robert les avait aidées à boucler les bagages, avant de les conduire à Chatham, puis chez Harry Logan, le matin du départ. Aux yeux de Grace, cela faisait de lui un complice. Tandis qu'ils chargeaient Pilgrim dans la remorque, elle était restée figée dans la Lariat, les écouteurs sur les oreilles, feignant de lire un magazine. Les cris du cheval et le bruit des sabots pilonnant les flancs de la remorque se répercutaient dans la cour, mais pas une fois Grace n'avait levé les yeux.

Harry administra à la bête une forte dose de barbituriques et remit à Annie une boîte de médicaments ainsi que des aiguilles de rechange. Il s'approcha de la vitre pour saluer Grace mais, lorsqu'il voulut lui expliquer comment nourrir le cheval, elle lui coupa la parole :

– Voyez avec maman...

Au moment du départ, sa réponse au baiser de Robert fut pratiquement de pure forme.

Cette nuit-là, elles avaient couché chez des amis de Harry Logan qui vivaient aux abords d'une petite ville au sud de Cleveland. Le mari, Elliott, ancien condisciple de Harry, travaillait dans un important cabinet vétérinaire de la région. Elles arrivèrent à la nuit et Elliott insista pour que ses invitées entrent et se rafraîchissent tandis qu'il examinait l'animal. Il déclara qu'il avait l'habitude lui aussi d'héberger des chevaux et qu'il avait préparé une stalle dans la grange.

– Harry a dit qu'il fallait le laisser dans la remorque.

– Quoi... pendant tout le voyage ?

– C'est ce qu'il a dit.

Il haussa un sourcil et la gratifia d'un sourire condescendant, professionnel.

– Entrez. Je m'en occupe...

Il commençait à pleuvoir et Annie n'avait aucune envie de discuter. L'épouse s'appelait Connie. C'était une petite femme soumise dont la permanente cartonneuse avait l'air faite du jour. Elle les fit entrer et leur montra les chambres.

La maison était vaste et résonnait du silence des enfants qui avaient grandi et s'en étaient allés. On les voyait sourire sur des photos exposées aux murs, souvenirs de succès scolaires et de belles journées ensoleillées où ils avaient reçu leur diplôme universitaire.

Grace fut installée dans l'ancienne chambre de leur fille, et Annie dans la chambre d'amis au fond du couloir. Après avoir montré la salle de bains à son invitée, Connie s'éclipsa en disant que le dîner serait servi à leur convenance. Annie la remercia et retourna sur ses pas.

La fille de Connie avait épousé un dentiste et vivait maintenant dans le Michigan, mais sa chambre était restée telle qu'elle l'avait quittée. On y voyait des livres, des trophées de natation et une ménagerie de cristal sur les étagères. Au milieu du bazar de cette enfance étrangère, Grace, debout près du lit, cherchait dans son sac ses affaires de toilette. Elle ne releva pas la tête lorsque sa mère parut.

– Tout va bien?

Grace se contenta de hausser les épaules. S'efforçant au naturel, Annie fit mine de s'intéresser aux photos sur les murs. Elle s'étira avec un bâillement.

– Ouf! Mes courbatures...

– Qu'est-ce qu'on fiche ici?

La voix était glaciale et hostile. En se retournant, Annie constata que Grace la fixait, les poings aux hanches.

– Que veux-tu dire?

Grace balaya la chambre d'un geste plein de mépris.

– Mais enfin, tu peux me dire ce qu'on fout dans cette piaule?

Annie soupira mais, avant qu'elle ait eu le temps de parler, Grace lui dit de laisser tomber, aucune importance. Raflant sa canne et sa trousse de toilette, elle se dirigea vers la porte. Devant la sobriété de cette réaction, Annie comprit à quel point sa fille était furieuse.

– Grace, s'il te plaît...

– J'ai dit: laisse tomber. C'est clair?

Sur ce, elle disparut.

Annie bavardait avec Connie lorsque Elliott rentra dans la cuisine. Il était pâle et avait tout un côté souillé de boue. Il s'efforçait aussi visiblement de ne pas boiter.

– Je l'ai laissé dans la remorque..., dit-il.

À table, Grace joua avec la nourriture et ne parla que lorsqu'on lui adressa la parole. Les trois adultes faisaient de leur mieux pour entretenir la conversation, mais il y avait de longs moments où l'on n'entendait plus que le cliquetis des couverts. La discussion porta sur Harry Logan, Chatham, et une nouvelle épidémie de méningite qui semait la panique dans la région. Elliott raconta qu'il connaissait une petite fille de l'âge de Grace qui avait contracté la maladie et dont la vie était complètement gâchée. Comme Connie le fusillait du regard, il rougit et enchaîna aussitôt.

Dès la fin du repas, Grace dit qu'elle était fatiguée et demanda la permission d'aller se coucher. Annie, qui voulait l'accompagner, se heurta à un refus. La petite prit congé poliment de ses hôtes, mais tandis qu'elle gagnait la porte, sa canne sonna sur le sol nu, et Annie surprit le regard apitoyé du couple.

Le lendemain – hier – elles étaient reparties de bonne heure et avaient traversé presque d'une traite l'Indiana, l'Illinois et une partie de l'Iowa. Et de toute la journée, tandis que le vaste continent s'ouvrait devant elles, Grace n'avait pas desserré les dents.

Le soir, elles s'étaient arrêtées chez une lointaine cousine de Liz Hammond qui avait épousé un fermier et vivait près de Des Moines. La ferme se dressait, solitaire, au bout d'une voie privée de huit kilomètres, comme sur une planète brune labourée à perte de vue de sillons impeccables.

C'étaient des gens calmes et pieux, des baptistes apparemment, et aussi différents de Liz que possible. Le fermier prétendit que Liz lui avait tout dit sur Pilgrim, mais il se montra tout de même choqué par ce qu'il vit. Il aida Annie à nourrir et abreuver la bête, puis ratissa et remplaça de son mieux la paille humide et souillée sous les sabots déchaînés.

Le repas fut servi à une longue table en bois en présence des six enfants. Tous avaient les cheveux blonds et les grands yeux bleus de leur père, et ils regardaient les invitées avec une sorte d'émerveillement poli. La nourriture, simple et abondante, était servie avec du lait, présenté avec sa crème et encore tiède de l'étable, dans des cruches en verre pleines à ras bord.

Au matin, la femme leur prépara un petit déjeuner avec des œufs, des pommes de terre sautées et du jambon maison. Au moment du départ, alors que Grace était déjà en voiture, le fermier tendit quelque chose à Annie.

– Voici pour vous...

C'était un vieux livre à la couverture de toile défraîchie. Annie l'ouvrit devant le couple. *Le Voyage du pèlerin*, de John Bunyan. Annie se rappelait en avoir entendu lire des passages à l'école primaire.

– Cela semble de circonstance, dit le fermier.

Annie avala sa salive et remercia.

– Nous prierons pour vous, dit la femme.

Le livre était resté sur le siège passager. Et chaque fois qu'Annie y posait les yeux, elle repensait aux paroles de cette femme.

Quoiqu'elle fût installée en Amérique depuis des années, l'expression franche de sentiments religieux heurtait toujours en elle un fond de réserve anglaise et la mettait mal à l'aise. Mais ce qui la troublait encore davantage, c'était que cet étranger eût clairement compris qu'ils avaient tous besoin de prières. Il avait vu en elles des victimes. Pas seulement Grace et Pilgrim – c'était compréhensible – mais Annie également. Jamais personne n'avait vu Annie Graves sous cet angle-là.

Mais voilà que, sous les éclairs à l'horizon, quelque chose lui attirait l'œil. Ce fut d'abord une flammèche, qui grandit peu à peu et se condensa sous la forme fluide d'un camion. Bientôt, elle aperçut les tours des silos à céréales, puis des bâtiments plus bas, une ville, qui poussaient alentour. Jaillie du bas-côté de la route, une volée de moineaux fut emportée d'un coup de vent. À présent, le camion était presque sur

elles, et Annie vit sa calandre au chrome rutilant, qui grossissait, grossissait, jusqu'au moment où il les croisa dans une
rafale qui fit trembler voiture et remorque. Grace s'étira à
l'arrière.

– C'était quoi?

– Rien. Un camion.

Dans le rétroviseur, Annie la vit se frotter les yeux.

– On approche d'une ville. Je vais prendre de l'essence.
Tu as faim?

– Un peu.

La voie de sortie décrivait une longue boucle autour d'une
église blanche en bois qui se dressait à l'écart sur une pelouse
décolorée. Devant la façade, un petit garçon à bicyclette les
regarda passer et, au même moment, l'église fut soudain
inondée de soleil. Annie s'attendait presque à voir un doigt
pointer à travers les nuées.

Il y avait un petit restaurant à côté de la station-service et,
après avoir fait le plein, elles consommèrent en silence leur
sandwich œufs-salade, parmi des hommes qui portaient des
casquettes de base-ball aux sigles de produits agricoles et parlaient à mi-voix du blé d'hiver et du cours du soja. Pour
Annie, c'était du chinois. Elle alla régler l'addition, puis
retourna dire à Grace qu'elle se rendait aux toilettes et lui
donnait rendez-vous à la voiture.

– Tu veux bien vérifier si Pilgrim a soif?

Pas de réponse.

– Grace? Tu m'écoutes?

Annie réalisa brusquement que le silence s'était fait autour
d'elle. L'affrontement était voulu, mais elle regretta d'avoir
cédé à l'impulsion d'en faire une affaire publique. Grace ne
leva pas les yeux. Elle termina son Coca et le bruit du verre
heurtant la table ponctua le silence.

– Vas-y toi-même...

La première fois où Grace avait envisagé le suicide, c'était
le jour où on lui avait posé la prothèse, dans le taxi qui la

ramenait à la maison. La rotule artificielle s'était encastrée dans son fémur, mais elle avait dit qu'elle se sentait très bien et s'était mise au diapason de la gaieté forcée de son père, tout en s'interrogeant sur le meilleur moyen d'en finir.

Deux ans plus tôt, une élève de troisième s'était jetée sous une rame de métro. Personne n'avait compris pourquoi et, comme tout un chacun, Grace avait été sous le choc. En secret, pourtant, elle avait aussi éprouvé de l'admiration. Quel cran à l'instant fatal! Grace s'était dit qu'elle n'aurait jamais pu rassembler un tel courage et que, en eût-elle été capable, ses muscles auraient refusé d'exécuter l'ultime détente.

À présent, elle voyait la chose sous un jour entièrement différent, et pouvait envisager cette possibilité (sinon la méthode particulière) en toute impartialité. Sa vie était fichue – c'était là un simple constat, que les efforts ardents de son entourage pour lui prouver le contraire ne faisaient que souligner. De toute son âme, elle regrettait de ne pas être morte avec Judith et Gulliver. Mais au fil des semaines, elle comprit – et ce fut presque une déception – qu'elle n'était pas du genre suicidaire.

Ce qui la retenait, c'était son incapacité à voir la chose de son unique point de vue. C'était un truc si mélodramatique, si extravagant, plutôt dans l'esprit extrémiste de sa mère. Grace ne se disait pas que c'était peut-être le sang des Maclean, cette maudite hérédité de juriste, qui la rendait si objective en cette matière. Car, dans sa famille, les reproches abondaient toujours dans le même sens. C'était toujours la faute d'Annie.

Grace aimait et détestait sa mère dans une mesure presque égale et souvent pour le même motif. Son assurance, par exemple, et sa manie d'avoir toujours raison. Et par-dessus tout, la connaissance si intime qu'elle avait de sa fille. Elle devinait ses réactions à l'avance, ses goûts et dégoûts, son opinion sur n'importe quel sujet. C'était peut-être le cas de toutes les mères et parfois c'était formidable d'être ainsi percée à jour. Mais le plus souvent, et surtout ces derniers temps, Grace avait l'impression d'une abominable violation de son intimité.

De cela, ainsi que de mille petites injustices moins caractérisées, Grace se vengeait enfin. Car, avec ce long silence, elle tenait une arme efficace, et en constatait les effets sur sa mère avec délectation. Cette dernière commettait d'habitude ses abus de pouvoir sans l'ombre d'un remords ou scrupule. Aujourd'hui, Grace percevait chez Annie ces deux sentiments. L'aveu tacite et exploitable qu'elle avait fait une erreur en la forçant à se joindre à cette escapade. Vue de la banquette arrière de la Lariat, sa mère lui faisait l'effet d'une joueuse misant la vie même sur un dernier tour de roulette.

Elles cinglèrent cap à l'ouest vers le Missouri, puis remontèrent vers le nord en laissant sur leur gauche les larges méandres bruns du fleuve. À Sioux City, elles s'engagèrent dans le Dakota du Sud et se dirigèrent de nouveau vers l'ouest sur la 90 qui les conduirait tout droit jusque dans le Montana. Elles traversèrent les Badlands du Nord et virent le soleil se coucher derrière les Black Hills dans une traînée de ciel orange sanguine. Elles voyagèrent sans parler et ce fut comme si la tristesse qui couvait entre elles se multipliait et se répandait pour finir par se mêler aux millions d'autres chagrins qui hantaient ces vastes paysages inoubliables.

Comme ni Liz ni Harry n'avaient d'amis dans ces contrées, Annie avait réservé une chambre dans un petit hôtel près du mont Rushmore. Elle n'avait jamais vu le monument et s'était réjouie de venir là avec Grace. Mais lorsqu'elle s'arrêta sur le parking désert, il faisait sombre et il pleuvait – et Annie se consola en songeant qu'au moins là elle n'aurait pas à faire la conversation avec des hôtes qu'elle n'avait jamais vus – et ne reverrait jamais de sa vie.

Chaque chambre portait le nom d'un président. On leur avait attribué l'« Abraham Lincoln ». Sa barbe pointait dans leur direction depuis des reproductions affichées aux quatre murs, et un extrait de la Déclaration de Gettysburg était accroché au-dessus de la télévision, en partie masqué par un panneau en carton brillant vantant des films pour adultes. Il y avait là deux grands lits jumeaux, et Grace s'affala dans celui qui était le plus éloigné de la porte, tandis qu'Annie sortait sous la pluie pour voir Pilgrim.

L'animal semblait s'être fait aux rituels de la journée. Confiné dans le compartiment de la remorque, il ne bondissait plus lorsque Annie montait dans l'étroit espace protégé à l'avant. Il se contentait de s'écarter tout doucement, l'œil attentif. Elle sentait son regard, tandis qu'elle accrochait une nouvelle balle de foin et poussait avec précaution les seaux d'eau et de nourriture à sa portée. Il n'y touchait pas avant son départ. Annie était à la fois épouvantée et troublée par cette hostilité frémissante et, lorsqu'elle referma la porte, son cœur battait la chamade.

Quand elle rentra dans la chambre, Grace était déjà déshabillée et au lit. Elle lui tournait le dos. Impossible de savoir si elle était endormie pour de bon.

– Grace ? fit-elle avec douceur. Tu ne veux pas dîner ?

Pas de réaction. Annie envisagea de se rendre seule au restaurant, mais c'était au-dessus de ses forces. Elle prit un long bain chaud dans l'espoir d'en retirer du réconfort. À la place, elle se mit à douter. En suspension dans la touffeur de l'atmosphère, le doute l'enveloppait. Qu'est-ce qui lui prenait de trimbaler ces deux âmes en peine à travers tout un continent, dans une imitation horrible de la folie pionnière ? Le silence de Grace et le vide implacable des grands espaces lui donnaient des idées noires. Pour les effacer, elle glissa les mains entre ses jambes et se caressa, approfondissant ses attouchements dans un refus de céder à cet engourdissement tenace – et, lorsque ses reins furent secoués d'une décharge, le plaisir l'inonda et elle oublia tout.

Cette nuit-là, elle rêva qu'ils marchaient, son père et elle, sur une arête enneigée, encordés comme des alpinistes, alors que, dans la réalité, ils n'avaient jamais fait de montagne. De chaque côté, des murailles de roc et de glace plongeaient à pic dans le néant. Ils se trouvaient sur une corniche, une mince croûte de neige suspendue au-dessus du vide – sans aucun danger, d'après son père. Lui-même était en tête, et il se retournait pour lui sourire comme sur sa photo préférée – un sourire qui affirmait avec une complète assurance qu'il était avec elle et que tout allait bien. Mais au même moment, derrière lui, elle voyait une fissure zigzaguer dans leur direction et la lèvre de la corniche se mettait à se détacher et basculait sur le versant de la montagne. Elle voulait crier, mais c'était impossible, et juste au moment où la fissure les atteignait, son père se retournait et voyait tout. Puis il disparaissait et Annie voyait la corde onduler derrière lui, et elle comprenait que le seul moyen de les sauver tous deux, c'était de sauter de l'autre côté. Alors elle s'élançait sur l'autre versant de l'arête. Mais au lieu de sentir la corde se tendre d'une saccade et se bloquer, elle continuait de tomber, en chute libre, dans le vide.

Quand elle se réveilla, c'était le matin. Elles avaient fait la grasse matinée. Dehors, la pluie tombait de plus belle. Le mont Rushmore et ses figures de pierre étaient masqués sous une écharpe nuageuse, qui d'après la réceptionniste n'était pas près de se dissiper. Non loin de là, expliqua-t-elle, il y avait une autre montagne sculptée à laquelle elles pourraient jeter un coup d'œil, une représentation géante de Crazy Horse.

– Merci, dit Annie. Nous sommes pressées.

Après avoir pris le petit déjeuner et réglé la note, elles repartirent par l'*interstate*. Elles passèrent la frontière du Wyoming, contournèrent sur la droite Devil's Tower et Thunder Basin, puis franchirent la Powder River en direction de Sheridan, où il cessa enfin de pleuvoir.

Les véhicules qu'elles croisaient étaient de plus en plus souvent conduits par des hommes arborant le feutre des cowboys. Certains en effleuraient le large bord ou les saluaient respectueusement de la main. Comme ils s'éloignaient, le soleil irisait d'un arc-en-ciel leur panache de gouttelettes.

164

L'après-midi était bien avancé lorsqu'elles arrivèrent dans le Montana. Mais Annie n'en éprouva ni soulagement ni plaisir du devoir accompli. Elle avait tellement lutté pour ne pas se laisser abattre par le mutisme de Grace. Toute la journée, elle avait zappé de radio en radio, écoutant les sermons des prédicateurs, les cours du bétail et, ce qui était plus plaisant, de la musique country. Mais cela n'avait rien arrangé. Elle se sentait enfermée dans un espace toujours plus réduit, coincée entre la morosité de sa fille et sa propre colère contenue. Finalement, elle craqua. Soixante kilomètres après la frontière, elle sortit de l'*interstate* sans se soucier de savoir où cette voie la menait.

Elle aurait voulu s'arrêter mais aucun endroit ne semblait approprié. Il y avait là un casino massif, dont l'enseigne d'un rouge criard clignotait dans le demi-jour. Elle monta une côte, passa devant un snack-bar et un ruban de boutiques bordées par une rangée de parkings poussiéreux. Plantés auprès d'une camionnette cabossée, deux Indiens aux longs cheveux noirs, des plumes piquées dans leurs chapeaux de cow-boy, la regardèrent s'approcher. Ces regards la mirent mal à l'aise et elle poursuivit jusqu'au sommet de la côte, obliqua sur la droite, et s'arrêta. Elle tourna la clé de contact et resta sans bouger pendant un moment. Elle sentait Grace dans son dos, attentive.

– Qu'est-ce qu'il y a?

La voix de la fillette était circonspecte.

– Quoi? fit Annie sèchement.

– C'est fermé. Regarde...

Au bord de la route, une pancarte annonçait : « Monument national, Champs de bataille de Little Bighorn ». Grace avait raison. D'après les horaires affichés, l'endroit était fermé depuis une heure. À l'idée que sa fille ait pu se tromper sur son humeur au point de croire qu'elle avait fait le détour délibérément, en touriste, Annie fulmina. Elle préféra ne pas se retourner. Les yeux fixés droit devant elle, elle prit une profonde inspiration.

– Ça va durer encore longtemps ?

– Quoi ?

– Tu le sais bien. Je voudrais savoir combien de temps ça va durer.

Long silence. Annie aperçut une boule d'amarante qui chassait son ombre le long de la route et frôla la carrosserie sur son passage. Elle se retourna. Grace regarda ailleurs avec un haussement d'épaules.

– Eh bien ? Nous venons de faire presque trois mille kilomètres et tu n'as pas dit un mot. Alors je te pose la question, comme ça je serai fixée... C'est ainsi que tu vois nos relations, désormais ?

Les yeux baissés, Grace tripotait son walkman. Nouvel haussement d'épaules.

– J' sais pas.

– Tu veux qu'on rentre à la maison ?

Grace eut un ricanement amer.

– Alors... ? Je t'écoute...

La petite leva les yeux et regarda par la vitre d'un air décontracté, mais Annie voyait bien qu'elle luttait contre les larmes. Un bruit sourd indiqua que Pilgrim venait de bouger dans la remorque.

– Parce que, si tel est ton désir...

Brusquement, Grace lui fit face, le visage déformé de rage. Les larmes avaient jailli et cet échec à se maîtriser redoubla sa fureur.

– De toute manière, tu t'en fous ! C'est toujours toi qui décides ! Tu fais croire que tu t'intéresses aux autres, mais c'est pas vrai... c'est du vent !

– Grace, fit Annie avec douceur, en allongeant le bras.

Mais l'enfant se défendit d'un coup de poing.

– Non ! Fous-moi la paix !

Annie la considéra un moment, puis ouvrit la portière et descendit de voiture. Elle se mit à marcher à l'aveuglette, le visage offert à la brise. Passé un bouquet de pins, la route aboutissait à un parking et un bâtiment bas, tous deux

166

déserts. Elle poursuivit son chemin par un sentier qui montait la colline et se retrouva à longer un cimetière fermé par une grille noire. Au sommet, se trouvait un simple monument de pierre, et ce fut là qu'elle s'arrêta.

Sur ce versant de la colline, un jour de juin 1876, George Armstrong Custer et deux cents soldats avaient été mis en pièces par ceux-là mêmes qu'ils traquaient pour les massacrer. Leurs noms étaient gravés dans la pierre. En se retournant, Annie aperçut l'éparpillement des tombes blanches, dont les ombres s'allongeaient sous la dernière caresse d'un soleil pâle. Immobile, elle contempla la vaste prairie onduleuse d'herbe couchée sous le vent, qui s'étirait depuis ce lieu désolé jusqu'à un horizon d'une infinie mélancolie. Et elle se mit à pleurer.

Plus tard, elle devait s'étonner du hasard qui l'avait amenée sur ce site. Elle ne devait jamais savoir si un autre lieu de passage eût fait couler les larmes qu'elle refoulait depuis si longtemps. Ce monument était une cruelle anomalie, honorant les agents d'un génocide dont les victimes partout ailleurs étaient condamnées à un éternel anonymat. Mais l'atmosphère de souffrance et la présence de tant de fantômes transcendaient tout le reste. C'était simplement le bon endroit pour pleurer. Alors, baissant la tête, Annie versa des larmes. Elle pleura pour Grace et Pilgrim, et pour les âmes égarées des enfants morts dans son sein. Et par-dessus tout, elle pleura sur elle-même, sur ce qu'elle était devenue.

Toute sa vie, elle avait vécu en terre étrangère. L'Amérique n'avait jamais été sa patrie. Et l'Angleterre ne l'était plus. Dans chaque pays, on la traitait en paria. En vérité, elle venait de nulle part. Depuis la mort de son père, elle n'avait plus de foyer. Elle errait à la dérive, sans racines, sans tribu.

Jadis, elle avait cru que c'était là sa plus grande force. Elle avait l'art de se « brancher ». Elle savait s'adapter sans heurt, s'insinuer dans n'importe quel groupe, culture ou situation. Elle devinait d'instinct ce qui était requis, ce qu'il fallait savoir et faire, pour gagner. Et dans son travail, sa vieille obsession, ce talent l'avait aidée à conquérir tout ce qui en valait la peine. Mais depuis l'accident, plus rien n'avait d'importance.

Ces trois derniers mois, elle avait assumé le rôle de la femme forte, se berçant de l'illusion que c'était pour le bien de Grace. En réalité, elle ne savait pas réagir autrement. Elle avait perdu le contact avec sa fille, comme elle l'avait perdu avec elle-même, et le remords la consumait. L'action était devenue un substitut des sentiments – ou du moins, son expression. Voilà pourquoi, elle le comprenait maintenant, elle s'était lancée dans cette entreprise de cinglée avec Pilgrim.

Annie sanglota à en avoir mal aux épaules, puis s'effondra le dos à la pierre froide et s'accroupit la tête dans les mains. Elle resta là, jusqu'à ce que le soleil s'abîme, pâle et fluide, derrière la lointaine ligne enneigée des monts Bighorn, et que les peupliers au bord de l'eau se fondent dans une unique cicatrice noire. Lorsqu'elle releva les yeux, il faisait nuit et le monde était une lanterne d'étoiles.

– Madame... ?

C'était un garde forestier. Il avait une torche électrique dont il détournait avec tact le faisceau de son visage.

– Ça va, madame ?

Annie s'essuya la figure et déglutit.

– Oui, merci. Je vais bien. (Elle se mit debout.)

– Votre fille se faisait un peu de bile, toute seule...

– Je suis désolée. Je m'en vais...

Il effleura son chapeau.

– Bonne nuit, madame. Soyez prudente.

Elle retourna à la voiture, consciente d'être surveillée. Grace dormait sur la banquette arrière. Annie mit le contact, alluma les phares et fit demi-tour au sommet de la côte. Elle effectua une boucle pour s'engager sur l'*interstate* et conduisit dans la nuit, sans s'arrêter, jusqu'à Choteau.

Troisième partie

14

DEUX cours d'eau traversaient le ranch des frères Booker et lui donnaient son nom : le Double Divide. Ils s'écoulaient de plis adjacents du front montagneux et, dans le premier demi-mile, on eût dit des jumeaux. La crête qui les séparait était basse – si basse qu'en un certain point ils auraient pu se rencontrer – mais ensuite elle se redressait brusquement en une chaîne déchiquetée d'éperons imbriqués, les écartant d'un coup d'épaule. Ainsi forcés de chercher leur voie, ils devenaient alors très différents.

Le ruisseau du nord courait, vif et peu profond, jusqu'à un val dégagé. Ses berges, quoique raides par moments, étaient d'un accès facile pour les troupeaux. Des truites de rivière, tournées vers l'amont, infestaient rapides et tourbillons, tandis que les hérons arpentaient d'un air digne les plages de galets. La route que le ruisseau du sud était contraint d'emprunter était plus luxuriante, pleine d'obstacles et d'arbres. Il louvoyait entre des fourrés touffus de saules et de cornouillers au tronc rouge, puis disparaissait provisoirement dans un marais. Plus bas, serpentant dans une prairie si plate que ses méandres se bouclaient sur eux-mêmes, il formait un dédale d'étangs sombres, stagnants, et d'îlots verdoyants dont la géographie était perpétuellement recomposée par les castors.

Ellen Booker aimait à dire que ses fils étaient à l'image de

171

ces rivières : Frank, le nord et Tom, le sud. C'était avant que Frank, qui avait dix-sept ans à l'époque, fît un soir la remarque que ce n'était pas juste, parce que lui aussi aimait la touffe de castor. Son père lui avait dit d'aller se laver la bouche et de monter se coucher. Tom n'était pas certain que sa mère avait compris la grivoiserie – sans doute que si, car elle n'avait plus jamais fait cette comparaison.

La petite maison où Tom et Rachel avaient vécu, et qui était désormais vide, se trouvait sur une falaise en surplomb d'un coude que formait la rivière du nord. De là, la vue embrassait la vallée et, par-dessus la ligne des peupliers, on apercevait la grande maison rustique, éloignée d'un demi-mile parmi les granges chaulées, les étables et les corrals. Les maisons étaient reliées par un chemin de terre qui se poursuivait en lacets jusqu'aux basses prairies où le bétail passait l'hiver. En ces premiers jours d'avril, la neige avait disparu de cette partie-là du ranch. Elle ne restait qu'à l'ombre des ravines rocailleuses, et parmi les pins et les sapins qui parsemaient le versant nord de la crête.

Depuis le siège passager de la vieille Chevy, Tom leva les yeux sur la petite maison et songea, comme souvent, à s'y installer. Lui et Joe revenaient d'avoir nourri le bétail, et le garçon négociait avec adresse les nids-de-poule. Joe, qui était petit pour son âge, devait se tenir droit comme une baguette pour voir par-dessus le tableau de bord. En semaine, Frank se chargeait de cette tâche, mais le week-end, son fils aîné aimait s'en occuper et Tom l'accompagnait avec plaisir. Ils avaient déchargé les pavés de luzerne et s'étaient amusés à voir les vaches se précipiter avec leurs petits.

– On peut aller voir le poulain de Bronty ? demanda Joe.

– Bien sûr.

– Un garçon à l'école dit qu'on aurait dû le dégourdir tout de suite...

– Hum...

– Il dit que si on les forme à la naissance, ils sont plus faciles à dresser ensuite...

– Ouais, j'ai déjà entendu dire ça...

– À la télé, ils ont montré un type qui faisait pareil avec des oies. Il passe en avion, et les petites oies grandissent en le prenant pour leur maman. Elles le suivent en courant après l'avion...

– Je sais...

– Qu'est-ce que t'en penses, toi?

– Ma foi, Joe, je n'ai pas une grande expérience des oies... Peut-être que c'est bon pour elles de grandir en se prenant pour des avions... (Joe rit.) Mais pour un cheval, l'important c'est qu'il apprenne d'abord à se conduire comme un cheval.

Au ranch, le véhicule fut garé devant la longue grange où Tom abritait certains de ses chevaux. Les frères de Joe, Scott et Craig, sortirent en courant de la maison pour les accueillir. Tom vit Joe se rembrunir. Les jumeaux étaient dans leur neuvième année, et ces petits blondinets qui faisaient tout dans un bruyant unisson lui volaient toujours la vedette.

– Vous allez voir le poulain? On peut venir?

Tom posa une main grande comme la griffe d'une grue sur chaque tête.

– Du moment que vous vous tenez tranquilles...

Il les précéda dans la grange et resta à l'écart avec les jumeaux, tandis que Joe pénétrait dans la stalle de Bronty. C'était une belle jument de dix ans, d'un bai tirant sur le roux. Elle avança le mufle vers Joe, qui y posa la main, tout en lui flattant délicatement l'encolure. Tom aimait voir le garçon parmi les chevaux. Il savait les traiter avec naturel et assurance. Couché dans un coin, le poulain, légèrement plus sombre que sa mère, luttait à présent pour se mettre debout. Chancelant sur ses cocasses pattes d'échassier, il chercha refuge contre le flanc maternel et épia Joe derrière la croupe. Les jumeaux éclatèrent de rire.

– Il est rigolo, fit Scott.

– J'ai une photo de vous à cet âge-là, dit Tom. Et vous savez quoi...?

– On dirait des grenouilles, acheva Joe.

173

Les petits, bientôt lassés, s'éclipsèrent. Tom et Joe sortirent les chevaux dans le paddock derrière la grange. Après le déjeuner, ils avaient l'intention d'entraîner certains yearlings. Comme ils se dirigeaient vers la maison, les chiens les dépassèrent à fond de train en jappant. Tom aperçut une Ford Lariat gris métallisé qui franchissait la pointe de la crête et descendait l'allée dans leur direction. Le chauffeur était seul à bord, et lorsque la voiture ne fut plus qu'à une courte distance, il constata que c'était une femme.

– Ta maman attend une visite ?

L'enfant haussa les épaules.

Ce ne fut que lorsque la voiture s'arrêta au milieu des chiens qui chahutaient en aboyant que Tom comprit. Incroyable. Joe surprit son expression.

– Tu la connais ?

– Elle, oui... Mais je me demande ce qu'elle fait par ici.

Il cria pour faire taire les chiens et s'avança. Annie descendit de voiture et marcha nerveusement dans sa direction. Elle portait un jean, de grosses chaussures de marche et un vaste pull beige qui lui arrivait à mi-cuisses. Le soleil enflammait ses cheveux et Tom découvrit qu'il avait gardé de leur première rencontre un souvenir précis de ses yeux verts. Elle eut un sourire timide, presque penaud.

– Bonjour, monsieur Booker.

– Eh bien, bonjour...

Silence.

– Joe, je te présente Mme Graves... Joe, mon neveu

Annie lui tendit la main.

– Enchantée, Joe. Comment allez-vous ?

– Bien.

Elle prit le paysage à témoin.

– C'est magnifique, ici.

– C'est vrai.

Il se demandait quand elle allait se décider à dire ce qu'elle fabriquait par ici, quoiqu'il eût déjà sa petite idée. Elle prit une profonde inspiration.

– Monsieur Booker, vous allez penser que c'est de la folie, mais... vous devinez sans doute pourquoi je suis venue...
– Pas seulement pour dire bonjour, je suppose...?
Elle avait presque souri.
– Je suis désolée d'arriver à l'improviste, mais je savais ce que vous diriez si je vous téléphonais. Il s'agit du cheval de ma fille.
– Pilgrim.
– Oui. Je sais que vous pouvez m'aider, et je suis venue vous demander, vous supplier, de l'examiner une fois encore.
– Madame Graves...
– Je vous en supplie. Rien qu'un coup d'œil. Ça ne vous prendra qu'un moment.
Tom rit.
– Quoi, le vol pour New York? (Il indiqua la Lariat.) À moins que vous n'envisagiez de me conduire là-bas en voiture?
– Il est ici. À Choteau.
Tom la fixa, incrédule.
– Vous l'avez traîné jusqu'ici?
Elle acquiesça. Joe les regardait tour à tour, complètement perdu. Diane, qui venait de sortir sur la véranda, se tenait sur le seuil, la main sur la porte grillagée, et suivait la scène.
– Toute seule?
– Avec Grace, ma fille.
– Simplement pour que je puisse le voir?
– Oui.
– Les garçons, vous venez à table? appela Diane.
En vérité, elle brûlait de demander qui était cette femme. Tom posa la main sur l'épaule de l'enfant.
– Dis à ta maman que j'arrive, dit-il.
Le garçon fit mine de s'en aller, puis se retourna sur Annie. L'espace d'un moment, ils se dévisagèrent. Elle haussa vaguement les épaules et sourit – enfin. Tom remarqua que ce sourire étirait ses lèvres, mais ne changeait rien à l'expression inquiète de son regard. On était en train de lui forcer la main, et il se demandait pourquoi cela lui était égal.

175

– Sauf votre respect, madame, je crois que ça ne servirait à rien de vous dire non.

– En effet, répondit simplement Annie. Je suppose que non.

Allongée sur le plancher, dans sa chambre puant le renfermé, Grace exécutait ses exercices au son des carillons électroniques de l'église méthodiste qui s'élevait de l'autre côté de la rue. Ils ne se contentaient pas de sonner l'heure, mais jouaient des airs entiers. Grace aimait bien, surtout parce que cela rendait sa mère hystérique. Annie téléphonait justement du rez-de-chaussée à l'agent immobilier.

– Il n'y a pas de loi réglementant ces choses-là ? C'est de la pollution sonore !

C'était la cinquième fois qu'elle l'appelait en deux jours. Le pauvre homme avait fait l'erreur de lui donner son téléphone personnel, et Annie lui ruinait son week-end en le bombardant de doléances : le chauffage était en panne. Les lits, humides. La ligne supplémentaire qu'elle avait demandée n'était toujours pas installée. Le chauffage était *toujours* en panne. Et maintenant, les carillons.

– Si au moins les airs étaient potables... C'est grotesque. Les méthodistes ont pourtant de beaux hymnes !

La veille, Grace avait refusé de l'accompagner au ranch. Restée seule, elle était partie explorer l'endroit. C'était vite fait. Choteau se résumait à une longue rue principale bordée d'un côté par la voie ferrée, et de l'autre par un quadrillage de rues résidentielles. Il y avait un salon de toilettage pour chiens, un vidéo-club, un grill-room, ainsi qu'un cinéma où passait un film que Grace avait vu l'année dernière. Le seul titre de gloire de cette ville, c'était un musée où l'on pouvait voir des œufs de dinosaure. Dans les boutiques, les gens étaient aimables, mais distants. Elle sentit les regards dans son dos, lorsqu'elle repartit lentement dans la rue, en s'appuyant sur sa canne. Arrivée à la maison, elle se sentait si déprimée qu'elle éclata en sanglots.

Annie était rentrée pleine d'allégresse, en disant que Tom Booker avait accepté de venir examiner Pilgrim le lendemain matin. Grace s'était contentée de répondre : « On va devoir rester encore longtemps dans cette turne ? »

C'était une grande maison biscornue, à la façade en bardeaux bleu clair écaillée, et uniformément ornée de la même moquette moutarde à bouclettes maculée de taches. Le mobilier sommaire donnait l'impression d'avoir été récupéré dans un débarras. Annie avait été consternée en découvrant l'endroit. Grace, ravie. Cette criante médiocrité apportait de l'eau à son moulin.

En secret, elle était loin d'être aussi opposée à la mission de sa mère qu'elle le prétendait. C'était un soulagement d'échapper à l'école et à la corvée de faire constamment bonne figure. Mais ses sentiments pour Pilgrim étaient mélangés. Effrayants. Mieux valait lui condamner la porte de sa conscience. Mais sa mère l'en empêchait. Tous ses actes visaient à l'obliger à affronter le problème. Elle traitait toute cette affaire comme si Pilgrim était à elle, alors que ce n'était pas le cas, justement. Bien sûr, Grace désirait qu'il se rétablisse, mais seulement... elle réalisa brusquement, et pour la première fois, qu'elle ne le voulait peut-être pas. Le tenait-elle pour responsable de l'accident ? Non, c'était idiot. Voulait-elle qu'il reste lui aussi infirme à vie ? Pourquoi aurait-il dû se rétablir et pas elle ? C'était injuste. Arrête, arrête... Ces idées folles, délirantes, c'était à cause de sa mère, et Grace refusait de les laisser envahir son cerveau.

Elle redoubla d'efforts dans ses exercices, jusqu'à sentir la sueur dégouliner sur sa nuque. Elle souleva son moignon en l'air, une-deux, une-deux, sentant ses muscles tirer à la fesse droite et dans la cuisse. Elle n'hésitait plus à regarder sa jambe, à présent, et acceptait de la reconnaître pour sienne. La cicatrice était nette – plus de ce rose enflammé et irritant. Ses muscles revenaient super-bien, au point qu'elle commençait à se sentir à l'étroit dans le manchon de la prothèse. Elle entendit Annie raccrocher.

177

– Grace, tu as fini ? Je fais un tour...

Grace ne répondit pas.

– Grace !

– Quoi encore ?

Elle devinait la réaction de sa mère – son expression contrariée cédant à la résignation. Elle l'entendit soupirer et retourner dans la triste salle à manger – salle à manger qu'en priorité absolue, bien sûr, Annie avait transformée pour en faire son bureau

15

Tout ce que Tom avait promis, c'était d'aller voir le cheval. C'était bien le moins, après le mal qu'elle s'était donné. Mais il y avait mis la condition qu'il serait seul. Il ne voulait pas qu'elle regarde dans son dos, qu'elle lui mette la pression. Elle avait le chic pour ça. En échange, il avait promis de passer ensuite chez elle pour lui délivrer son verdict.

Il connaissait bien l'adresse des Petersen à la sortie de Choteau, là où Pilgrim avait été mis en pension. C'étaient de braves gens, mais si la bête était dans l'état où il l'avait vue la dernière fois, ils ne pourraient pas la garder longtemps.

Le vieux Petersen avait la trogne d'un hors-la-loi – une barbe poivre et sel de trois jours et des dents noires comme le tabac qu'il chiquait à longueur de journée. Il les découvrit dans un sourire farceur, lorsque Tom gara la Chevy.

– Comme on disait dans le bon vieux temps : « Si tu cherches la bagarre, t'es à la bonne adresse. » Dame, il m'a presque tué, l'autre soir... Et depuis, 'l'a pas arrêté de botter et beugler comme un perdu.

Il conduisit Tom par un chemin creux et bourbeux qui longeait des carcasses rouillées de voitures, jusqu'à une vieille grange flanquée de stalles. Les autres bêtes avaient été lâchées dans le pré. Tom l'entendit bien avant d'être sur place.

– La porte date de l'été dernier, dit Petersen. 'l'aurait déjà défoncé, l'ancienne, à c't heure... La petite dame dit qu' tu vas lui arranger ça...

– Elle a dit ça?

– Sûr qu'elle l'a dit. Et moi, mon gars, j' te conseille de demander à Bill Larson de prendre tes mesures...

Sur ce, il explosa de rire et lui donna une bonne claque dans le dos. Bill Larson était l'entrepreneur des pompes funèbres locales.

Le cheval était dans un plus piètre état encore que la dernière fois. Son antérieur était si amoché que c'était à se demander comment il arrivait même à se tenir debout – sans parler de ruer.

– Ç'a dû être une belle bête, dit Petersen.

– Je pense bien.

Tom fit demi-tour. Il en avait assez vu.

Sur la route de Choteau, il regarda le bout de papier où Annie avait noté son adresse. Lorsqu'il se gara devant la maison, les carillons de l'église jouaient un air qu'il n'avait plus entendu depuis ses jeunes années, les jours de catéchisme. Il monta sur le perron et frappa à la porte.

Le visage qu'il aperçut quand on lui ouvrit le laissa pantois. Ce n'était pas tant qu'il se fût attendu à voir la mère, que la franche hostilité émanant de ce visage enfantin semé de taches de son. Il se rappela la photo qu'Annie lui avait envoyée. Une gamine heureuse sur son cheval. Le contraste était saisissant. Il sourit.

– Grace, je suppose...

Elle ne lui rendit pas son sourire, mais s'effaça pour le laisser passer. Il ôta son chapeau et attendit qu'elle eût refermé la porte. Il entendait Annie parler dans une pièce donnant sur le couloir.

– Elle est au téléphone. Vous pouvez attendre ici.

Elle le précéda dans un austère living en L. Tom baissa les yeux sur la jambe et la canne, et s'ordonna mentalement de ne plus y penser. La pièce était sinistre et sentait le moisi. Il y avait là deux vieux fauteuils, un divan affaissé, et une télévision où passait un vieux film en noir et blanc. Grace alla se planter devant le poste.

Tom se percha sur l'accoudoir d'un fauteuil. La porte du couloir était à demi ouverte, et il aperçut un fax, l'écran d'un ordinateur et un fouillis de fils électriques. Tout ce qu'il vit d'Annie, c'était une jambe croisée et une botte qui battait la mesure avec fébrilité. Elle avait l'air joliment énervé.

– Quoi? Il a dit quoi? Pas possible. Lucy... Lucy, je m'en fous. Ça n'a rien à voir avec Crawford. C'est moi la rédactrice en chef, et c'est cette couverture qui passera...

Tom vit Grace lever les yeux au plafond et se demanda si c'était à son intention. Sur l'écran, une actrice dont il n'avait jamais réussi à retenir le nom se traînait aux genoux de James Cagney en le suppliant de ne pas s'en aller. Ça durait depuis un moment, et Tom ne voyait pas où était le problème.

– Grace, si tu offrais un café à M. Booker? lança Annie depuis la pièce à côté. J'en prendrai aussi...

Elle retourna à sa conversation. Quant à Grace, elle éteignit la télévision et se leva, manifestement exaspérée.

– Je n'ai besoin de rien, dit Tom.

– Il est chaud.

Elle le toisait comme s'il avait dit une grossièreté.

– En ce cas, merci. Mais continuez à regarder votre film, j'irai me servir.

– Je l'ai déjà vu. C'est chiant.

Elle ramassa sa canne et s'éloigna dans la cuisine. Tom la suivit avec un temps de retard. Elle l'accueillit d'un regard noir et fit plus de bruit que nécessaire avec les tasses. Il gagna la fenêtre.

– Votre mère... qu'est-ce qu'elle fait?

– Quoi?

– Votre mère... dans quelle branche est-elle?

– Elle dirige un journal.

Elle lui tendit une tasse.

– Lait, sucre?

– Non, merci. Ça doit être stressant, comme boulot...

Grace partit d'un petit rire. Tom fut frappé de son amertume.

– Ça, vous pouvez le dire.

Il y eut un silence gêné. Grace se détourna. Mais alors qu'elle était sur le point de remplir une nouvelle tasse, elle marqua une pause et le regarda dans les yeux. Elle était si tendue que l'on pouvait voir le café trembler à la surface du récipient en verre. Il était clair qu'elle avait une déclaration importante à lui faire.

– Au cas où elle ne vous l'aurait pas dit, je vous signale que je ne veux rien savoir, vu?

Tom acquiesça lentement et attendit la suite. Maintenant qu'elle lui avait craché les mots à la figure, elle semblait un peu déconcertée par son absence de réaction. Elle versa le café, mais si brusquement que des gouttes se répandirent à côté. Puis elle reposa sèchement la cafetière.

– Tout ça, c'est son idée, dit-elle. Je pense que c'est complètement con. On aurait dû se débarrasser de lui.

Et elle s'en alla d'un pas d'éléphant, sans un regard en arrière. Tom suivit sa sortie puis reporta son attention sur la courette à l'abandon. Un chat dévorait quelque chose de coriace près d'une poubelle renversée.

Il était venu dans l'intention de dire à la mère, une bonne fois pour toutes, que le cas de son cheval était désespéré. Ce serait dur, après un aussi long voyage. Il y avait beaucoup réfléchi depuis la visite d'Annie au ranch. Pour être précis, il avait beaucoup réfléchi à Annie et à son regard triste. Il en était venu à se dire que s'il prenait le cheval en charge, cela pourrait au moins aider cette femme, à défaut de l'animal. Non. Il ne faisait jamais cela. C'était une mauvaise raison.

– Excusez-moi, c'était important.

Il se retourna. Annie portait une vaste chemise en jean et ses cheveux, lissés en arrière, étaient encore humides de la douche. Cela lui donnait un côté garçon manqué.

– Ça ne fait rien.

Elle alla remplir de nouveau sa tasse, puis s'approcha de lui avec la cafetière et le resservit sans lui demander son avis.

– Vous l'avez vu ?

– Oui. J'en viens...

Elle reposa la cafetière, sans se détourner. Elle sentait bon le savon, le shampooing, un truc de luxe.

– Et... ?

Tom ne savait toujours pas comment il allait s'y prendre pour lui balancer la chose, même maintenant qu'il avait commencé à parler.

– Ma foi, c'est un miracle qu'il soit encore en vie...

Dans le silence qui suivit, il perçut une petite flamme dans ses yeux. Puis, par-dessus son épaule, il vit Grace dans l'embrasure de la porte, qui essayait de jouer celle qui s'en fichait complètement, avec une terrible maladresse. Cette fillette, c'était comme le dernier tableau d'un triptyque. Tout s'éclairait. Ces trois-là – la mère, la fille, le cheval – étaient inextricablement liés dans le malheur. Et si, en aidant le cheval, il aidait les deux autres ? Quel mal y avait-il ? Et franchement, comment pouvait-il se désintéresser de tant de souffrance ?

Il s'entendit dire :

– Il y a peut-être quelque chose à tenter.

Le soulagement illumina le visage d'Annie.

– Une minute, madame, s'il vous plaît... J'ai dit : peut-être. Avant d'aller plus loin, j'ai besoin de savoir quelque chose. C'est une question qui concerne Grace.

Il vit l'enfant se crisper.

– Vois-tu, quand je m'occupe d'un cheval, ce n'est pas seulement moi qui travaille. Non. Le cavalier doit s'impliquer aussi. Alors, voilà ma proposition : je ne sais pas si je peux faire grand-chose pour ce vieux Pilgrim, mais si tu veux bien m'aider, je suis partant...

Grace fit encore entendre son petit rire amer et regarda ailleurs, comme si elle se demandait comment on pouvait lui faire une offre aussi bête. Annie fixa le sol.

– Tu es contre, Grace ? reprit Tom.

Le regard qu'elle lui lança était indiscutablement de mépris, mais ce fut d'une voix chevrotante qu'elle déclara :

– Ça ne se voit pas ?

Tom médita un moment.

– Non. Je ne trouve pas. En tout cas, tu as le marché en main. Merci pour le café.

Il reposa sa tasse et gagna la porte. Annie se tourna vers Grace, qui s'éclipsait dans le living. Puis elle courut après lui et le rattrapa dans le vestibule.

– Qu'est-ce qu'elle devrait faire ?

– Simplement être là, donner un coup de main, participer.

Une petite voix lui souffla de ne pas mentionner « monter à cheval ». Il mit son chapeau et ouvrit la porte. Le regard de cette femme était désespéré.

– Il fait froid chez vous. Vous devriez mettre du chauffage.

Il était sur le point de descendre les marches lorsque Grace apparut sur le seuil du living. Elle ne le regarda pas, mais marmonna quelque chose. Si bas qu'il n'y comprit rien.

– Pardon, Grace... ?

Elle se dandina, mal à l'aise, les yeux ailleurs.

– J'ai dit : d'accord. Je viendrai.

Sur ce, elle fit volte-face et disparut dans la maison.

Diane, qui avait fait cuire la dinde, la découpait comme si elle avait quelque chose à lui reprocher. L'un des jumeaux qui tentait de rafler un morceau écopa d'une gifle sur la main. Il était censé faire la navette des assiettes entre le buffet et la table, où tout le monde attendait.

– Et les yearlings ? dit-elle. Je croyais que tu avais plaqué les consultations pour t'occuper de tes chevaux.

– Rien ne presse, répondit Tom.

Il ne comprenait pas pourquoi Diane était si irritée.

– Pour qui se prend-elle, à débarquer sans crier gare... ? Elle en a du culot... Oust !

Cette fois, elle manqua son coup, et l'enfant repartit avec son larcin. Diane brandit le couteau à découper.

– La prochaine fois... compris ? Frank, tu ne trouves pas qu'elle a du culot ?

– J'en sais rien. A mon avis, ça regarde Tom. Craig, tu fais passer le maïs, s'il te plaît?

Diane prépara la dernière assiette – la sienne – et revint prendre place à la table. Tout le monde fit silence pendant que Frank prononçait le bénédicité.

– De toute façon, reprit Tom, Joe pourra m'épauler avec les yearlings. Pas vrai, Joe?

– Tu penses!

– Pas tant qu'il aura école..., trancha Diane.

Tom et Joe échangèrent un regard. Pendant un moment, plus personne ne parla et l'on fit circuler le plat de légumes et la sauce aux airelles. Tom espérait que la discussion était close, mais Diane était comme un chien après un os.

– Elles s'attendent, j'imagine, à être nourries, si elles passent toute leur journée ici...

– Je ne crois pas, non...

– Quoi? Tu les vois faire soixante kilomètres jusqu'à Choteau pour prendre le café?

– Thé, dit Frank.

Diane lui lança un coup d'œil mauvais.

– Hein...?

– Thé. Elle est anglaise. Elle boit du thé. Voyons, Diane, fiche-lui la paix...

– Elle est drôle, la jambe de la fille, intervint Scott la bouche pleine.

– Drôle! lança Joe. T'es bizarre, toi...

– Non, je veux dire... c'est une jambe en bois ou...

– Mange, Scott! dit Frank.

Le repas se poursuivit en silence. Tom sentait la mauvaise humeur de Diane planer au-dessus d'elle comme un nuage. C'était une femme grande et pleine d'énergie, qui s'était endurci le corps et l'âme au contact de ce pays. Pourtant, depuis qu'elle avait franchi le cap de la quarantaine, il émanait d'elle comme un parfum d'occasion manquée. Elle avait grandi dans une ferme non loin de Great Falls, où Tom l'avait rencontrée. Ils étaient sortis quelquefois ensemble, mais il ne lui avait pas caché qu'il n'était pas mûr pour se caser, et d'ailleurs il était si rarement présent que leur histoire avait tourné court. À défaut du grand frère, Diane avait alors épousé le cadet. Tom avait une grande tendresse pour elle, quoiqu'il la trouvât un brin trop mère-poule, surtout depuis que sa propre mère était partie vivre à Great Falls. Par moments, il redoutait qu'elle lui prêtât plus d'attention qu'à Frank. Ce dernier, toutefois, semblait ne se douter de rien.

– Quand comptes-tu procéder au marquage? demanda-t-il à son frère.

– Dans deux semaines. S'il fait beau.

Dans nombre de ranches, le marquage avait lieu plus tard, mais Frank préférait procéder en avril, car les enfants aimaient participer et les veaux étaient alors assez petits pour eux. C'était toujours un grand événement. Les amis venaient apporter leur aide et Diane préparait un grand festin où tout le monde était invité. C'était une tradition que le père de Tom avait instaurée et que Frank perpétuait parmi bien d'autres. Par exemple, le fait qu'une bonne part du travail continuait à être effectuée à cheval, alors qu'ailleurs on utilisait des véhicules. Réunir un troupeau à moto, ce n'était quand même pas pareil...

Tom et Frank avaient toujours partagé la même vision de ces choses. Ils n'avaient jamais été en désaccord sur les problèmes de gestion, ni sur d'autres points. En partie parce que Tom considérait le ranch davantage comme la propriété de Frank que la sienne. C'était Frank qui était resté sur place pendant toutes les années où il donnait ses stages. Et Frank était meilleur homme d'affaires et plus féru d'élevage qu'il ne le serait jamais. Les deux frères s'entendaient parfaitement et Frank était sincèrement enthousiaste à l'idée que Tom prît un peu de repos, car cela signifiait qu'il serait plus souvent à la maison. Si le bétail était surtout le domaine de Frank, et les chevaux celui de Tom, ils échangeaient leurs points de vue et s'entraidaient quand l'occasion s'en présentait. L'année d'avant, Frank avait supervisé l'aménagement d'une arène et d'une piscine d'entraînement pour les chevaux que Tom avait dessinées.

Soudain, Tom eut conscience que l'un des jumeaux lui posait une question.

– Pardon... Qu'est-ce que tu as dit?

– Elle est célèbre? répéta Scott.

– *Qui*, Seigneur? glapit Diane.

– La femme de New York.

Diane ne donna pas à Tom l'occasion de répondre.

– Tu la connais... Non? Alors, c'est qu'elle n'est pas célèbre... Mange !

16

A u nord, Choteau était défendu par un dinosaure de trente-cinq mètres de haut. Si les érudits reconnaissaient en lui un albertasaurus, aux yeux du profane il avait tout simplement l'air d'un vulgaire tyrannosaure. Le reptile montait la garde sur le parking du musée, et c'était la première chose que l'on apercevait dès qu'on avait dépassé le panneau annonçant : « Bienvenue à Choteau – son accueil, son site exceptionnel. » Peut-être conscient de ce qu'une telle vision pouvait avoir de réfrigérant, l'artiste avait imprimé un petit sourire entendu aux crocs en couteau à viande. Le résultat était inquiétant : on ne savait pas s'il voulait vous lécher ou vous dévorer tout cru.

Il y avait désormais deux semaines qu'Annie croisait quatre fois par jour ce regard reptilien. Elle prenait la route du ranch à midi, après une matinée que Grace avait consacrée à ses devoirs ou à une séance exténuante chez la kinésithérapeute. Une fois la petite déposée au ranch, elle revenait à la maison, se jetait sur le téléphone et le fax, et repartait vers dix-huit heures.

Le trajet durait environ quarante minutes, et c'était un vrai plaisir, surtout le soir, depuis le redoux. Voilà cinq jours que le ciel était dégagé – et elle n'avait jamais imaginé qu'un ciel pût être aussi vaste et aussi bleu. Après s'être énervée tout l'après-midi au téléphone, conduire dans cette

188

contrée, c'était comme s'immerger dans une immense piscine balsamique.

Son itinéraire formait un L et, sur les premiers trente kilomètres, Annie était souvent seule sur la route. À sa droite, la prairie s'étirait à l'infini, et tandis qu'à sa gauche le soleil décrivait un arc au-dessus des Rocheuses, l'herbe jaunie de l'hiver prenait des tons d'or pâle.

Elle tourna sur le chemin cailouteux qui continuait en ligne droite sur une vingtaine de kilomètres jusqu'au ranch borné par le front montagneux. La Lariat laissait dans son sillage un nuage de poussière qui dérivait lentement sous la brise. Des courlis qui se pavanaient sur la route se fondirent au dernier moment dans les herbages. Annie inclina le pare-soleil et se sentit gagnée par l'allégresse.

Ces derniers jours, elle s'était mise à venir un peu plus tôt au ranch pour voir Tom Booker à l'œuvre. Non que le travail avec Pilgrim eût réellement commencé. Pour l'instant, il s'agissait surtout de fortifier son épaule blessée par la natation. Le cheval accomplissait ses tours de bassin avec le regard de qui a des crocodiles aux trousses. Il occupait une stalle à côté de la piscine, et pour le moment Tom n'avait de contact étroit avec lui que lorsqu'il entrait ou sortait de l'eau. Ce qui présentait déjà un certain danger.

La veille, avec Grace, Annie l'avait regardé tirer Pilgrim du bassin. Comme l'animal refusait de sortir, redoutant un piège, Tom était descendu sur le plan incliné, pour finir par avoir de l'eau à la taille. Pilgrim s'était déchaîné autour de lui, allant même jusqu'à se cabrer. Mais Tom, trempé, était resté imperturbable. Annie trouvait miraculeuse cette façon qu'il avait de flirter avec la mort. Comment pouvait-on calculer des marges aussi étroites? Pilgrim, apparemment dégoûté par cette audace, était bientôt sorti d'un pas titubant pour se laisser reconduire dans la stalle.

Tom revint se camper devant ses spectatrices et s'égoutta devant elles. Il ôta son chapeau et le vida jusqu'à la dernière goutte. Comme Grace éclatait de rire, il la gratifia d'un coup d'œil désabusé – qui la fit rire de plus belle – puis se tourna vers Annie et hocha la tête.

– Elle n'a pas de cœur, votre fille. Ce qu'elle ne sait pas, c'est que, la prochaine fois, c'est son tour...

Le rire de Grace, Annie l'entendait toujours. Sur la route de Choteau, la petite lui avait rapporté comment ils s'y étaient pris avec Pilgrim et les questions que Tom lui avait posées. Elle lui avait parlé aussi de Bronty et son poulain, de Frank, Diane et des garçons – des jumeaux qui étaient casse-pieds et de Joe qui était gentil. C'était la première fois qu'elle s'exprimait librement depuis qu'elle avait quitté New York, et Annie s'était appliquée à faire comme si de rien n'était. Ça n'avait pas duré. À la hauteur du dinosaure, Grace s'était tue, comme si elle venait de se rappeler qu'elle était censée faire la tête à sa mère. Au moins, c'était un début.

Les pneus de la Lariat crissèrent sur le gravier lorsqu'elle franchit la crête pour descendre dans la vallée, sous le double « D » gravé dans le bois qui signalait l'entrée du ranch. Des chevaux s'ébattaient dans un grand enclos. En se rapprochant, Annie aperçut Tom qui chevauchait au milieu de la bande. Il tenait au bout d'une perche un drapeau orange, qu'il agitait devant eux pour les faire fuir. Il y avait là peut-être une dizaine de jeunes chevaux, qui restaient toujours en groupe. Un seul se démarquait du lot – Pilgrim.

Penchée à la barrière, Grace suivait la scène en compagnie de Joe et des jumeaux. Annie s'approcha en flattant les chiens qui n'aboyaient plus à son arrivée. Joe lui adressa un sourire et la salua.

– Que se passe-t-il ?

– Oh, il leur donne une leçon d'orientation...

Annie se pencha à son tour à la barrière et regarda : les poulains détalaient en zigzag d'un bout à l'autre de l'arène, laissant des ombres allongées dans leur sillage et soulevant des nuages ambrés qui piégeaient le soleil rasant. Tom lançait Rimrock à leurs trousses, reculant ou s'écartant pour les intercepter ou ouvrir la voie. Annie l'avait déjà vu monter cet animal. Le cheval aux guêtres blanches exécutait des pas compliqués sans donner l'impression d'obéir à des instructions, comme guidé par la pensée de son cavalier. L'homme et sa monture semblaient ne faire qu'un. Annie trouvait le spectacle fascinant. Comme il passait devant elle, il effleura son feutre et lui sourit.

– Bonjour, Annie.

C'était la première fois qu'il ne l'appelait ni « madame » ni « Mme Graves » et l'entendre prononcer son prénom à l'improviste lui fit plaisir et lui donna l'impression d'être acceptée. Elle le regarda se diriger vers Pilgrim qui s'était arrêté comme les autres au fond de l'enceinte. Le cheval se tenait à l'écart et c'était le seul qui transpirait. Ses cicatrices à la face et au poitrail ressortaient au soleil et il rejetait la tête en renâclant. Il semblait aussi troublé par ses congénères que par Tom.

– Vous voyez, Annie, j'essaye de lui apprendre à redevenir un cheval. Les autres savent déjà... vous voyez? Voilà comment ils se comportent en troupeau dans la nature. Quand ils ont un problème, comme maintenant, ils se regardent entre eux. Mais notre vieux Pilgrim, il a tout oublié. Il croit qu'il n'a plus un ami au monde. Lâchez-les dans la montagne, ces jeunes sauront se débrouiller. Notre Pilgrim, lui, se ferait massacrer. Ce n'est pas qu'il refuse de se faire des amis, mais il ne sait pas comment s'y prendre...

Lançant Rimrock sur le troupeau, il leva vivement son drapeau qui claqua en l'air. Les yearlings s'échappèrent tous ensemble sur la droite et cette fois, au lieu de s'enfuir sur la gauche, Pilgrim les suivit. Dès qu'il fut loin de Tom, cependant, il s'isola de nouveau pour s'arrêter dans son coin. Tom sourit.

– Ça va venir.

Le soleil avait disparu depuis longtemps lorsque Pilgrim réintégra sa stalle. Il faisait froid. Diane appela les garçons à dîner et Grace les suivit pour reprendre son manteau. Tom et Annie marchèrent ensemble jusqu'à la voiture, et elle réalisa soudain avec acuité qu'ils étaient seuls tous les deux. Personne ne parlait plus. Une chouette la survola en direction de la rivière, et elle la regarda se fondre dans la masse noire des peupliers. Consciente d'être observée, elle se retourna. Tom lui souriait sereinement, sans aucune gêne, et son regard n'était plus celui d'un étranger mais d'un ami de longue date. Annie réussit à lui sourire aussi et vit avec soulagement Grace sortir de la maison.

– Demain, c'est jour de marquage. Si vous voulez nous donner un coup de main...

Annie partit d'un petit rire.

– À part vous embêter, je ne vois pas ce qu'on pourrait faire...!

Il haussa les épaules.

– Du moment que vous ne vous mettez pas devant le fer à marquer, aucune importance... et de toute façon, c'est un joli tatouage. Ça vous fera de beaux souvenirs, quand vous serez rentrées à la ville.

Annie se tourna vers Grace et vit qu'elle était enthousiaste, même si elle ne voulait pas le montrer.

– D'accord, dit-elle. Pourquoi pas?

Il leur signala que la journée commençait à neuf heures du matin, mais qu'elles pouvaient venir quand il leur plairait. Puis il leur dit bonsoir. Comme elle engageait la voiture sur la piste, Annie constata dans le rétroviseur qu'il était toujours là, et qu'il les regardait.

17

Les frères Booker remontaient la prairie, chacun par un côté. L'idée était de rabattre les traînards, mais les vaches n'avaient aucun besoin d'être encouragées. Elles pouvaient voir la vieille Chevy garée au fond du pré, là où le véhicule se trouvait toujours à l'heure de la distribution de la nourriture, et elles entendaient Frank et les jumeaux qui, à l'arrière de la camionnette, braillaient et menaient grand tapage avec le sac de boulettes pour les attirer. Le troupeau mugissant déboulait des hauteurs, les veaux suivant tant bien que mal en beuglant aussi, de crainte d'être laissés à la traîne.

Si le père de Tom avait pratiqué l'élevage des herefords, Frank s'était lancé depuis quelques années dans un croisement de black angus et d'herefords. Les angus étaient de bonnes mères et supportaient mieux le climat, car leurs pis étaient noirs et non roses, ce qui leur évitait d'être brûlées par la réverbération du soleil sur la neige. Tom suivit la cavalcade des yeux, puis guida Rimrock vers la gauche et se glissa dans le lit ombragé de la rivière.

De la vapeur s'élevait des eaux au contact de l'air chaud, et une poule d'eau s'envola à tire-d'aile devant lui, si vite que ses ailes ardoise écumèrent la surface. À cette distance, les mugissements du bétail ne lui parvenaient plus qu'en sourdine, et il n'entendait ici que le doux flic-flac des sabots, tandis qu'il remontait vers le sommet de la colline. Parfois, dans

193

ces parages, un veau s'empêtrait dans les fourrés épais. Mais ce ne fut pas le cas ce jour-là, et Tom fit remonter sa monture sur la berge, avant de la lancer au galop en plein soleil vers la ligne de crête. Là, il s'arrêta.

Sur le versant de la vallée, il aperçut Joe, monté sur son poney pie brun et blanc. L'enfant le salua de la main, et il lui fit signe à son tour. En contrebas, une marée de bêtes affluait sur la Chevy, se répandant autour de la carrosserie, de sorte que, de loin, on aurait dit un bateau pris dans un bouillonnement noir. Les jumeaux jetaient les boulettes pour retenir les bêtes, tandis que Frank reprenait son volant en escaladant la banquette. Puis le véhicule repartit au ralenti. Le troupeau appâté se rua à sa suite.

De la crête, la vue portait directement tout au bas de la vallée, sur le ranch et les corrals où le cheptel était à présent conduit. Et tandis qu'il suivait la scène, Tom comprit brusquement ce qu'il avait guetté toute la matinée. La voiture d'Annie avançait sur la piste, laissant au ras du sol un sillage de poussière grise. Comme le véhicule décrivait une courbe devant la maison, le soleil ricocha sur le pare-brise.

Plus d'un kilomètre le séparait des deux personnages qui sortirent de l'habitacle, minuscules et indistincts. Mais Tom discernait les traits d'Annie comme si elle avait été devant lui. Il la voyait comme hier, lorsqu'elle avait regardé la chouette avant de deviner qu'elle était observée. Il l'avait vue si désemparée, si belle, qu'il aurait voulu la prendre dans ses bras. C'est la femme d'un autre, s'était-il dit, tandis que les feux arrière de la Lariat se fondaient dans la nuit. Mais il n'avait cessé de penser à elle. D'un léger coup de talons, il invita Rimrock à repartir et descendit le pré à la suite du troupeau.

Un nuage de poussière flottait au-dessus du corral qui sentait la chair roussie. Séparés de leurs mères qui ne cessaient de mugir, les veaux étaient entraînés à travers une succession d'enclos jusqu'à un étroit tunnel d'où il n'y avait plus de retour en arrière possible. Débouchant de là, un par un, ils étaient immobilisés par une pince et couchés sur un plateau où quatre paires de mains passaient aussitôt à l'action. Avant d'avoir compris ce qui lui arrivait, le veau était marqué – piqûre de guêpe dans une oreille, pastille de croissance dans l'autre – puis une brûlure au fer chaud au derrière. Sur ce, la table basculait de nouveau à la verticale, la pince se desserrait – il était libre. Encore tout étourdi, il repartait alors d'un pas chancelant pour aller se consoler sous la mamelle de sa mère.

Tout cela se déroulait sous l'œil indolent et d'une royale indifférence des pères, cinq énormes taureaux qui ruminaient dans un enclos voisin. Annie, de son côté, contemplait la scène avec un sentiment proche de l'horreur. Et elle sentait que Grace était comme elle. Les veaux s'égosillaient comme des perdus et prenaient des revanches dérisoires en déféquant sur leurs agresseurs et en bottant les tibias sans défense. Des voisins étaient venus avec leurs enfants qui s'exerçaient à ligoter et maîtriser les veaux les plus petits. En suivant le regard de Grace, Annie comprit quelle terrible erreur elle avait commise en venant. C'était tellement physique, tout cela, que le handicap de sa fille n'en était que plus patent.

Comme s'il avait lu dans sa pensée, Tom se déplaça et eut tôt fait de lui trouver un emploi. Il la mit au travail dans un couloir d'accès au tunnel, en tandem avec une grande brute joviale affublée de lunettes de soleil à verres réfléchissants et d'un tee-shirt proclamant : *Cereal Killer*. L'homme se présenta sous le nom de Hank et lui infligea une poignée de main à lui broyer les phalanges. Il déclara venir du ranch voisin.

– Notre aimable psychopathe de voisin, dit Tom.

– Ne vous en faites pas, protesta Hank. J'ai déjà déjeuné !

Au moment de se mettre au travail, Annie vit Tom s'approcher de Grace, la prendre par les épaules et l'entraîner – où cela ? Elle n'eut pas le temps de le voir, car un veau lui marcha sur le pied puis lui défonça le genou. Elle glapit de douleur, ce qui fit rire Hank qui lui montra comment pousser les bêtes dans le tunnel sans prendre trop de coups ou se faire souiller. C'était un dur labeur, qui exigeait toute sa concentration mais, grâce aux plaisanteries de Hank et au chaud soleil de printemps, elle commença à se détendre.

Plus tard, elle put constater que Tom avait emmené Grace en première ligne pour lui apprendre à manier le fer à marquer. Au début, la petite garda les yeux fermés. Il l'amena pourtant à se concentrer sur la technique, au point que toute sensiblerie l'abandonna.

– Inutile d'appuyer..., disait Tom. (Il se tenait derrière Grace et guidait ses avant-bras.) Couche-le légèrement...

Des flammes brasillèrent lorsque la pointe rougie au feu entra en contact avec le cuir du veau.

– C'est cela, avec tact et fermeté. Il déguste, mais bientôt il n'y pensera plus. Fais-le rouler un peu. Bien. Maintenant, soulève... Grace, ton marquage est parfait. Le meilleur double D de la journée.

Les bravos fusèrent. L'enfant avait les joues rouges et les yeux brillants. Elle rit et salua l'assistance d'une courbette. Tom aperçut Annie et la désigna du doigt.

– Et maintenant, à vous...

En fin d'après-midi, tous les veaux avaient été marqués, à l'exception des plus petits, et Frank annonça qu'il était l'heure de passer à table. Chacun se dirigea vers la maison, les enfants courant en tête avec des cris de sauvage. Annie chercha Grace du regard. On ne les avait pas invitées et elle sentait que le moment était venu de partir. Elle finit par apercevoir sa fille qui marchait un peu plus loin en compagnie de Joe. La petite se retourna en entendant qu'on l'appelait par son nom.

– On s'en va...

– Quoi...? Pourquoi?

– Oui, pourquoi? Rien ne vous y oblige.

C'était Tom, qui venait de la rattraper à la hauteur de l'enclos à taureaux. Ils ne s'étaient pratiquement pas parlé de la journée. Annie haussa les épaules.

– Eh bien... il se fait tard, vous savez...

– Je sais. Vous devez rentrer nourrir votre fax et donner tout un tas de coups de téléphone... pas vrai?

Il avait le soleil derrière lui et, la tête sur l'épaule, Annie lui lança un regard de biais. Elle n'était pas habituée à se faire taquiner par la gent masculine. Ce n'était pas désagréable.

– Mais voyez-vous, nous avons une tradition ici. L'auteur du meilleur marquage doit faire un discours à la fin du repas.

– Quoi? s'exclama Grace.

– Parfaitement. Ou s'enfiler dix pintes de bière. Alors, je te conseille d'aller te préparer.

La fillette se tourna vers Joe, pour s'assurer qu'il s'agissait d'une plaisanterie. Tom désigna la maison, sérieux comme un pape.

– Joe, montre-lui le chemin...

Joe s'exécuta, en tâchant de garder son sérieux.

– Si vous croyez que nous sommes invitées..., dit Annie.

– Vous l'êtes.

– Merci.

– Pas de quoi.

Ils échangèrent un sourire. Dans le silence qui suivit, ils n'entendirent plus que le meuglement du bétail. Un mugissement plus doux, depuis que la frénésie de la journée était passée. Ce fut Annie qui éprouva la première le besoin de parler. Elle regarda les taureaux qui paressaient sous les derniers rayons du soleil.

– Qui voudrait être une vache, quand on peut traînasser toute la journée comme ces fainéants? dit-elle.

– Eh oui. Ils passent tout l'été à faire l'amour et l'hiver à se prélasser et à se gaver. (Il observa une pause, pensif.) D'un autre côté, rares sont ceux qui bénéficient de ce traitement de faveur. Un jeune taureau a 90 pour cent de chances de finir d'abord castré puis servi en hamburger. Quitte à choisir, je préfère être une vache...

Ils s'installèrent à une longue table ornée d'une nappe blanche amidonnée où trônaient des jambons glacés, de la dinde et des plats fumants de maïs, de haricots et de patates douces. Si la pièce où ils se trouvaient était visiblement le living, Annie avait plutôt l'impression d'un vaste vestibule séparant les deux ailes de la maison. Le plafond était haut ; le sol et les murs en bois foncé. Il y avait là des tableaux représentant des Indiens chassant le bison et de vieilles photos sépia d'hommes à longues moustaches et de femmes aux visages sévères très simplement vêtues. Sur un côté, un escalier s'enroulait jusqu'à une vaste mezzanine qui surplombait la salle sous la protection d'une rambarde.

Annie s'était sentie un peu gênée en réalisant que, pendant le marquage, la plupart des femmes étaient restées à l'intérieur pour faire la cuisine. Mais personne ne parut s'en formaliser. Diane, qui jusqu'à ce jour ne s'était pas montrée particulièrement amicale, la mit à l'aise, s'offrant même à lui prêter des vêtements. Mais voyant que les hommes avaient gardé leur tenue de travail, elle refusa poliment.

Les enfants, installés en bout de table, faisaient un tel raffut que les adultes devaient hausser le ton pour s'entendre. À tout instant, Diane leur braillait de mettre la sourdine, mais sans grand succès, de sorte que, mené par Frank et Hank, le tumulte fut bientôt général. Grace était assise auprès de Joe. Annie l'entendait parler d'une amie de New York qui s'était fait soutirer sa paire de Nike neuves dans le métro. Joe semblait ne pas en croire ses oreilles.

Tom était assis entre sa mère et sa sœur Rosie. Les deux femmes avaient fait le voyage de Great Falls avec les filles de Rosie, âgées de cinq et six ans. Ellen Booker était une femme distinguée, à la silhouette frêle, aux cheveux d'un blanc immaculé et aux yeux aussi bleus que ceux de son fils. Elle parlait peu, préférant écouter et observer ce qui se passait autour d'elle avec un sourire indulgent. Annie remarqua que Tom était aux petits soins pour elle et lui parlait avec douceur du ranch et des chevaux. À voir les regards qu'Ellen lui réservait, on voyait qu'il était son enfant préféré.

– Alors, Annie, vous allez écrire un bel article sur nous dans votre magazine ? demanda Hank.

– Mais bien entendu, Hank. Vous faites la page centrale.

Hurlement de rire du bonhomme.

– Hé, Hank! intervint Frank. Tu ferais bien de passer d'abord à la... comment on dit, déjà : liposuçon?

– Liposuccion, idiot! dit Diane.

– Pas de problème, rugit Hank. Enfin... je demande d'abord à voir qui fait les suçons!

Annie apprit par Frank comment la famille s'était installée dans ce ranch. Il l'emmena devant les photos et lui expliqua qui étaient ces gens. Annie trouva émouvante cette galerie de portraits solennels. C'était comme si le simple fait de survivre dans cette rude contrée était déjà en soi une belle victoire. Frank était en train de lui parler de son grand-père, lorsque l'attention d'Annie dériva vers la tablée et accrocha le regard de Tom, qui lui sourit.

Quand elle revint à table, Joe était en train de parler à Grace d'une hippie qui vivait dans la montagne. Cette femme avait acheté des mustangs quelques années plus tôt pour les lâcher dans la nature. Ils s'y étaient reproduits et formaient à présent un beau troupeau en liberté.

– Elle a aussi un tas d'enfants, qui vont sans rien sur le dos. Elle vient de Los Angeles.

– *Californication!* beugla Hank.

Éclat de rire général.

Plus tard, devant une tarte au potiron et la glace maison à la cerise, Frank dit :

– Tu sais quoi, Tom? Tu devrais demander à nos amies de s'installer dans la petite maison. Tous ces va-et-vient, c'est de la folie...

Annie surprit le regard aigu de Diane à son mari. La question, à l'évidence, n'avait pas été débattue. Tom regarda Annie.

– Je trouve que c'est une bonne idée, dit-il.

– C'est très aimable à vous, mais...

– Je connais votre baraque à Choteau, intervint Frank. Elle peut vous tomber sur le crâne du jour au lendemain.

– Frank, protesta Diane, la petite maison n'a rien d'un palace...! D'ailleurs, je suis sûre qu'Annie tient à garder son intimité.

Avant que l'intéressée ait pu s'exprimer, Frank se pencha par-dessus la table.

– Grace? Qu'en dis-tu?

Grace se tourna vers sa mère, mais son expression était assez éloquente. Frank n'en demandait pas davantage.

– Voilà qui est réglé, dit-il.

Sa femme se leva de table.

– Je vais faire le café, dit-elle.

18

Un quartier de lune couleur d'os moucheté était encore visible dans le ciel pâlissant lorsque Tom poussa la porte grillagée de la véranda. Il marqua un arrêt pour enfiler ses gants, et sentit le froid sur son visage. Le monde était tout blanc, cassant de givre, et rien ne venait troubler les nuages de son haleine. Les chiens se précipitèrent pour lui faire fête, en se tortillant d'aise. Il les flatta à la tête et, d'un simple signe du menton, les envoya courir vers les corrals. La meute détala en chahutant, griffant sur son passage l'herbe phosphorescente. Relevant le col de sa grosse veste, Tom descendit les marches à leur suite.

Les stores jaunes à l'étage de la petite maison étaient baissés. Ses locataires dormaient encore. La veille, il les avait aidées à s'installer après avoir fait un brin de ménage avec Diane. Sa belle-sœur avait à peine desserré les dents de toute la matinée, mais il n'était qu'à voir son menton dardé et sa façon de manier l'aspirateur pour être fixé sur sa façon de penser. Annie devait dormir dans la grande chambre en façade qui donnait sur la rivière. Grace avait été installée dans l'ancienne chambre de Joe.

– Elles vont rester longtemps ? avait demandé Diane, en bordant le grand lit.

Tom était en train de tester le radiateur près de la porte. Il se retourna, mais elle regardait ailleurs.

– Je l'ignore. Ça dépend du cheval...

Diane ne fit aucun commentaire mais, lorsqu'elle remit le lit en place d'un coup de genou, le dosseret cogna contre le mur.

– Si ça t'ennuie, je...

– Pourquoi ça m'ennuierait? Ça ne m'ennuie pas du tout. Elle repartit vers le palier au pas de charge et ramassa par terre une pile de serviettes.

– J'espère seulement qu'elle sait faire la cuisine, c'est tout...

Tom était venu accueillir les invitées et les aider à décharger la voiture. Il avait constaté avec soulagement qu'elles avaient apporté deux grands cageots de provisions. Le soleil qui entrait par la grande fenêtre, en façade, donnait luminosité et gaieté au living. Annie se répandit en compliments. Elle demanda la permission de pousser la longue table contre la fenêtre pour en faire son bureau et jouir de la vue sur la rivière et les corrals. Ils déplacèrent ensemble le meuble, puis Tom l'aida à apporter les ordinateurs et les fax, ainsi que d'autres gadgets électroniques dont l'usage lui échappait complètement.

Il avait trouvé curieux que le premier souci d'Annie, avant même de défaire ses bagages ou demander à voir sa chambre, fût d'installer son bureau. Grace, elle, n'avait pas eu l'air de s'en étonner.

La veille au soir, en faisant son tour auprès des chevaux, comme de coutume, il avait remarqué la lumière dans la petite maison et s'était demandé ce qu'elles faisaient, toutes les deux – de quoi elles parlaient. En voyant la maison découpée sur le clair de lune, il avait pensé à Rachel, à la douleur que ces murs avaient jadis renfermée. La douleur était revenue hanter ces lieux – une douleur plus raffinée, admirablement forgée par une mutuelle culpabilité et utilisée par des âmes en peine pour punir les êtres qui leur étaient chers.

Il dépassa les corrals, le givre crissant sous les semelles de ses bottes. Au bord de l'eau, les branches des peupliers étaient brodées d'argent et, par-dessus leur faîte, le ciel se teintait au levant d'une lueur rose. Les chiens l'attendaient devant la porte de la grange. Ils avaient beau savoir qu'il ne les laissait jamais entrer, ils essayaient toujours. Cette fois-là encore, il les chassa avant de tirer la porte.

Une heure plus tard, alors que le soleil avait fait déjà fondre de grandes taches sombres sur le toit de la grange vernissée de gel, Tom fit sortir l'un des poulains qu'il avait débourrés une semaine plus tôt et se hissa en selle. Le cheval, comme tous ceux qu'il avait élevés, était souple d'allure et il se dirigea tranquillement sur le chemin qui montait aux prairies.

En passant sous la petite maison, Tom remarqua que les stores de la grande chambre étaient relevés. Plus loin, il aperçut en bordure de route des traces de pas qui finissaient par se perdre parmi les saules, là où la route coupait la rivière à gué. Des pierres permettaient de passer à sec, et il nota, d'après les croisillons d'humidité en surface, que c'était bien ce que le promeneur avait fait.

Le poulain l'aperçut avant lui. Averti par le frémissement de ses oreilles, Tom releva les yeux et vit Annie qui redescendait le pré en courant. Elle portait un pull gris pâle, des jambières noires, et une paire de tennis dernier cri dont il avait vu la publicité à la télévision. Comme elle ne l'avait pas encore repéré, il arrêta le cheval au bord de la rivière et la regarda s'approcher. Sous le chuchotis de l'eau, il l'entendait respirer. Elle avait noué ses cheveux en arrière et son visage avait rosi au contact de l'air froid. Elle regardait ses pieds avec une telle concentration que, si le cheval n'avait pas renâclé, elle se serait peut-être jetée contre eux. Mais ce léger bruit lui fit relever la tête et elle s'arrêta dans son élan, à dix pas de lui.

– Bonjour !

Tom effleura le bord de son feutre.

– Alors, comme ça vous « joggez »...

Elle le gratifia d'une petite grimace dédaigneuse.

– Je ne *jogge* pas, monsieur Booker. Je cours.

– Tant mieux. Nos grizzlis ne s'en prennent qu'aux joggeurs.

Elle ouvrit de grands yeux.

– Des grizzlis ? C'est vrai ?

– Oh, vous savez, on les nourrit bien...

Voyant qu'elle tiquait, il ajouta :

– Je plaisante. Nous avons effectivement des grizzlis, mais ils préfèrent les hauteurs. Vous ne risquez rien.

Il faillit ajouter : à moins de tomber sur un couguar, mais si elle avait entendu parler du fait divers californien, elle aurait pu ne pas trouver cela drôle.

Elle accueillit sa boutade en plissant les yeux puis sourit et se rapprocha, de sorte que son visage se retrouva complètement dans le soleil et qu'elle dut s'abriter les yeux sous sa main en visière. Ses épaules se soulevaient au rythme de sa respiration et de la vapeur montait lentement en volutes de son corps pour se dissiper dans l'atmosphère.

– Vous avez bien dormi chez nous ?

– Je ne dors bien nulle part.

– Le chauffage marche ? Ça fait longtemps que...

– Tout est parfait. C'est vraiment très aimable à vous de nous héberger.

– Ça fait plaisir de voir cette maison habitée.

– Bon. Eh bien... merci quand même.

Pendant un moment, personne ne sut quoi dire. Annie allongea le bras pour caresser le cheval, mais l'animal effarouché se déroba et recula de quelques pas.

– Pardon...

Tom se pencha et flatta la bête.

– Tendez simplement la main. Un peu plus bas, pour qu'il puisse sentir votre odeur.

Le poulain baissa le museau, et explora cette main étrangère avec les poils de sa barbe avant de la renifler.

Annie le regardait faire, avec un début de sourire. Tom nota une fois de plus que les commissures de ses lèvres semblaient mystérieusement animées d'une vie propre.

204

— Il est splendide...

— J'en suis content... Vous montez?

— Oh, autrefois. Quand j'avais l'âge de Grace.

Son visage changea et il regretta aussitôt sa question. Et il se sentit tout bête, car il était évident qu'elle se tenait pour responsable de l'accident de sa fille.

— Je m'en vais, dit-elle. Je suis en train de prendre froid.

Elle passa son chemin au large du cheval et leva des yeux malicieux vers lui.

— Je croyais que c'était le printemps.

— Oh, vous connaissez le dicton : « Si tu n'aimes pas le temps qu'il fait dans le Montana, attends donc cinq minutes... »

Il se retourna pour la voir progresser prudemment sur les pierres du cours d'eau. Elle dérapa et lança un juron quand son pied s'enfonça brièvement dans l'eau glaciale.

— Je vous aide?

— Non, merci.

— Je viendrai chercher Grace vers quatorze heures.

— Entendu!

Une fois sur l'autre rive, elle fit volte-face pour le saluer. Il toucha son chapeau et la regarda repartir à petites foulées, concentrée sur ses pieds – toujours aussi aveugle à ce qui se passait autour d'elle.

Pilgrim fusa dans l'arène comme un boulet de canon. Il galopa directement au fond de l'enceinte et pila dans une gerbe de sable rouge. Sa queue pincée s'agitait par saccades et ses oreilles remuaient. De ses yeux fous, il fixait le portail ouvert par où il venait d'entrer, sachant que l'homme allait le suivre.

Tom était à pied et tenait un drapeau orange au bout d'un bâton ainsi qu'un rouleau de corde. Il entra, referma le portail et marcha jusqu'au centre de l'arène. De petits nuages blancs défilaient dans le ciel, et le plein soleil alternait sans cesse avec l'ombre.

Pendant presque une minute, les deux adversaires restèrent immobiles, à se jauger mutuellement. Ce fut Pilgrim qui bougea le premier. Il s'ébroua, baissa la tête, et recula de quelques petits pas. Tom restait comme une statue, l'extrémité du drapeau dans le sable. Puis il fit un pas en direction de Pilgrim et, au même moment, il leva le drapeau qui claqua en l'air. Immédiatement, le cheval se catapulta sur la gauche au grand galop.

Il fit des tours d'arène dans un nuage de sable, secouant la tête et renâclant bruyamment. Sa queue broussailleuse et retroussée, déployée derrière lui, dansait et sifflait dans le vent. Il courait la croupe contractée, la tête déjetée en arrière, et toutes les fibres de ses muscles étaient tendues et polarisées sur cet homme. Sa tête adoptait un angle tel qu'il avait du mal à l'apercevoir de l'œil gauche. Mais jamais il ne dévia, contenu dans un cercle de peur si ensorcelant que, pour l'autre œil, le monde n'était qu'un tourbillon flou sans signification.

Bientôt, ses flancs commencèrent à luire de sueur et l'écume lui souilla la bouche. Mais l'homme ne le laissait pas en repos et, à chaque tentative pour ralentir, le drapeau claquait de nouveau et le forçait à repartir.

Tout cela, Grace le voyait depuis le banc que Tom avait installé à son intention derrière les barreaux de l'arène. C'était la première fois qu'elle le voyait travailler ainsi, et il émanait de lui une concentration qu'elle avait tout de suite remarquée, quand il était passé la chercher en voiture. Car c'était aujourd'hui que le véritable travail avec Pilgrim commençait.

Grâce à la natation, la jambe blessée avait retrouvé ses muscles et les balafres au poitrail et à la face avaient meilleur aspect. C'étaient les cicatrices intérieures qu'il fallait désormais panser. Après avoir garé la voiture, Tom avait escorté Grace dans la travée centrale jusqu'à la grande stalle du fond, là où Pilgrim était désormais hébergé. Il y avait des barreaux au niveau du volet supérieur de la porte, et ils pouvaient constater qu'il ne les quittait pas des yeux quand ils s'approchaient. Quand ils étaient devant la porte, il se reculait toujours en baissant la tête, les oreilles aplaties en arrière. Mais il ne les chargeait plus quand ils entraient et, ces jours-ci, Tom avait autorisé Grace à lui apporter sa pitance. Sa robe était souillée, ses crins sales et emmêlés – Grace avait hâte de l'étriller.

Au fond du box, une porte coulissante ouvrait sur un passage en dur, donnant sur la piscine ou l'arène. Pour l'orienter dans l'une ou l'autre direction, il suffisait d'ouvrir la bonne porte et de le houspiller pour le faire décamper. Aujourd'hui, comme flairant quelque nouveau complot, Pilgrim avait refusé d'avancer, et Tom avait dû s'approcher très près pour lui gifler le postérieur.

À présent que Pilgrim passait devant elle, peut-être pour la centième fois, Grace le vit tourner la tête franchement vers Tom, se demandant pourquoi tout à coup il avait le droit de ralentir sans s'attirer une punition. Tom le laissa modérer son allure et s'arrêter. Le cheval regardait autour de lui en soufflant, intrigué. Au bout d'un moment, Tom marcha dans sa direction. Pilgrim pointa les oreilles en avant – en arrière – en avant. Ses flancs étaient parcourus de spasmes musculaires qui se propageaient comme des vagues.

– Tu vois, Grace, comme il est contracté? Il a un sacré caractère, crois-moi! Il aurait bien besoin de se faire « cuisiner », le pauvre...

Elle comprit à quoi il faisait allusion. L'autre jour, il lui avait parlé d'un vieil homme, Dorrance, originaire du comté de Wallowa dans l'Oregon – le meilleur cavalier que Tom eût jamais connu. Pour détendre un cheval, il lui enfonçait le doigt dans les muscles en disant qu'il voulait vérifier si les patates étaient cuites. Mais Grace voyait bien que Pilgrim n'était pas prêt à permettre une telle chose. Il bougeait la tête sur le côté, jaugeant l'approche de l'homme d'un œil craintif et, lorsque Tom ne fut plus qu'à cinq mètres de lui, il s'échappa, toujours dans la même direction. Cette fois, Tom s'interposa et le bloqua avec le drapeau. Le cheval pila dans le sable et fit un écart sur la droite. Il repartit en arrière et, comme sa croupe virevoltait, Tom s'élança avec adresse et lui assena un coup avec le drapeau. Pilgrim plongea en avant et se mit à tourner comme l'aiguille d'une montre – et la leçon recommença de zéro.

– Il veut me faire plaisir, dit Tom. Le problème, c'est qu'il ne sait pas comment.

Et si jamais il y parvient, songea Grace, que se passera-t-il alors ? Tom ne lui avait pas dit à quoi tout cela les menait. Il prenait chaque jour comme il venait, sans hâte, laissant Pilgrim progresser à son rythme et faire ses choix. Et ensuite ? Est-ce qu'elle était censée le monter de nouveau ?

Grace savait bien que des handicapés, dont certains l'étaient plus gravement qu'elle, remontaient à cheval. Il y en avait même qui n'avaient jamais monté avant leur accident. Elle avait vu ces gens-là à des épreuves hippiques et avait même pris part à un jumping sponsorisé dont les recettes avaient été entièrement reversées à une association locale. Elle les avait plaints et admirés, pour leur courage. Mais elle ne pouvait supporter l'idée d'être à son tour un objet de pitié. Pas question. Elle avait dit qu'elle ne remonterait plus jamais, point final.

Deux heures plus tard, après que Joe et les jumeaux furent revenus de l'école, Tom ouvrit le portail et laissa Pilgrim filer dans la stalle. Grace avait déjà nettoyé, changé la litière, et Tom monta la garde tandis qu'elle apportait le seau de nourriture et accrochait une nouvelle balle de foin.

Lorsqu'il la ramena chez elle, le soleil était bas. En amont, les rochers et les sapins flexibles projetaient des ombres effilées sur l'herbe pâle. Ils ne parlaient pas, et Grace se demanda pourquoi le silence, en présence de cet homme qu'elle connaissait si peu, ne la gênait jamais. Elle sentait qu'il avait quelque chose à lui dire. La voiture décrivit une courbe derrière la maison et s'arrêta au niveau de la véranda. Puis il coupa le contact, s'adossa à son siège et se tourna vers elle en la fixant droit dans les yeux.

— Grace, j'ai un problème...

Elle se demanda si elle était censée dire quelque chose, mais il poursuivit :

— Tu sais, quand je travaille avec un cheval, j'aime connaître son itinéraire. En règle générale, c'est lui qui me raconte tout de lui-même, avec plus de clairvoyance que son cavalier. Mais parfois, il est tellement perturbé qu'il faut aller plus loin pour savoir exactement ce qui s'est passé. Et souvent, ce n'est pas le problème le plus évident qui est en cause, c'est un truc plus ancien, auquel on n'avait pas fait attention...

Il vit qu'elle n'avait pas compris.

— C'est comme si j'avais percuté un arbre au volant de cette voiture et qu'on me demandait ce qui s'est passé... Je n'irais pas répondre : « Voilà, j'ai heurté un arbre. » Je dirais que j'avais bu un verre de trop ou qu'il y avait de l'huile sur la route, ou encore que le soleil m'avait aveuglé... tu saisis ?

Elle hocha la tête.

— J'ignore si tu as envie d'en parler, et je comprendrai si ce n'est pas le cas. Mais si je dois me figurer ce qui trotte dans la tête de Pilgrim, ça m'aiderait beaucoup de savoir ce qui s'est passé le jour de l'accident...

Détournant les yeux, Grace reporta son attention sur la maison et nota qu'on pouvait voir directement dans le living à travers la cuisine. Elle apercevait l'écran bleu-gris de l'ordinateur et sa mère, pendue au téléphone, cadrée dans la lumière rasante qui entrait par la grande fenêtre.

Elle n'avait confié à personne ses véritables souvenirs. Ni à la police, ni à l'avocate, ni aux médecins. Même devant ses parents, elle avait continué à feindre qu'il y avait un grand vide dans son cerveau. Le problème, c'était Judith. Elle ne savait toujours pas si elle pourrait parler de Judith. Ni même de Gulliver. Lorsqu'elle tourna la tête, elle vit que Tom Booker lui souriait. Dans ses yeux, il n'y avait pas une ombre de pitié et elle comprit en cet instant qu'elle était acceptée, et non jugée. C'était peut-être parce qu'il ne connaissait que la partie amputée, défigurée, d'elle-même – pas la Grace d'autrefois.

– Je ne veux pas te forcer... Tu me parleras quand tu voudras. Et seulement si tu le veux.

Quelque chose attira l'œil de Tom et, en suivant son regard, elle constata que sa mère venait de sortir sur la véranda. Elle se retourna et le regarda dans les yeux.

– J'y penserai, dit-elle.

Robert repoussa ses lunettes sur le front, se renversa dans son fauteuil, et se frotta les yeux. Il avait retroussé ses manches de chemise et sa cravate était roulée en boule parmi les monceaux de documents et de manuels de droit qui jonchaient son bureau. Il entendait les femmes de ménage qui investissaient méthodiquement les bureaux en bavardant en espagnol. Tout le monde était parti depuis longtemps. Bill Sachs, l'un de ses plus jeunes associés, avait voulu le traîner au cinéma avec sa femme pour voir le dernier film avec Gérard Depardieu dont la critique faisait grand cas. Robert avait prétexté qu'il avait trop de travail.

Bill n'était pas le seul à faire des efforts particuliers pour lui remonter le moral. Robert en était touché, mais à tout prendre, il eût préféré échapper à ces attentions. Mener quelque temps une vie de célibataire ne justifiait pas une telle sollicitude et il soupçonnait ses collègues d'imaginer des choses. L'un d'eux lui avait même proposé de reprendre le dossier des valeurs Dunford. Bon sang, c'était la seule chose qui lui permettait de tenir.

Depuis pratiquement trois semaines, il travaillait sur cette affaire jusqu'aux petites heures du jour. Le disque dur de son ordinateur était prêt à exploser. Ce dossier, l'un des plus compliqués qu'il ait eu à traiter, impliquait des milliards de dollars en titres circulant à travers un dédale de sociétés implantées sur trois continents. Aujourd'hui, il avait passé deux heures au téléphone avec des avocats et des clients de Hong Kong, Genève, Londres et Sydney. Les décalages horaires étaient un cauchemar. Mais bizarrement, ce stress lui donnait de l'allant et, surtout, l'occupait suffisamment pour l'empêcher de se morfondre.

Ouvrant ses yeux endoloris, il allongea le bras et appuya sur la touche « rappel » du téléphone. Puis il se renversa dans son fauteuil et contempla par la vitre le diadème illuminé qui couronnait la flèche du Chrysler Building. Le nouveau numéro d'Annie était toujours occupé.

Il avait marché jusqu'à l'angle de la Cinquième Avenue et de la 59ᵉ Rue avant de héler un taxi. L'air froid lui faisait du bien et il avait eu l'idée de rentrer à pied en traversant Central Park. Il l'avait déjà fait de nuit, mais ne s'était risqué qu'une seule fois à s'en vanter auprès d'Annie. Elle l'avait engueulé pendant dix bonnes minutes, disant qu'il était fou de se balader dans le parc à cette heure-là, est-ce qu'il voulait se faire étriper ? Il en avait déduit qu'il avait raté un fait divers dans les journaux, mais n'avait pas jugé utile de demander des éclaircissements.

D'après le nom affiché à l'arrière du taxi, le chauffeur devait être sénégalais. Il y avait une petite communauté sénégalaise à New York, et Robert aimait époustoufler ces gars-là en s'adressant à eux, mine de rien, en wolof ou en jola. Le jeune homme fut si épaté qu'il faillit emboutir un autobus. Ils parlèrent de Dakar, des endroits qu'ils connaissaient, et la conduite en souffrit au point que Robert en vint à penser qu'il aurait été plus en sécurité dans le parc. Lorsque la voiture s'arrêta devant son immeuble, Ramon descendit pour lui ouvrir la portière. Le chauffeur le remercia chaudement pour le pourboire et promit de prier Allah pour qu'Il lui donne plein de garçons robustes.

Après que Ramon lui eut délivré une info apparemment toute chaude sur un joueur qui avait signé chez les Mets, Robert prit l'ascenseur et rentra chez lui. L'appartement était dans le noir et le bruit de la porte refermée se répercuta à travers le labyrinthe des pièces désertes.

Dans la cuisine, il trouva le dîner qu'Elsa lui avait concocté, assorti du petit mot habituel précisant de quoi il s'agissait et le temps de réchauffage au micro-ondes. Comme d'habitude, il balança le tout à la poubelle non sans mauvaise conscience. Il lui avait déjà demandé par de semblables petits billets de ne pas s'embêter à cuisiner pour lui, qu'il pouvait passer chez le traiteur ou faire la cuisine. Mais chaque soir, c'était pareil – chère Elsa.

En vérité, le vide étouffant de l'appartement lui donnait le cafard et il évitait au maximum de rester chez lui. Le week-end, c'était encore plus éprouvant. Il avait essayé de se rendre à Chatham, mais sa solitude n'en avait été que plus insupportable. Pour couronner le tout, il avait découvert là-bas que le thermostat de l'aquarium était tombé en panne et que tous les poissons exotiques étaient morts de froid. La vue de ces cadavres pâlis flottant dans le caisson l'avait profondément affecté Il n'avait rien dit à Grace, ni même à Annie, mais, après s'être ressaisi, il avait pris des notes précises et commandé d'identiques remplaçants chez le grainetier.

Depuis qu'il était seul, la conversation téléphonique avec Grace et Annie était le grand moment de sa journée. Et ce soir-là, après avoir essayé pendant des heures, sans résultat, de les joindre, le désir d'entendre leurs voix n'en était que plus aigu.

Pour qu'Elsa ne sût rien du destin honteux de son dîner, il scella le sac-poubelle et le déposa devant la porte de service quand la sonnerie du téléphone retentit. Il se précipita à l'intérieur. Le répondeur s'était déjà enclenché, et il dut élever la voix pour concurrencer la cassette.

– Ne quitte pas, je suis là... Bonsoir, je viens de rentrer.
– Tu es essoufflé. D'où sors-tu ?
– Oh... la tournée des grands ducs. Bars et boîtes de nuit... C'est crevant.
– Ne me dis rien, surtout !
– Mais tu ne sauras rien ! Alors, comment ça va au doux pays des biches et des antilopes ? Impossible de te joindre de la journée.

– Pardon. Je n'ai qu'une ligne et, au bureau, ils ont essayé de m'ensevelir sous les fax.

Elle lui apprit que Grace avait essayé de le contacter une heure plus tôt à son travail, probablement juste après son départ. Maintenant, elle était couchée.

Comme Annie lui racontait sa journée, Robert se rendit au salon et, sans allumer, s'installa sur le canapé devant la fenêtre. Annie semblait lasse et abattue, et il essaya sans grand succès de lui remonter le moral.

– Et Grace?

Dans le silence qui suivit, il l'entendit soupirer.

– Oh, je ne sais plus... (Elle parlait à mi-voix, certainement pour ne pas la réveiller.) Je vois comment elle se comporte avec Tom Booker et Joe... tu sais, le gosse de douze ans? Ils s'entendent comme larrons en foire. Avec eux, elle semble heureuse. Mais en tête à tête avec moi... Je ne sais plus. C'est au point qu'elle ne me regarde même plus en face. (Nouveau soupir.) Enfin...

Pendant un moment, ils gardèrent le silence, et au loin il entendit ululer une sirène, en route vers un drame anonyme.

– Tu me manques, Annie.

– Je sais. Tu nous manques aussi...

- Pardon. Je n'ai qu'une ligne et, au bureau, ils ont essayé
de m'ensevelir sous les fax.
Elle lui apprit que Grace avait essayé de le contacter une
heure plus tôt à son travail, probablement juste après son
départ. Maintenant, elle était couchée.
Comme Annie lui racontait sa journée, Robert se rendit au
salon et, sans allumer, s'installa sur le canapé devant la
fenêtre. Annie semblait lasse et abattue, et il essaya sans

19

ANNIE déposa Grace à la clinique un peu avant neuf
heures et se faufila jusqu'à la station-service du centre-
ville. Elle fit le plein à côté d'un petit homme au visage tanné
qui arborait un chapeau assez large pour abriter un cheval. Il
vérifiait l'huile d'une vieille Dodge attelée à un chargement
de bétail. Reconnaissant des black angus, elle résista à l'envie
de lui confier quelque remarque d'initiée, inspirée de ses
connaissances sommaires glanées le jour du marquage. Elle
répéta en secret. Belles vaches. Non, pas « vaches ». Bes-
tioles ? Bestiaux... ? Elle abandonna. À la vérité, elle ne savait
absolument pas si ces bêtes étaient belles, laides ou infestées
de puces. Aussi, elle préféra la boucler et se contenter d'un
vague signe de tête assorti d'un sourire.

Comme elle se dirigeait vers la caisse, quelqu'un l'appela et
elle aperçut Diane qui descendait de sa Toyota près de
l'autre rangée de pompes. Annie lui fit signe et s'approcha.

- Ainsi, il vous arrive de lâcher le téléphone ! On
commençait à se demander...

Annie répondit aimablement qu'elle conduisait sa fille chez
la kinésithérapeute trois fois par semaine. Elle rentrait justement travailler et reviendrait la chercher à midi.

- J'irai à votre place ! J'ai un tas de courses à faire en ville.
Elle est au Bellevue ?

- Oui, mais vous n'allez pas...

– Ne dites pas de bêtises. C'est de la folie de passer tout ce temps sur les routes.

Annie tergiversa, mais Diane ne voulut rien savoir – vraiment ça ne posait aucun problème – si bien qu'elle finit par céder. Elles bavardèrent encore quelques minutes à propos de leur emménagement dans la petite maison et Diane lui demanda s'il lui manquait quelque chose, puis elle prit congé.

Sur le chemin du retour, Annie songea à cette rencontre avec perplexité. Si l'offre de Diane était généreuse, son ton l'était nettement moins. Un brin accusateur, comme si elle lui reprochait d'être trop occupée pour assumer son rôle de mère. C'était peut-être de la paranoïa...

En route, elle admira la prairie. Les ombres noires du bétail ressortaient sur l'herbe pâle comme les fantômes des bisons d'un autre âge. Devant elle, le soleil faisait naître des mirages sur l'asphalte. Elle abaissa sa vitre et laissa le vent couler dans ses cheveux. C'était la mi-mai et on avait enfin l'impression que le printemps était là pour de bon. Lorsqu'elle quitta la route goudronnée, le front des Rocheuses surgit devant elle, coiffé de nuages qui semblaient volés à quelque galactique jatte de crème Chantilly. Il ne manquait plus que la cerise et la petite ombrelle en papier. Puis elle se rappela tous les fax et messages qui devaient l'attendre et réalisa que cette pensée lui avait fait lever le pied de l'accélérateur.

Elle avait déjà épuisé son mois de congé accordé par Crawford et appréhendait le moment de solliciter une prolongation. Car, en dépit de ses beaux discours, elle ne se faisait guère d'illusions. Ces jours-ci, Crawford avait manifesté son impatience sans aucune ambiguïté par une succession d'ingérences dont aucune en soi ne justifiait une protestation mais qui, considérées dans leur ensemble, signalaient une menace.

Il avait critiqué le papier de Lucy Friedman sur les « dandys », qu'Annie jugeait brillant. Il avait questionné l'équipe des maquettistes sur deux couvertures – sans trop insister mais assez pour faire impression. Et il avait envoyé à Annie un long mémo expliquant qu'il pensait que la couverture de Wall Street était surpassée par la concurrence. Elle ne s'en serait pas formalisée, s'il n'en avait adressé copie à quatre autres directeurs avant même de lui avoir parlé. Si ce vieux renard voulait la bagarre, soit. Plutôt que de lui téléphoner, elle avait rédigé une riposte immédiate et solide, truffée de faits et de chiffres, et envoyé copie aux mêmes personnes, plus, pour faire bonne mesure, à quelques autres qu'elle savait ses alliés. *Touché.* Mais Dieu, comme tout cela lui coûtait...

Une fois franchi la colline et alors qu'elle longeait les corrals, elle vit les yearlings de Tom qui couraient dans l'arène, mais Tom n'était pas dans les parages et elle en ressentit une déception – dont elle sourit le moment d'après. En débouchant derrière la petite maison, elle constata la présence d'une camionnette de la compagnie de téléphone et, au moment où elle posait le pied à terre, un homme en salopette sortit sur la véranda. Il lui souhaita une bonne journée et lui annonça qu'il avait installé deux lignes.

À l'intérieur, elle découvrit deux nouveaux téléphones sur son bureau. Le signal du répondeur indiquait quatre messages, et trois fax étaient arrivés, dont un de Lucy Friedman. Elle en prenait connaissance lorsque l'un des appareils sonna.

– Bonjour...

C'était une voix masculine, qu'elle n'identifia pas sur le moment.

– Qui est-ce?

– Pardon... Tom. Tom Booker. Je viens de voir le type repartir et je voulais vérifier que les lignes fonctionnaient.

Annie éclata de rire.

– Je puis vous affirmer que oui, en tout cas l'une des deux. J'espère que ça ne vous a pas ennuyé de le laisser entrer...

– Bien sûr que non.

– Merci. C'est chic de votre part. Vous n'étiez pas obligé...

– Ce n'est pas grand-chose. Grace disait qu'elle avait parfois du mal à joindre son papa.

– C'est très aimable à vous.

Ne sachant qu'ajouter, Annie lui raconta qu'elle était tombée en ville sur Diane, qui avait gentiment offert de ramener Grace.

– Elle aurait pu aussi la conduire là-bas, si nous avions su...

Après l'avoir encore remercié, Annie lui proposa de payer l'installation, mais il éluda la question et raccrocha. Elle se mit à lire le fax de Lucy, mais bizarrement, elle eut du mal à se concentrer et alla se préparer du café à la cuisine.

Vingt minutes plus tard, elle était de retour à son bureau et avait raccordé une ligne à son modem, et l'autre à son fax. Elle s'apprêtait à appeler Lucy, qui était une fois de plus remontée contre Gates, lorsqu'elle entendit des pas sur les marches de la véranda et des petits coups frappés à la porte.

À travers le grillage, elle aperçut Tom Booker, qui sourit en la voyant. Il recula lorsqu'elle lui ouvrit la porte, et elle constata qu'il était venu avec deux chevaux sellés, Rimrock et un poulain. Elle croisa les bras, s'appuya au chambranle et lui adressa un sourire sceptique.

– La réponse est non.

– Vous ne connaissez pas la question !

– Je crois que j'ai deviné..

– Vraiment ?

– J'en suis sûre.

– Eh bien, je me suis dit que puisque vous aviez réussi à distraire une heure et demie de votre temps pour faire un saut à Choteau, vous pouviez être encline à en profiter pour prendre l'air...

– À cheval ?

– Oui.

Ils se dévisagèrent en silence. Tom portait une chemise rose délavé et, par-dessus son jean, les jambières en cuir rapiécées qu'il mettait toujours pour monter. Peut-être à cause de la lumière, ses yeux semblaient aussi limpides et aussi bleus que le ciel derrière lui.

– Bon, en fait, c'est vous qui me rendrez service. Avec tous ces poulains fringants que je dois monter, ce pauvre Rimrock se sent un peu délaissé. Il serait heureux de pouvoir prendre soin de vous...

– Est-ce ainsi que je dois payer les nouvelles lignes?

– Non, chère madame. Ceci est en supplément...

La kinésithérapeute de Grace était un petit bout de femme affublé d'une tignasse de boucles teintes en mèche à mèche, et de grands yeux gris écarquillés qui lui donnaient un air perpétuellement étonné. Terri Carlson avait cinquante et un ans et était du signe de la Balance. Ses parents étaient morts et elle avait trois garçons que son mari lui avait faits coup sur coup, quelque trente ans plus tôt, avant de filer avec une reine du rodéo texane. Il avait tenu à appeler ses enfants John, Paul et George – et Terri remerciait le ciel qu'il fût parti avant le quatrième. Tout cela, Grace l'avait découvert lors de sa toute première visite et, comme à chaque séance, Terri reprenait là où elle en était restée, elle aurait pu désormais remplir plusieurs carnets de notes sur la vie de sa kinési. Non qu'elle fût ennuyée par ce déballage. Au contraire. Elle en profitait pour rester allongée sur le banc d'exercice, comme maintenant, sans plus penser à rien.

Grace avait protesté quand Annie lui avait signalé qu'elle avait fixé trois rendez-vous par semaine. Elle savait qu'après tous ces mois, c'était plus qu'il n'en fallait. Mais les médecins de New York avaient prétendu que plus on travaillait, moins on risquait de boiter.

– Qui ça intéresse, que je boite...? avait dit Grace.

– Moi, ça m'intéresse, avait répondu Annie.

Et il n'y avait pas eu à discuter.

En fait, Grace appréciait les séances davantage qu'à New York. D'abord, les exercices. Tout y passait. À la fin, la kiné lui fixait des poids au moignon, la faisait transpirer sur le vélo d'appartement, et même se trémousser devant les murs tapissés de miroirs. Le premier jour, Grace avait fait la tête en écoutant la cassette.

– Tu n'aimes pas Tina Turner?

Grace avait répondu que Tina Turner, c'était bien. Mais elle était quand même un peu...

– Vieille? Sors d'ici! Elle a mon âge!

Grace avait rougi, elles avaient éclaté de rire, et depuis tout marchait comme sur des roulettes. Terri lui avait proposé d'apporter ses propres cassettes et c'était devenu une inépuisable source de plaisanteries entre elles. Lorsqu'elle découvrait une nouveauté, Terri prenait un air de circonstance et déclarait avec un soupir : « Encore des nouvelles d'outre-tombe... »

Après la rééducation, Grace prenait un peu de repos puis se rendait à la piscine. Ensuite, la dernière heure, elle retournait devant les glaces pour s'entraîner à marcher. Grace ne s'était jamais sentie plus en forme de sa vie.

Aujourd'hui, Terri avait appuyé sur la touche « pause » du film de sa vie pour l'entretenir d'un jeune Indien, à qui elle rendait visite une fois par semaine dans sa réserve. C'était un jeune homme de vingt ans, très beau et très fier. L'été dernier, alors qu'il se baignait avec des amis, il avait plongé tête la première sur un écueil et s'était brisé net la colonne vertébrale. Il était désormais paralytique.

– Le jour où je débarque, monsieur me fait la gueule, dit-elle. (Elle actionnait le moignon de Grace comme une pompe.) Il me dit qu'il ne veut pas de moi, et que si je refuse de partir, alors c'est lui qui s'en va, il ne veut pas s'exposer à être humilié... Il n'ajoute pas : « par une femme », mais l'intention y est. Je me dis : qu'est-ce qu'il raconte? Il est cloué dans son lit! Mais tu sais quoi... il est réellement parti. Je me suis mise au travail et au bout d'un moment, quand je l'ai regardé, il était parti. Envolé.

Elle vit que Grace n'avait pas compris.

– Son esprit s'en était allé. Et ce n'était pas du bluff, je te le garantis. Il était ailleurs. Et à la fin de la séance, il est revenu. Maintenant, c'est réglé à chaque séance. Tourne-toi, ma grande, un peu de Jane Fonda...

Grace roula sur le côté gauche et commença les battements en ciseaux.

– Il a dit où il allait ?

Terri gloussa.

– Quand je lui ai posé la question, il m'a répondu qu'il ne me le dirait jamais, de peur que je ne lui coure après avec mes battoirs. C'est le surnom qu'il me donne : « Madame Battoirs ». On pourrait croire qu'il me déteste, mais non. C'est sa façon de préserver sa fierté. Je suppose que nous sommes tous pareils sous ce rapport. C'est bien, ma grande. Un peu plus haut... ? Bravo !

Bientôt, Terri l'accompagna à la piscine et la laissa seule. C'était un endroit paisible et, pour une fois, complètement désert. L'atmosphère sentait le propre et le chlore. Grace enfila son maillot de bain et s'accorda un passage dans le petit bain à remous. Le soleil tombait à la surface de l'eau depuis une lucarne. Des rayons ricochaient pour évoluer en reflets ondoyants au plafond – d'autres fusaient à l'oblique au fond du bassin où ils formaient des motifs onduleux comme une colonie de serpents bleu pâle – passant de vie à trépas et renaissant toujours.

Allongée dans les bienfaisants remous, elle songea à l'Indien. Quel bonheur d'avoir le don de quitter son corps ! Cela lui rappela son coma. C'était peut-être ce qui s'était passé. Mais où s'en était-elle allée et qu'avait-elle vu ? Elle ne se souvenait de rien, seulement du moment où elle était sortie du tunnel visqueux, attirée par la voix de sa mère.

Elle avait toujours eu le don de se rappeler ses rêves. C'était facile, il suffisait de les raconter dès le réveil, même s'il n'y avait personne pour vous écouter. Plus jeune, elle aimait grimper le matin dans le lit de ses parents, pour se pelotonner dans les bras de son père, et lui raconter. Il lui posait toutes sortes de questions détaillées et, parfois, elle devait inventer

pour combler les trous. C'était toujours son père, parce qu'à
cette heure-là sa mère était déjà en train de courir, ou sous la
douche, lui criant qu'il était temps de s'habiller et de répéter
son piano. Robert lui disait de les noter par écrit, qu'elle
aurait plaisir à se relire une fois adulte. Mais pour Grace,
c'était trop d'efforts.

Elle avait cru qu'elle ferait des cauchemars terrifiants, san-
glants, de l'accident. Mais pas une fois elle n'en avait rêvé. Et
son seul rêve sur Pilgrim remontait à deux jours. Il se tenait
sur la rive opposée d'un grand fleuve brun, et c'était bizarre,
parce qu'il était plus jeune, presque un petit poulain, mais
c'était bien lui tout de même, et quand elle l'avait appelé, il
avait sondé l'eau puis s'était avancé dans le courant pour
nager dans sa direction. Mais il n'était pas assez costaud pour
lutter contre le courant, et il dérivait, elle voyait sa tête dimi-
nuer, et elle se sentait désemparée et pleine d'angoisse, car
elle ne pouvait rien faire à part crier son nom. Puis elle sentait une présence à son côté et en se retournant elle voyait
que c'était Tom Booker, qui lui disait de ne pas s'inquiéter,
Pilgrim ne risquait rien, car le fleuve n'était pas très profond
en aval, et il trouverait bien le moyen de traverser.

Grace n'avait pas dit à sa mère que Tom Booker lui avait
demandé de lui raconter l'accident de peur qu'Annie en fît
toute une histoire, ou en soit contrariée, ou essaye de décider
à sa place. Ce n'était pas ses affaires. C'était une chose entre
Tom et elle, qui les concernait elle et Pilgrim, et la décision
lui en revenait. Et voilà qu'elle comprenait maintenant
qu'elle avait déjà fait son choix. Même si cette perspective
l'intimidait, elle lui parlerait. Et après, peut-être mettrait-elle
sa mère au courant.

La porte s'ouvrit sur Terri, qui lui demanda si tout allait
bien. Grace apprit que sa mère venait de téléphoner pour
prévenir que Diane Booker viendrait la chercher à midi.

Ils remontèrent le long de la rivière et traversèrent par le
gué où ils s'étaient rencontrés la dernière fois. Comme ils

atteignaient la basse prairie, le bétail se déplaça paresseusement pour les laisser passer. Les nuages avaient disparu des cimes enneigées et l'air fleurait bon les jeunes pousses en pleine croissance. Crocus roses et primevères apparaissaient dans l'herbe et un soupçon de feuillage auréolait les peupliers.

Il la laissa marcher en tête en regardant la brise jouer dans ses cheveux. C'était la première fois qu'elle montait sur une selle de cow-boy et, prétendait-elle, elle se sentait comme en bateau. Avant de partir, elle lui avait demandé de raccourcir les étrivières, qui avaient maintenant la bonne longueur pour attraper des bêtes au lasso, mais elle disait qu'elle avait plus d'assurance ainsi. On voyait qu'elle avait de l'expérience à sa façon de se tenir en épousant les mouvements de sa monture.

Quand il sentit qu'elle était rodée, il la rattrapa et ils chevauchèrent de front, sans parler, sauf quand elle lui demandait le nom d'un arbre, d'une plante ou d'un oiseau. Elle écoutait alors sa réponse les yeux écarquillés, puis hochait la tête avec gravité en enregistrant l'information. Ils passèrent devant des bouquets de trembles, et il lui apprit que ce nom venait de ce que leur feuillage frémissait au moindre souffle d'air, puis il lui montra les cicatrices noires sur les troncs pâles, là où en hiver des élans avaient arraché des bandes d'écorce.

Ils remontèrent une longue crête escarpée, parsemée de pins et de potentilles, et parvinrent au bord d'une haute falaise d'où l'on pouvait admirer les vallées jumelles qui avaient donné son nom au ranch. Là, ils marquèrent une pause pour faire reposer les chevaux.

— Belle vue, dit Annie.

— Quand mon père s'est installé ici, mon frère et moi on faisait la course d'ici au ranch en pariant pour dix cents ou un quart de dollar, quand on était en veine. Il prenait par une rivière et moi par l'autre.

— Qui gagnait ?

— Ma foi, c'était lui le plus jeune et, souvent, il fonçait si

222

vite qu'il se cassait la figure, et je devais alors l'attendre sous les arbres, puis on finissait au coude à coude. Ça lui faisait tellement plaisir de gagner qu'en général je le laissais...

Elle lui sourit.

– Vous êtes bonne cavalière, dit-il.

Elle fit la grimace.

– Avec ce cheval, ce n'est pas difficile.

Elle se pencha pour flatter Rimrock et, pendant un instant, on n'entendit plus que le souffle des chevaux qui s'échappait par les naseaux. Elle se redressa sur sa selle et reporta son attention sur la vallée. D'ici, on voyait juste le sommet de la petite maison par-dessus les arbres.

– Qui est R. B. ? dit-elle.

– R. B. ?

– Sur la margelle du puits. Il y a des initiales, T. B. – vous, j'imagine – et R. B.

Il rit.

– Rachel, ma femme.

– Vous êtes marié ?

– Divorcé. Il y a longtemps.

– Des enfants ?

– ... Un garçon. Il a vingt ans. Il vit avec sa mère et son beau-père à New York.

– Comment s'appelle-t-il ?

Pour poser des questions, elle était forte. Son métier, sûrement. Cela ne le dérangeait pas. En fait, il aimait bien son côté direct. Elle posait ses questions en vous regardant droit dans les yeux. Il sourit.

– Hal.

– Hal Booker. Ça sonne bien.

– C'est un bon garçon. Vous avez l'air surpris... ?

Aussitôt, il regretta sa réflexion, car elle rougit et il comprit qu'il l'avait embarrassée.

– Non, nullement. Je...

– Il est né dans la petite maison.

– C'était votre foyer ?

– Oui. Rachel n'avait jamais pu s'y faire. Les hivers sont plutôt rigoureux par ici.

Comme une ombre passait par-dessus la tête des chevaux, il leva les yeux vers le ciel, et Annie l'imita. C'était un couple d'aigles royaux, et il lui apprit qu'on pouvait les reconnaître à leur taille et à la couleur des ailes. Ensemble, en silence, ils regardèrent les rapaces s'élever lentement vers les sommets, avant de se perdre derrière les murailles grises de la montagne.

– Tu as déjà visité ce truc ? demanda Diane, en croisant l'albertasaurus sur la route.

Grace répondit que non. Diane pilotait son engin nerveusement, comme si la Toyota méritait une bonne leçon.

– Joe adore. Les jumeaux préfèrent leur Nintendo.

Grace rit. Elle aimait bien Diane. C'était une bonne femme un peu à cran, mais elle avait été sympa avec elle dès le début. Tout le monde était sympa, mais Diane lui parlait de façon particulière, sur le ton de la confidence, comme à une sœur. Peut-être parce qu'elle n'avait eu que des garçons.

– Il paraît qu'ici c'était un lieu de reproduction pour les dinosaures. Et tu sais quoi, mon chou... ? Ils ont pas encore décanillé. Attends d'avoir rencontré certains types des environs...

Elles parlèrent de l'école et Grace lui raconta comment, le matin où elle n'allait pas à la clinique, Annie lui faisait répéter ses leçons. Diane admit que ça devait être une sacrée astreinte.

– Et ton père, qu'est-ce qu'il en pense ?

– Il s'ennuie tout seul.

– J'imagine...

– Mais il suit une affaire importante en ce moment. Alors, de toute façon, on se serait peut-être pas souvent vus...

– Ça doit pas être toujours commode d'avoir des parents pareils, obsédés par leur carrière...

– Oh, papa n'est pas comme ça...

C'était sorti tout seul, et le silence qui suivit ne fit qu'aggraver les choses. Grace n'avait pas voulu suggérer une quelconque critique à l'encontre de sa mère, mais elle comprit à l'expression de Diane que cela revenait au même.

– Elle ne prend jamais de vacances ?

Le ton était compréhensif, compatissant, et Grace se sentit dans la peau d'une traître, comme si elle avait fourni une arme à Diane, et elle voulut dire : non, vous avez mal compris, ce n'est pas ça du tout. Mais à la place, elle se contenta de hausser les épaules en disant : « Oh si, de temps en temps. »

Elle détourna les yeux et le silence retomba. Il y avait certaines choses que les gens ne comprendraient jamais. Pour eux, c'était ou tout blanc ou tout noir, mais la vie était plus compliquée. Elle était fière de sa mère. Et même si elle ne l'aurait jamais avoué à Annie, elle rêvait de devenir comme elle, plus tard. Peut-être pas exactement pareille, mais elle trouvait normal et juste qu'une femme pût mener ce genre de carrière. Ça lui plaisait que ses camarades aient entendu parler d'Annie Graves, de tous ses succès. Elle n'aurait rien voulu changer, et même si elle lui reprochait parfois de ne pas être toujours là comme les autres mères, en toute honnêteté, elle ne souffrait jamais de ses absences. Elle était souvent seule avec son père, mais c'était bien. Mieux que « bien », parfois même elle préférait. Le seul problème, c'était qu'Annie était toujours si sûre d'elle-même. Si excessive et décidée. Même quand on était d'accord avec elle, on avait envie de lui faire la guerre.

– Joli, non ? dit Diane.

– Ouais.

Quoique tournée vers la vitre, Grace n'avait pas fait attention au paysage, et maintenant « joli » ne lui semblait pas le terme approprié. Mélancolique, plutôt.

– Qui se douterait qu'il y a ici assez d'armes nucléaires pour pulvériser la planète… ?

Grace se retourna.

– C'est vrai ?

225

– Je pense bien. Le sous-sol est truffé de silos à missiles. On n'est peut-être pas la région la plus peuplée d'Amérique, mais pour les bombes et le bœuf, on est champion !

Le téléphone coincé sous le menton, Annie écoutait Don Farlow d'une oreille distraite en corrigeant une phrase qu'elle venait de dactylographier sur son clavier. Elle était en train de s'échiner sur un éditorial qui traînait dans la boue une initiative du maire de New York visant à lutter contre l'insécurité, mais elle avait du mal à trouver le ton juste, cocktail d'indignation et d'esprit caustique qui caractérisait le style d'Annie Graves, quand elle était au meilleur de sa forme.

Don Farlow lui brossait un tableau en accéléré des différents dossiers sur lesquels il travaillait avec ses collaborateurs – pour le plus grand ennui d'Annie. Abandonnant sa phrase, elle regarda par la fenêtre. Le soleil déclinait, et au niveau de la grande arène elle pouvait voir Tom penché à la barrière, qui parlait avec Grace et Joe. Elle le vit rejeter la tête en arrière et faire mine de rire. Derrière lui, la grange projetait une longue ligne d'ombre sur le sable rouge.

Ils avaient fait travailler Pilgrim tout l'après-midi. Le cheval les observait désormais depuis le fond de l'arène, la robe luisante de sueur. Joe, qui venait de rentrer de l'école, les avait rejoints aussitôt, comme à son habitude. Depuis plusieurs heures déjà, Annie n'arrêtait pas de surveiller Grace et Tom, et elle commençait à ressentir les prémices de ce qui, si elle ne s'était mieux connue, aurait pu lui apparaître comme de la jalousie.

Elle avait mal aux cuisses depuis sa balade. Des muscles qu'elle n'avait pas sollicités depuis trente ans exprimaient leur indignation et Annie chérissait ces courbatures comme un bon souvenir. Voilà des années qu'elle n'avait éprouvé une telle allégresse. Comme si on avait ouvert sa cage. Sous le coup de l'émotion, elle s'était confiée à Grace dès qu'elle était rentrée. Le visage de sa fille s'était vaguement rembruni avant de se figer dans ce masque d'indifférence avec lequel elle accueillait toutes les nouvelles de sa mère, et Annie s'en était voulue de s'être livrée. Quel manque de tact, avait-elle pensé. Elle se demandait à présent pourquoi.

– ... Et il a demandé de tout arrêter.

– Quoi? Tu peux répéter?

– Il a dit d'arrêter les poursuites.

– Qui ça?

– Annie, tu es sûre que ça va?

– Ne fais pas attention. J'étais en train de faire une manipulation...

– Gates m'a demandé de laisser tomber Fiske. Tu te souviens, Fenimore Fiske? Et qui, je te prie, est Martin Scorsese?

C'était l'une des impérissables gaffes de Fiske. Il s'était enferré dans sa nullité en qualifiant autrefois *Taxi Driver* de «sordide navet signé par un talent insignifiant».

– Merci, Don, je me rappelle fort bien. Gates veut vraiment laisser tomber?

– Oui. Il dit que le procès coûterait trop cher et pourrait nuire au journal.

– Quelle ordure! Comment ose-t-il, sans m'en parler! C'est inouï.

– Je t'en prie, ne lui dis pas que tu tiens ça de moi.

– C'est inouï.

Comme elle pivotait sur son fauteuil, son coude renversa une tasse de café.

– Merde!

– Ça va?

– Écoute, Don, je vais réfléchir et je te rappelle... Entendu?

– Entendu.

Elle raccrocha et pendant un long moment fixa la tasse cassée et la tache qui s'élargissait sur le parquet.

– Merde.

Et elle partit chercher une éponge à la cuisine.

20

J'AI cru que c'était le chasse-neige. Je l'ai entendu venir de très, très loin. Nous avions tout le temps. Si on avait su que c'était un camion, on aurait dégagé la route. J'aurais dû en parler à Judith, mais je n'y ai pas pensé. À cheval, c'était toujours elle qui commandait, qui prenait les décisions. Pareil avec Gulliver et Pilgrim. C'était toujours Gulliver le chef, celui qui était raisonnable.

Elle se mordit la lèvre et détourna les yeux, de sorte que l'éclairage de la grange capta son profil. La nuit tombait et une brise froide montait de la rivière. Le trio avait reconduit Pilgrim dans sa stalle. Puis, d'un regard, Tom avait congédié Joe qui s'était sauvé en prétextant des devoirs à faire. Tom et Grace avaient marché tranquillement jusqu'à l'enclos du fond où se trouvaient les yearlings. En chemin, elle avait buté dans une ornière et Tom avait esquissé le geste de la retenir, mais elle s'était rattrapée toute seule et il se félicitait d'avoir combattu son réflexe. Accoudés à la clôture, ils regardaient maintenant les yearlings.

Elle l'avait conduit pas à pas à travers la matinée de l'accident. La promenade dans le bois, les pitreries de Pilgrim, le moment où, ayant perdu la trace, elles avaient dû redescendre par un couloir raide longeant la cascade. Elle parlait sans le regarder, les yeux fixés sur les chevaux, mais Tom savait qu'elle voyait seulement ce qui s'était passé ce jour-là, en compagnie d'une amie qui n'était plus. Et il se sentait de tout cœur avec elle.

– Puis nous avons trouvé l'endroit que nous recherchions, un talus qui menait au pont du chemin de fer. On était déjà montées là-haut, on connaissait le chemin. Judith a pris la tête, et c'est bizarre, on aurait dit que Gulliver avait flairé le danger, car il ne voulait pas avancer, et pourtant il n'est pas comme ça, d'habitude...

Elle réalisa qu'elle venait de parler au présent et lui jeta un regard de côté.

– Je lui ai demandé si tout allait bien. Elle a dit que oui, mais qu'il fallait faire attention. Alors je l'ai suivie.

– Pilgrim a résisté lui aussi?

– Non, pas du tout. Il n'était pas comme Gully. Il était content...

Elle baissa les yeux, et le silence retomba. Un yearling hennit doucement du fond de l'enclos. Tom lui posa la main sur l'épaule.

– Ça va?

Elle acquiesça.

– Alors Gully s'est mis à glisser. (Elle le regarda avec une soudaine ferveur.) Vous savez, on a prouvé par la suite que la plaque de glace se trouvait seulement à cet endroit. Si elle s'était trouvée à quelques centimètres sur la gauche, rien ne serait arrivé. Mais il a dû poser le sabot juste dessus, et voilà...

Une fois de plus, elle détourna les yeux, et il devina à sa façon de bouger les épaules qu'elle luttait pour se dominer.

– Il a dérapé... Il faisait de son mieux pour se retenir sur ses jambes, mais plus il se donnait du mal, pire c'était... Il venait droit sur nous. Judith m'a crié de libérer le passage. Elle se cramponnait à l'encolure de Gully, et j'ai essayé de faire demi-tour avec Pilgrim, mais j'ai été trop brutale, je lui ai tiré sur la bouche... Si j'avais gardé mon sang-froid et si je m'y étais prise autrement, il aurait obéi. Mais je crois que je l'ai affolé complètement et il n'a pas... il n'a pas pu bouger!

Elle avala sa salive.

– Il nous a percutés. Je ne sais pas comment j'ai fait pour ne pas tomber. (Elle fit entendre un petit rire.) Ça aurait mieux valu. Sauf si j'étais restée accrochée comme Judith. Quand elle a déboulé, on aurait dit... comme quand on agite un drapeau... on aurait dit qu'elle était toute molle à l'intérieur. Elle rebondissait en dévalant la pente, sa jambe était restée bloquée dans l'étrier... on est partis tous ensemble dans le décor. Ça a duré une éternité. Le plus curieux, c'est que je me rappelle avoir pensé, avec le ciel bleu, le soleil, et les arbres sous la neige, j'ai pensé que c'était une belle journée. (Elle le prit à témoin.) Ça ne vous paraît pas bizarre ?

Tom ne trouvait pas cela bizarre. Il savait qu'il existait des instants où le monde choisissait de se révéler ainsi, non comme on aurait pu le croire, pour railler notre condition ou nos insuffisances, mais simplement pour affirmer – pour nous et pour toute la création – la valeur même de l'existence.

– Je ne sais pas si Judith a vu tout de suite le camion. Elle devait s'être fait très mal à la tête et Gully, qui avait complètement paniqué, la piétinait. Mais moi, dès que je l'ai vu déboucher du tunnel, j'ai pensé qu'il ne pourrait jamais s'arrêter et j'ai cru que si j'attrapais Gully, je pourrais sauver tout le monde. Qu'est-ce que j'ai été bête...

Elle se prit la tête dans les mains et ferma les yeux quelques instants.

– J'aurais dû mettre pied à terre. Ça aurait été plus facile de l'attraper. D'accord, il était paniqué, mais comme il s'était blessé à la jambe, il n'aurait pas pu aller loin. J'aurais fait filer Pilgrim d'une bonne claque au derrière, et ensuite j'aurais écarté Gully de la route. Mais je ne l'ai pas fait.

Elle renifla.

– Pilgrim a été formidable. Il était affolé lui aussi, mais il s'est repris tout de suite. C'était comme s'il avait deviné ce que je voulais. Il aurait pu marcher sur Judith, lui aussi, mais il ne l'a pas fait. Et si le type n'avait pas klaxonné, on aurait réussi. On a failli réussir. J'avais les doigts dessus...

Grace le regarda, et il vit que son visage était défiguré par la souffrance – et enfin les larmes coulèrent. Tom l'entoura de ses bras, la serra contre lui. Elle appuya la joue contre sa poitrine et sanglota.

– J'ai vu le visage de Judith levé vers moi, à côté des sabots de Gully, juste avant le coup de klaxon. Elle avait l'air si petite, si apeurée. J'aurais pu la sauver. J'aurais pu tous nous sauver.

Il se garda de prononcer un mot, car il savait que les paroles étaient trop futiles pour changer ces souvenirs-là, que même le passage des années ne pourrait effacer. Pendant un long moment, ils restèrent sans bouger, tandis que la nuit les enveloppait, puis il posa sa main en coupe sur sa nuque et sentit la fraîche odeur juvénile de ses cheveux. Et quand les larmes furent taries et qu'il sentit son corps se détendre, il lui demanda gentiment si elle voulait poursuivre. Elle fit signe que oui, renifla, et reprit sa respiration.

– On a entendu le klaxon, et tout s'est précipité. Pilgrim a fait face au poids lourd. C'était dingue, on aurait dit qu'il ne voulait pas le laisser faire. Il ne voulait pas laisser ce grand monstre nous faire du mal. Il était prêt à combattre. Combattre un quarante tonnes, rien que ça...! Il était vraiment décidé, je l'ai bien senti. Et quand le camion a été sur nous, il s'est cabré. Je suis tombée sur la tête. Après, je ne me souviens plus de rien...

La suite, Tom la connaissait, au moins dans les grandes lignes. Annie lui avait donné les coordonnées de Harry Logan et ce dernier lui avait tout raconté au téléphone. Le vétérinaire lui avait relaté les conditions du transfert de Pilgrim à Cornell – clinique que Tom connaissait de réputation – et le traitement qu'on lui avait infligé.

Lorsque Tom avait affirmé que, sincèrement, il avait accompli un miracle, Logan avait éclaté de rire et déclaré qu'il regrettait sa performance. Selon lui, tout était allé par la suite de travers chez les Dyer. Il se sentait coupable lui aussi.

Grace prenait froid. Il était tard et sa mère allait s'inquiéter. Ils rentrèrent lentement dans la grange, traversèrent le vaste espace vide et sombre qui résonna de leurs pas, et sortirent par l'autre côté où la voiture les attendait. Les faisceaux des phares tressautèrent au gré des cahots du chemin. Pendant un moment, les chiens les devancèrent en courant, précédés d'ombres pointues, et quand ils tournèrent la tête pour regarder la voiture, leurs yeux étincelèrent d'un éclat vert et fantomatique.

Grace lui demanda si son récit lui servirait avec Pilgrim et il répondit qu'il allait y songer, mais qu'il avait de l'espoir. Lorsqu'il fut garé, il constata avec soulagement qu'elle s'était complètement ressaisie, et alors qu'elle mettait pied à terre elle lui sourit, et il vit qu'elle voulait le remercier mais que sa timidité l'en empêchait. Il reporta son attention sur la maison, dans l'espoir de voir Annie, mais elle n'était pas là.

– À demain ?

– Oui, dit-elle.

Et elle claqua la portière.

À l'heure où il rentra, tout le monde avait déjà dîné. Frank, qui aidait Joe à résoudre un problème de mathématiques à la table de la salle à manger, demandait aux jumeaux, pour la dernière fois, de baisser le son de la télé, ou il allait se fâcher. Sans un mot, Diane prit sa part et la fit réchauffer au micro-ondes tandis qu'il se débarbouillait dans la salle de bains du rez-de-chaussée.

– Elle est contente de ses nouveaux téléphones ?

Par la porte ouverte, il la vit retourner s'asseoir à la table de la cuisine et reprendre sa couture.

– Oui. Elle m'a beaucoup remercié.

Il s'essuya les mains et quitta la salle de bains. Le micro-ondes émit un déclic ; il sortit son assiette et se mit à table. Tourte au poulet, haricots verts et pommes de terre au four. Diane avait toujours cru que c'était son plat favori et il n'avait jamais eu le cœur de la détromper. Il n'avait pas faim du tout, mais il ne voulait pas la contrarier et attaqua son assiette.

– Moi, je ne comprends pas ce qu'elle fait du troisième..., déclara Diane, le nez dans son ouvrage.

– Qu'est-ce que tu veux dire ?

– Elle n'a que deux oreilles...

– Oh, elle a un fax et des appareils qui fonctionnent sur des lignes séparées, et avec tous les appels qu'elle reçoit... Elle m'a proposé de régler l'installation.

– Et tu as refusé, je parie...

Il ne nia pas, et vit Diane se sourire à elle-même. Il savait qu'il ne servait à rien de discuter quand elle était dans cet état d'esprit. Dès le début, elle n'avait pas caché qu'elle était loin d'être emballée par la présence d'Annie, et Tom avait cru préférable de la laisser dire. Il continua à manger, et quelques minutes s'écoulèrent ainsi dans le silence. Frank et Joe se disputaient pour savoir si un certain nombre devait être multiplié ou divisé.

– Frank m'a dit que tu l'avais emmenée en balade aujourd'hui...

– C'est vrai. Elle n'avait pas monté depuis des années. C'est une bonne cavalière.

– Sa pauvre petite fille... Quelle histoire...

– Oui.

– Elle a l'air si solitaire. Elle ferait mieux de retourner à l'école, à mon avis.

– Je ne sais pas. Je la trouve bien...

Après avoir terminé son repas et vérifié que tout était normal du côté des chevaux, Tom déclara qu'il avait une lecture à faire et prit congé.

Sa chambre occupait tout l'angle nord de la maison et, depuis la fenêtre, la vue portait sur les hauteurs. La pièce, déjà vaste, le paraissait plus encore en raison de son dépouillement. Le lit, qui avait appartenu à ses parents, était haut et étroit, avec un chevet en érable orné d'une volute. Il était recouvert d'un édredon – œuvre de sa grand-mère – qui à l'origine avait été rouge et blanc. Mais le rouge avait pâli en rose et, aux points d'usure, le tissu était si mince que la doublure apparaissait. Il y avait encore une petite table en pin avec une simple chaise, une commode et un vieux fauteuil recouvert d'une housse, sous une lampe, près du poêle à bois.

Le sol s'ornait de carpettes mexicaines que Tom avait achetées à Santa Fe, mais elles étaient trop petites pour donner une impression de confort ; en fait, elles produisaient juste l'effet inverse, larguées comme des îles perdues sur le sombre océan du parquet. Au fond, deux portes : l'une ouvrait sur la penderie, l'autre sur une petite salle de bains. Sur la commode, quelques photos modestement encadrées. L'une de Rachel avec Hal bébé, et qui commençait à perdre ses couleurs. À côté, une autre, plus récente, représentait Hal, avec le même sourire mystérieux que sa mère. De fait, devant ces photos et ces murs tapissés de livres et de numéros de revues spécialisées, un étranger aurait pu s'étonner qu'un homme parvenu à cet âge ait accumulé aussi peu.

Tom s'assit à sa table avec une brassée de *La Revue du cheval*, qu'il se mit à trier. L'article qu'il recherchait était signé d'un entraîneur californien qu'il avait rencontré jadis, et concernait une jeune jument réchappée d'un grave accident. Cette bête s'était trouvée avec six autres chevaux dans une remorque qu'un chauffeur convoyait depuis le Kentucky. En Arizona, l'homme s'était endormi au volant, avait quitté la route, et l'attelage s'était retourné. On avait retrouvé la remorque couchée sur le côté de l'ouverture, de sorte que l'équipe de secours avait dû découper la tôle à la tronçonneuse. On avait découvert les bêtes pendues par l'attache qui les retenait à leur box. Seule la jument avait survécu.

L'entraîneur avait une théorie selon laquelle on pouvait utiliser la réaction naturelle du cheval à la douleur pour l'aider. C'était un peu fumeux, et Tom n'était pas sûr d'avoir tout saisi, mais la thérapie était basée sur l'idée que si l'instinct du cheval lui commandait de fuir, quand la douleur était là, il l'affrontait en face.

L'homme appuyait sa démonstration par des anecdotes sur ces chevaux sauvages qui, poursuivis par une meute de loups, se retournent à la première morsure pour combattre. Comme un bébé qui se fait les dents : il n'évite pas la douleur, mais s'acharne dessus. L'auteur soutenait que cette théorie l'avait aidé à guérir la jument traumatisée.

Tom trouva le numéro et relut l'article dans l'espoir que cette lecture jetterait quelque lumière sur ce qu'il convenait de faire dans le cas de Pilgrim. C'était un peu sommaire mais, apparemment, le type s'était contenté d'aider la jument à retrouver les principes de base, comme si elle repartait de zéro, facilitant les bonnes actions et contrariant les mauvaises. Fort bien, mais il n'y avait rien de nouveau pour Tom. C'était déjà ainsi qu'il pratiquait. Quant à « rendre douloureuses certaines actions », il ne comprenait pas ce que cela signifiait. Que cherchait-il au juste ? Un tour de passe-passe ? Il n'y avait pas de tour de passe-passe, il était bien placé pour le savoir. C'était une affaire entre lui et le cheval. Il repoussa le magazine, se cala dans son siège et soupira.

En écoutant Grace ce soir-là, et Harry Logan quelque temps plus tôt, il avait analysé à fond leur discours en quête de quelque chose à quoi se raccrocher, une clé. En vain. Et voilà qu'il comprenait à présent ce qu'exprimaient les yeux de Pilgrim : une totale décomposition intérieure. La confiance de l'animal, en lui-même et dans son entourage, avait volé en éclats. Ceux qu'il aimait et à qui il se fiait l'avaient trahi. Grace, Gulliver, tout le monde. Ils l'avaient entraîné sur cette côte comme s'il n'y avait pas de danger, et puis ils l'avaient disputé et brutalisé, quand il s'était révélé que ce n'était pas le cas.

Pilgrim se tenait peut-être pour responsable de l'accident. Pourquoi les êtres humains auraient-ils le monopole du remords ? Tom avait souvent vu des chevaux protéger leur cavalier, en particulier les enfants, des dangers auxquels les exposait leur inexpérience. Pilgrim avait laissé Grace tomber. Et lorsqu'il avait voulu la protéger du camion, il n'avait récolté que souffrance et châtiment. Puis ces inconnus l'avaient tourmenté, agressé, blessé, piqué avec des aiguilles et bouclé dans le noir, la crasse et la puanteur.

Plus tard, allongé dans son lit, en proie à l'insomnie, dans la grande maison silencieuse et obscure, Tom sentit un poids s'enfoncer en lui et se déposer sur son cœur. Il avait désormais le tableau qu'il recherchait – un tableau sombre et sans espoir.

Car, dans le jugement que Pilgrim avait porté sur les horreurs qui l'avaient accablé, il n'y avait nulle illusion, nulle sottise ni légèreté. C'était un jugement logique et c'était bien ce qui rendait difficile de l'aider. Tom, pourtant, voulait de toutes ses forces l'aider. Pour le cheval et pour la fillette. Mais il savait aussi – et c'était un tort – que, surtout, il le voulait pour la femme avec laquelle il s'était promené aujourd'hui, et dont la bouche et les yeux lui apparaissaient aussi distinctement que si elle avait été dans son lit.

21

L A nuit où mourut Matthew Graves, Annie et son frère séjournaient chez des amis dans les montagnes Bleues à la Jamaïque. C'était la fin des vacances de Noël et leurs parents étaient rentrés à Kingston en les laissant s'amuser encore quelques jours sur place. Annie et son frère George dormaient dans le grand lit tendu d'une vaste moustiquaire, lorsqu'en pleine nuit l'amie de leur mère vint les réveiller en chemise de nuit. Elle alluma la lampe de chevet et s'assit sur la couverture, tandis que les enfants se frottaient les yeux. Vaguement, à travers la gaze de la moustiquaire, Annie aperçut dans le fond le mari en pyjama rayé, le visage dans la pénombre.

Annie se souviendrait toujours de l'étrange sourire de la femme. Plus tard, elle devait comprendre que c'était un sourire d'appréhension mais, sur le moment, son expression lui parut comique, et lorsque la femme déclara qu'elle avait de mauvaises nouvelles et que leur père était mort, Annie crut à une farce. Pas une farce très drôle, mais tout de même une farce.

Des années plus tard, désireuse de faire quelque chose contre ses insomnies (lubie qui la prenait tous les quatre ou cinq ans, avec ce seul résultat qu'elle déboursait des sommes folles pour s'entendre dire des vérités qu'elle savait déjà), elle avait consulté une hypnothérapeute. La technique de cette femme était « orientée sur l'événement ». Cela signifiait apparemment qu'elle demandait à ses clients de lui fournir un incident qui avait marqué le début de leurs « crises » ou de leurs problèmes. Elle les jetait alors dans un état second, les ramenait dans le passé – et réglait la question.

À l'issue de la première séance à cent dollars, la pauvre femme se montra clairement désappointée devant l'incapacité de sa cliente à suggérer un incident idoine, si bien qu'Annie se tortura les méninges pendant toute une semaine pour trouver quelque chose. Ce fut Robert, à qui elle s'était confiée, qui mit le doigt dessus : Annie réveillée à l'âge de dix ans pour apprendre que son père était mort.

D'émotion, la thérapeute faillit en tomber de sa chaise. Annie jubilait elle aussi, comme ces chipies à l'école qui avaient toujours le doigt levé au premier rang. Ne t'endors pas, sinon un être cher risque de mourir. Pas très convaincant. Le fait qu'elle avait dormi ensuite comme une bûche pendant vingt bonnes années ne semblait pas gêner la thérapeute.

Cette dernière lui demanda alors si elle aimait son père, si elle aimait sa mère – et, après avoir écouté les réponses, si elle voulait bien se livrer à un « petit exercice de séparation ». Volontiers, dit Annie. La femme tenta alors de l'hypnotiser, mais elle était tellement survoltée qu'elle brûla les étapes et rata complètement son coup. Pour ne pas la décevoir, Annie fit de son mieux pour simuler une transe, mais elle eut bien du mal à garder son sérieux quand la femme, plaçant ses parents sur de petits disques d'argent, les expédia l'un après l'autre, en les saluant sereinement de la main, dans le vaste espace intersidéral.

Mais si la mort de son père, comme du moins Annie le croyait, n'avait aucun rapport avec ses insomnies, ses répercussions sur presque tout le reste étaient incommensurables. Dans le mois suivant le drame, sa mère avait débarrassé la maison de Kingston et disposé de certaines choses qui étaient les pivots de l'existence de ses enfants. Elle vendit le petit bateau où leur père leur avait appris à naviguer et dans lequel il les avait emmenés sur des îles désertes, pour pêcher la langouste parmi les coraux et courir sur le sable blanc des plages de cocotiers. Quant à leur chienne Bella, un croisement de labrador noir, elle avait été donnée à un voisin qu'ils connaissaient à peine. Ils l'avaient vue derrière le portail, dans le taxi qui devait les conduire à l'aéroport.

Ils s'étaient envolés pour l'Angleterre, pays étrange, humide et froid, où personne ne souriait, et leur mère les avait abandonnés dans le Devon à ses parents, tandis qu'elle rentrait à Londres pour « classer », disait-elle, les affaires de son défunt mari. Elle ne perdit pas de temps à « classer » également les siennes car, moins de six mois plus tard, elle s'apprêtait à se remarier.

Le grand-père d'Annie était un homme doux et falot, fumeur de pipe et cruciverbiste, dont le souci principal en cette vie était d'éviter les ires ou le simple mécontentement de sa moitié. Cette dernière était une petite femme malveillante avec une permanente blanche et raide, sous laquelle la peau rose du crâne luisait comme une menace. Son aversion pour les enfants n'était pas pire que celle qu'elle affichait pour presque tout le reste. Mais tandis que les objets de sa détestation étaient abstraits, inanimés, ou simplement ignorants de ses sentiments – avec ses petits-enfants, la réponse était bien plus gratifiante, et dans les mois qui suivirent, elle s'appliqua à leur rendre la vie impossible.

Elle favorisa George, non qu'elle le détestât moins, mais afin de les diviser, et rendit ainsi Annie, dans les yeux de qui elle était prompte à détecter l'insolence, encore plus malheureuse. Elle prétendit que son séjour aux « colonies » lui avait donné des manières vulgaires, négligées, et entreprit de l'en guérir en l'envoyant au lit sans dîner et en lui tapant sur les jambes, à la moindre peccadille, avec une longue cuillère en bois. Leur mère, qui prenait le train chaque week-end pour leur rendre visite, écoutait impartialement les doléances de ses enfants. Des enquêtes d'une stupéfiante objectivité furent menées, et Annie eut ainsi l'occasion d'apprendre comment des faits pouvaient être subtilement réarrangés pour rendre différents sons de cloche.

— Cette enfant a une imagination si fertile, disait sa grand-mère.

Réduite à une attitude de muet mépris et à des actes de vengeance mesquine, Annie volait des cigarettes dans le sac à main de la sorcière et allait les fumer derrière les rhododen-drons ruisselants, méditant avec amertume sur l'imprudence qu'il y a à aimer, quand ceux qui vous sont chers peuvent mourir et vous abandonner.

Son père, homme gai et pétulant, avait toujours été le seul à penser qu'elle valait quelque chose. Et à dater de sa mort, la vie d'Annie ne fut qu'une quête continuelle pour lui don-ner raison. À l'école, à l'université, et dans sa vie profes-sionnelle, c'était cet objectif qui la guidait : leur montrer de quoi elle était capable.

Après la naissance de sa fille, elle avait cru toucher au but. Dans ce petit visage rose et fripé, qui tétait si avidement son sein, le calme était venu comme après la tempête. C'était le temps des mises au point. Maintenant, elle pouvait enfin être elle-même. Puis il y avait eu la fausse couche. Une série de fausses couches, chaque échec en engendrant un autre, et bientôt Annie redevint la petite fille pâle de colère derrière les rhododendrons. Eh bien, elle allait leur montrer de quoi elle était capable.

Mais ce n'était plus comme avant. À ses débuts à *Rolling Stone*, cette frange des nouveaux médias qui suivait ces ques-tions l'avait qualifiée de « brillante et ardente ». Dans son nouveau rôle de chef – le genre de job qu'elle aurait juré ne jamais accepter – la première épithète lui restait acquise. Mais comme pour prendre acte de ce que sa flamme inté-rieure s'était refroidie, « ardente » s'était mué en « sans pitié ». En fait, Annie avait été la première étonnée de la bru-talité dont elle avait fait preuve dans ses nouvelles fonctions.

À l'automne dernier, elle avait rencontré une ancienne

camarade de pension. Comme Annie évoquait quelque affrontement sanglant au journal, cette femme lui avait demandé en riant si elle se souvenait d'avoir joué Lady Macbeth dans la pièce de l'école. Annie s'en souvenait fort bien. Et même, elle se rappelait avoir obtenu un beau succès.

– Tu te rappelles quand tu plongeais les bras dans le bidon d'hémoglobine pour le grand monologue? Tu étais rouge jusqu'aux coudes!

– Tu parles! Ça c'était un numéro...

Annie avait ri elle aussi, mais l'image l'avait poursuivie pendant tout un après-midi, jusqu'au moment où elle avait décidé que cela n'avait aucun rapport, car Lady Macbeth était motivée par la carrière de son mari, pas par la sienne propre, et de toute façon il n'y avait aucun lien de parenté. Le lendemain, peut-être pour marquer le coup, elle avait viré Fenimore Fiske.

À présent, depuis la trompeuse place forte de son bureau en exil, Annie réfléchissait à ses exploits et aux failles qui en étaient à l'origine. Elle en avait eu un aperçu à Little Bighorn, quand elle s'était effondrée contre le monument de pierre gravé aux noms de tous ces inconnus. Ici, dans les nuages, la vérité se révélait à elle encore plus crûment, comme si ses secrets se mettaient à pousser avec la saison. Et dans un silence affligé issu de cette connaissance, elle voyait comme derrière une vitre le monde extérieur se réchauffer et reverdir avec les jours de mai.

Ce n'était que lorsqu'il était là qu'elle se sentait vivante. Par trois fois, il était revenu frapper à sa porte, et ils s'étaient rendus sur de nouveaux sites à cheval.

Tous les mercredis, désormais, Diane ramenait Grace de la clinique et parfois, dans la semaine, elle ou Frank allaient aussi la déposer à l'occasion d'une course en ville. Ces matins-là, Annie se surprenait à attendre l'appel de Tom, et lorsque le téléphone sonnait, elle s'efforçait de ne pas trahir son impatience.

La dernière fois, elle était au milieu d'une conférence,

lorsqu'elle avait vu Tom sortir de la grange avec les chevaux sellés, et elle en avait perdu le fil de la discussion. Soudain, elle prit conscience que New York se taisait.

– Annie ? fit l'un de ses collaborateurs.

– Pardon. Il y a de la friture. J'ai raté la fin...

Lorsque Tom arriva, elle était toujours en conférence, et elle lui fit signe par la porte grillagée. Il ôta son feutre et entra. Annie lui exprima par des grimaces qu'elle s'excusait et le priait de se servir un café. Ce qu'il fit, avant de s'installer sur l'accoudoir du canapé.

Quelques numéros récents de son magazine traînaient là ; il en prit un et se mit à le feuilleter. Remarquant son nom à la page de l'« ours », il montra qu'il était impressionné. Puis elle le vit sourire devant un papier « mode » signé Lucy Friedman et titré : « Les Nouveaux Péquenots ». On avait emmené une brochette de top models au fin fond de l'Arkansas pour les photographier autour du « sujet » : des hommes rogues aux ventres de buveurs de bière, avec tatouages et fusils en bandoulière, qui posaient à la portière de leur guimbarde. Annie se demandait comment le photographe, type génial et extravagant qui se maquillait les yeux et faisait admirer à tout le monde ses mamelons percés, avait réussi à sauver sa peau.

La réunion était à dix minutes de la fin et Annie, consciente que Tom écoutait, se sentit gagnée par la timidité. Elle se rendit compte qu'elle s'exprimait avec plus de solennité que d'ordinaire, pour l'impressionner, et se trouva puérile. Rassemblés autour du haut-parleur du téléphone, Lucy et les autres devaient se demander ce qui lui prenait. Quand ce fut terminé, elle raccrocha et se retourna.

– Pardon...

– Ce n'est rien. J'aime vous entendre quand vous travaillez. Et maintenant, je saurai comment m'habiller quand j'irai dans l'Arkansas. (Il rejeta le magazine sur le divan.) C'est très amusant.

– C'est éreintant.

Comme elle était déjà en tenue, ils rejoignirent aussitôt les chevaux. Annie se déclara prête à monter avec des étriers plus longs et il lui montra comment s'y prendre, car le système de réglage était particulier. Elle se rapprocha pour le regarder faire et, pour la première fois, sentit son odeur : une chaude odeur de cuir et de savon. Pendant tout ce temps, leurs bras se frôlèrent, mais aucun d'eux ne s'écarta.

Ce matin-là, ils se promenèrent du côté de la rivière méridionale et remontèrent la berge jusqu'à un certain endroit où Tom avait prétendu que l'on pouvait observer des castors. Mais ils n'en virent aucun, seulement deux nouveaux îlots compliqués, échafaudés par les rongeurs. Ils mirent pied à terre et allèrent s'asseoir sur le tronc gris, blanchi par les intempéries, d'un peuplier déraciné, tandis que les chevaux se désaltéraient dans leur propre reflet.

Un poisson, ou une grenouille, jaillit de l'onde juste devant le poulain, qui fit un bond en arrière, comme dans un dessin animé. Rimrock lui jeta un coup d'œil désabusé et continua à s'abreuver. La scène amusa Tom, qui se leva et rejoignit le cheval. Là, il lui toucha l'encolure d'une main, la tête de l'autre, et ne bougea plus. Annie n'aurait su dire s'il lui parlait, mais elle remarqua que le cheval avait l'air d'écouter. Puis, sans se faire prier, l'animal s'approcha de l'eau, et après quelques reniflements méfiants se remit à boire comme si de rien n'était. En retournant à sa place, Tom la vit sourire.

— Qu'est-ce qu'il y a ?

— Comment faites-vous ça ?

— Quoi... « ça » ?

— Lui redonner confiance...

— Oh, il savait qu'il ne risquait rien... Il est un peu comédien sur les bords.

— Et comment le savez-vous ?

Il lui adressa le même regard amusé que le jour où elle l'avait assassiné de questions sur sa femme et son fils.

— Ça s'apprend...

Il comptait en rester là, mais il dut deviner qu'elle se sentait rabrouée, car il poursuivit :

– C'est toute la différence entre regarder et voir. Si vous regardez assez longtemps, bien comme il faut, alors vous vous mettrez à voir. Même chose dans votre partie. Vous savez reconnaître un bon article parce que vous avez acquis de l'expérience...

Cela la fit sourire.

– De l'expérience sur « Les Nouveaux Péquenots » ?

– Par exemple. Je n'aurais jamais deviné que c'était un sujet susceptible d'intéresser les gens.

– Ça ne les intéresse pas

– Mais si. Ça les amuse.

– C'est idiot.

Ç'avait été dit sur un ton hargneux et définitif qui jeta un froid. Comme il la regardait, elle se radoucit et lui offrit un sourire d'autodénigrement.

– C'est idiot, condescendant et bidon.

– Vous publiez aussi des articles sérieux...

– Oui. Mais qui les lit ?

Il haussa les épaules. Annie reporta son attention sur les chevaux. Ils avaient étanché leur soif et broutaient les jeunes pousses sur la berge.

– *Vous*, ce que vous faites est réel..., lui dit-elle.

Sur le chemin du retour, elle lui parla des livres qu'elle avait lus en bibliothèque, sur les « Chuchoteurs », la sorcellerie, et le reste. Il rit et affirma que lui aussi avait lu ces histoires et qu'en certaines occasions ça ne lui aurait pas déplu d'être un sorcier, en effet. Il connaissait Sullivan et J. S. Rarey.

– Certains – pas Rarey, qui était un véritable cavalier – faisaient des choses qui passaient pour de la magie mais étaient de la pure et simple cruauté. Comme verser de la grenaille de plomb dans une oreille, ce qui paralysait la bête de terreur. Les gens étaient époustouflés, mais ce qu'ils ignoraient, c'est que, pour avoir maté le cheval fou, le type l'avait aussi probablement tué.

Il expliqua que souvent, un cheval perturbé devait aller de

mal en pis avant de s'améliorer, qu'il fallait le laisser franchir la limite – quitte à aller en enfer, avant de s'en retourner. Et elle ne répondit pas, parce qu'elle savait qu'il ne parlait pas seulement de Pilgrim, mais de quelque chose de plus vaste qui les concernait tous.

Elle savait que Grace avait parlé à Tom de l'accident – pas par lui, mais en surprenant une conversation entre Grace et son père, quelques jours plus tôt. Grace adorait lui faire ce coup-là, la laisser apprendre des choses par procuration pour lui permettre de prendre la mesure précise de son exclusion. Cette fois-là, Annie avait tout entendu depuis son bain par la porte ouverte – comme Grace devait s'en douter, car elle n'avait fait aucun effort pour baisser la voix.

Elle avait été avare de détails, disant simplement à Robert que la mémoire de l'accident lui était revenue et qu'elle se sentait mieux d'en avoir parlé. Par la suite, Annie avait attendu qu'elle la mît au courant, tout en sachant que c'était sans espoir.

Sur le moment, elle en avait voulu à Tom d'avoir d'une certaine façon violé leur intimité. Le lendemain, elle s'était montrée cassante.

– Il paraît que Grace vous a parlé de l'accident ?

– Oui, avait-il dit.

Rien de plus. Il était évident qu'à ses yeux c'était une affaire entre lui et Grace et, lorsque Annie eut surmonté sa colère, elle le respecta pour cela et se rappela que ce n'était pas lui qui avait violé son intimité mais elle, la sienne.

Tom lui parlait rarement de Grace et, quand c'était le cas, c'était sur des sujets neutres et concrets. Mais Annie savait qu'il avait vu ce qui se passait dans son foyer. Comment eût-il pu en être autrement ?

22

BLOTTIS tout au fond du corral bourbeux, les veaux s'efforçaient de se cacher les uns derrière les autres en utilisant leur mufle noir et humide pour se pousser mutuellement en avant. Quand l'un d'eux était expédié en première ligne, il fallait voir sa panique, et quand il n'en pouvait plus, il se sauvait à l'arrière et tout recommençait.

C'était le samedi matin avant Memorial Day et les jumeaux montraient à Joe et Grace leurs progrès dans le maniement du lasso. Scott, dont c'était le tour, étrennait une paire de cuissardes flambant neuves et un feutre trop grand pour lui. Il avait déjà arrêté à plusieurs reprises de faire tournoyer la boucle. À chaque fois, Joe et Craig riaient comme des bossus et Scott, tout rouge, faisait de son mieux pour feindre de trouver ça drôle lui aussi. La boucle tournoyait depuis si longtemps que Grace commençait à avoir le tournis.

– On revient la semaine prochaine ? dit Joe.
– Je choisis, d'accord ?
– Ils sont là-bas. Noirs, avec quatre pattes et une queue...
– Ça va, monsieur Je-sais-tout.
– Bon, alors, tu te décides ?
– D'accord, d'accord !

Joe hocha la tête et sourit à Grace. Ils étaient juchés sur la barrière et Grace se sentait encore fière d'avoir réussi l'esca-

246

lade. Elle avait fait comme si ce n'était rien du tout, et bien que cela lui fît un mal de chien là où le barreau appuyait contre son moignon, elle n'était pas près d'en bouger.

Elle portait un nouveau Wrangler qu'elle et Diane avaient fini par dégoter à Great Falls, et elle se savait à son avantage, car elle avait passé une heure à se regarder dans la glace. Grâce à Terri, les muscles de sa fesse droite le remplissaient bien. C'était drôle, à New York elle serait morte plutôt que de porter autre chose qu'un Levis, mais ici tout le monde portait des Wrangler. Le vendeur lui avait dit que c'était parce que les coutures intérieures étaient plus confortables en selle.

— J' suis plus fort que toi, de toute manière, dit Scott.

— Tu fais de plus belles boucles, c'est sûr...

Joe sauta dans le corral et marcha dans la gadoue en direction des veaux.

— Joe, dégage !

— Ne fais pas le bébé. Je les bouge un peu pour t'aider...

À son approche, les veaux s'éloignèrent pour se regrouper dans un angle. Leur seul salut résidait désormais dans la fuite et Grace vit l'anxiété croître dans leurs rangs jusqu'au moment où ils furent prêts à tenter une percée. Joe s'arrêta. Un pas de plus, et ils déguerpissaient.

— Prêt ? lança-t-il.

Scott se mordilla la lèvre inférieure et fit tournoyer un peu plus vite la boucle, qui ronronna dans les airs. Sur un signe de sa part, Joe avança d'un pas. Aussitôt, les veaux foncèrent. Scott lança la corde avec un involontaire petit cri d'effort. Elle fendit l'air en ondulant et atterrit en une boucle impeccable sur la tête du premier veau.

— Ouais ! hurla-t-il, en tirant d'un coup sec.

Mais sa victoire ne dura qu'une seconde car, dès que la bête sentit la boucle se resserrer, elle détala – et Scott avec. Il laissa son chapeau en l'air et piqua une tête dans la fange comme un nageur de compétition.

— Lâche ! Lâche ! cria Joe.

Mais soit que Scott ne l'entendît pas, soit que sa fierté l'en empêchât, il resta cramponné à la corde comme si ses mains y étaient engluées et continua sa course. Ce que le veau ne possédait pas en taille, il le compensait en énergie, et il sautait, ruait et bottait tel un bouvillon à un rodéo, tirant Scott dans la boue comme une luge.

De peur, Grace porta les mains à son visage et manqua en tomber à la renverse. Mais dès lors qu'ils comprirent que Scott ne s'agrippait à cette corde que parce qu'il le voulait bien, Joe et Craig se mirent à rire et poussèrent des hourras. Scott tenait toujours bon. Le veau le traîna d'un bout à l'autre de l'enclos sous les yeux du troupeau ahuri.

Le vacarme fit sortir Diane en toute hâte de la maison, mais Tom et Frank la battirent à la course depuis la grange. Ils rejoignirent Grace au moment précis où Scott lâchait prise.

L'enfant resta allongé, parfaitement inerte, face contre terre, et le calme se fit. Oh, non ! se dit Grace. Sur ce, Diane arriva et poussa un cri d'effroi.

Une main se souleva lentement de la boue dans une sorte de salut comique. Puis, théâtralement, le petit garçon se redressa tout seul et se tourna vers eux, pour qu'ils puissent rire de lui – ce dont personne ne se priva. Et lorsque Grace vit les dents blanches de Scott fendre la couche uniformément brune, elle se joignit aux rires. Alors tous ensemble ils s'esclaffèrent à pleine voix, longuement et sans malice, et Grace se sentit à sa place – et songea que la vie, peut-être, pouvait encore être belle.

Une demi-heure plus tard, tout le monde avait disparu. Diane avait emmené Scott dans la maison pour le débarbouiller, et Frank, qui voulait avoir l'avis de Tom sur un veau qui lui donnait du souci, l'avait conduit avec Craig à la prairie. Annie était descendue à Great Falls pour acheter des provisions en vue de ce qu'elle s'obstinait à appeler, au grand embarras de Grace, un « dîner », auquel elle avait convié ce soir-là les Booker. Grace était donc restée seule avec Joe, et ce fut ce dernier qui suggéra de rendre visite à Pilgrim.

Le cheval occupait à présent un corral à lui tout seul, à côté des poulains dont Tom faisait l'éducation, et il répondait à l'intérêt que ceux-ci lui portaient, derrière la double barrière, avec un mélange de méfiance et de dédain. Il vit Grace et Joe arriver de très loin et se mit à renâcler et hennir en arpentant au trot le sillon de boue qu'il avait névrotiquement creusé le long de la barrière du fond.

Marcher dans l'herbe creusée d'ornières était un peu délicat, mais Grace se concentrait pour lancer sa jambe, et si elle savait que Joe marchait plus lentement qu'à l'ordinaire, cela ne la gênait pas. Elle se sentait aussi à l'aise avec lui qu'avec Tom. Arrivés au portail, ils s'accoudèrent pour l'admirer.

– Il était si beau, dit-elle.

– Il l'est toujours.

Elle acquiesça. Elle lui parla de ce jour – presque un an déjà – où ils étaient partis pour le Kentucky. Et tandis qu'elle parlait, Pilgrim semblait interpréter du fond du corral quelque vicieuse parodie des événements qu'elle décrivait. Il longeait la barrière en une parade narquoise, tenant sa queue bien droite – mais cette queue était emmêlée, agitée et tordue, et Grace savait que ce n'était pas sous l'effet de l'orgueil mais de la peur.

Joe l'écoutait parler et elle vit dans ses yeux le même calme contenu que dans les yeux de Tom. C'était ahurissant comme il pouvait ressembler à son oncle, tant dans l'apparence que dans le comportement. Ce sourire naturel et cette façon d'ôter son chapeau pour passer la main dans ses cheveux. Plus d'une fois, Grace s'était surprise à regretter qu'il n'eût pas un ou deux ans de plus – non qu'il aurait pu s'intéresser à elle, bien sûr. Pas comme ça, pas maintenant, avec sa jambe. Enfin, c'était déjà sympa d'être copains.

Elle avait beaucoup appris à le regarder manipuler les petits poulains, en particulier celui de Bronty. Il ne s'imposait jamais par la force, mais les laissait venir à lui et les accueillait avec une aisance qui les mettait en confiance. Il jouait avec eux, mais si jamais ils manquaient d'assurance, il n'insistait pas.

— Tom dit qu'il faut les mettre sur la voie, lui avait-il dit un jour où ils étaient avec le poulain. Mais si on les bouscule trop, ils s'emmêlent les pinceaux. Il faut les laisser se mettre dans le bain. Il dit que c'est une question d'autoprotection.

Pilgrim s'était arrêté et les regardait de loin.

— Alors, tu vas le remonter?

Grace se tourna vers Joe, sourcils froncés.

— Quoi?

— Quand Tom l'aura remis dans la bonne voie...

Elle éclata d'un rire qui, même à elle, parut faux.

Joe haussa les épaules et fit signe qu'il avait compris. Entendant un coup de sabots dans le corral à côté, ils se retournèrent pour voir des yearlings qui jouaient à une version chevaline du « jeu du chat ». Joe se pencha et arracha un brin d'herbe qu'il se mit à suçoter.

— Dommage, dit-il.

— Quoi?

— Dans quelques semaines, papa conduit le troupeau sur les pâturages d'été, et on l'accompagne tous. C'est super, et puis c'est très joli là-haut, tu sais...

Ils s'approchèrent des poulains et leur offrirent des friandises que Joe gardait dans sa poche. En marchant vers la grange, à côté du garçon qui suçait toujours son brin d'herbe, Grace se demanda pourquoi elle s'entêtait à prétendre qu'elle ne voulait pas monter. D'une certaine façon, elle s'était prise à son propre piège. Et elle devinait, comme sur d'autres sujets, que cela avait probablement un rapport avec sa mère.

Annie l'avait surprise en soutenant sa décision, au point d'éveiller sa méfiance. Cela, bien sûr, à cause du côté « Noblesse oblige » des Anglais, qui veut que vous remontiez aussitôt en selle après la chute pour ne pas rester sur un échec. Et même si ce qui était advenu était plus grave qu'une simple culbute, Grace soupçonnait Annie de jouer quelque sournois double jeu, feignant la conciliation pour mieux provoquer la réaction opposée. Le seul point qui ne cadrait pas avec sa théorie, c'était que sa mère se fût remise à l'équitation après toutes ces années. En secret, Grace enviait ces chevauchées matinales en compagnie de Tom Booker. Mais l'étrange, c'était qu'Annie devait bien se douter qu'elle aboutirait ainsi à dégoûter définitivement sa fille du cheval.

Mais pourquoi, se demandait Grace, voyait-elle partout des arrière-pensées ? À quoi bon refuser à sa mère une victoire imaginaire en se privant de quelque chose qu'elle était dorénavant presque certaine de désirer ?

Elle savait qu'elle ne remonterait plus jamais Pilgrim. Même s'il allait mieux, il n'y aurait plus de confiance entre eux, et il sentirait toujours en elle une peur diffuse. Mais elle pouvait essayer avec une monture plus petite. Si seulement elle arrivait à ne pas en faire toute une histoire, de sorte que si elle chutait ou se montrait ridicule, cela n'ait aucune importance.

Une fois à la grange, Joe ouvrit le portail et passa en tête. Maintenant que le temps était plus clément, tous les chevaux étaient au pré, et Grace ne comprenait pas pourquoi il l'emmenait là. Le cliquetis de sa canne sur le sol en ciment se répercutait dans le vide. Joe tourna à gauche dans la sellerie et Grace s'arrêta sur le seuil, intriguée.

La pièce sentait bon le cuir et l'odeur de pin des boiseries neuves. Elle le vit marcher jusqu'aux selles alignées au mur sur leur support. Lorsqu'il lui parla, ce fut par-dessus son épaule, le brin d'herbe entre les dents et d'une voix détachée, comme s'il lui demandait de choisir un soda dans le frigo.

– Mon cheval ou Rimrock ?

Annie regretta son invitation presque aussitôt après l'avoir lancée. La petite maison n'était pas précisément conçue pour de la haute cuisine, non que sa « cuisine » fût si « haute » que cela, d'ailleurs. En partie parce qu'elle trouvait cela plus créatif, mais surtout par manque de patience, elle cuisinait plutôt à l'instinct qu'en suivant des recettes. Et à part un fonds de trois ou quatre plats qu'elle pouvait confectionner les yeux fermés, le résultat avait une chance sur deux de se révéler ou génial ou infect. Ce soir-là, elle sentait déjà que les probabilités penchaient plutôt vers la deuxième hypothèse.

Elle avait joué la sécurité, pensait-elle, en optant pour des pâtes. Son grand succès de l'an dernier. Chic mais facile. Les gosses aimeraient et il y avait même une chance pour que Diane fût épatée. Elle avait également remarqué que Tom évitait de manger trop de viande, et plus qu'elle ne voulait l'admettre, elle tenait à lui plaire. Nul besoin d'ingrédients recherchés. Elle n'avait besoin que de penne rigata, mozzarella, basilic frais et tomates séchées, toutes choses qu'elle avait cru pouvoir se procurer à Choteau.

Le commerçant l'avait regardée comme une extraterrestre. Elle avait dû pousser jusqu'au grand supermarché de Great Falls, où elle n'avait toujours pas trouvé son bonheur. C'était sans espoir. Elle avait tout repensé sur place en se traînant dans les rayons, de plus en plus contrariée – mais plutôt mourir que de capituler et servir des steaks. Elle avait dit que ce serait des pâtes, ce serait donc des pâtes. Elle finit par choisir un paquet de spaghettis, une sauce bolognaise en conserve, ainsi que quelques ingrédients afin de relever le tout et faire passer le résultat pour une création personnelle. Elle s'en tira avec deux bonnes bouteilles de chianti et le strict minimum d'honneur intact.

Au retour, elle se sentit mieux. Elle tenait à cette invitation, c'était bien le moins. Les Booker étaient tous si gentils, même si l'amabilité de Diane semblait toujours un peu sur le fil. Lorsque Annie posait la question des frais de la location et du traitement de Pilgrim, Tom se dérobait. On s'arrangerait plus tard, disait-il. Frank et Diane lui avaient fait la même réponse. Ce dîner était donc une façon provisoire de les remercier.

Les victuailles mises de côté, elle alla déposer sa nouvelle

pile de journaux sur la table, où trônait déjà un petit amon-
cellement. Elle avait au préalable pris connaissance des messages. Il n'y en avait qu'un, transmis par Robert dans la
« boîte à lettres » de son ordinateur.

Il avait espéré prendre l'avion pour passer le week-end
avec elles mais, à la dernière minute, il avait été convoqué à
un rendez-vous à Londres pour lundi. De là, il se rendrait à
Genève. La veille, il avait passé une demi-heure à s'excuser
auprès de Grace. Le message était une plaisanterie qu'il avait
rédigée juste avant son départ dans un code secret que lui et
Grace appelaient « cyberspeak » et qu'Annie comprenait à
demi. En conclusion, il avait dessiné par logiciel l'image d'un
cheval arborant un grand sourire. Annie fit un tirage-papier
sans le lire.

Lorsque Robert lui avait annoncé qu'il ne viendrait pas, sa
première réaction avait été de soulagement. Cette attitude
l'avait ennuyée et, depuis, elle avait activement évité de l'ana-
lyser plus en profondeur.

Elle prit un siège en se demandant distraitement où Grace
était passée. À son retour, elle n'avait vu personne au ranch.
Ils devaient tous être à l'intérieur, ou alors près des corrals du
fond. Elle jetterait un coup d'œil lorsqu'elle reviendrait
d'avoir acheté les hebdomadaires, rituel du samedi qu'elle
persistait à honorer ici, bien qu'il lui en coûtât, semblait-il,
largement plus d'efforts. Croquant dans une pomme, elle
ouvrit *Time Magazine*.

Grace mit environ dix minutes à se frayer un chemin sous
les corrals et parmi le bosquet de peupliers pour atteindre le
site dont Joe lui avait parlé. L'endroit ne lui était pas connu,
mais lorsqu'elle émergea des arbres elle comprit pourquoi il
l'avait choisi.

En contrebas, au pied d'un talus arrondi, s'étendait une
ellipse parfaite de prairie, bordée par un coude de la rivière
formant comme une douve. C'était une arène naturelle, isolée de tout sauf des arbres et du ciel. L'herbe était profonde,

d'un luxuriant bleu-vert, et sur ce tapis poussaient des fleurs sauvages telles que Grace n'en avait jamais vu.

Elle attendit en prêtant l'oreille. C'était à peine si un souffle d'air inquiétait le feuillage des grands peupliers dans son dos, et elle n'entendait plus que le bourdonnement des insectes et son cœur qui battait. Personne ne devait savoir. Tel était leur accord. Entendant la voiture d'Annie, ils l'avaient épiée à travers un jour dans la porte de la grange. Scott serait bientôt dehors et, pour prévenir toute indiscrétion, Joe lui avait conseillé de prendre les devants. Il avait sellé le cheval, vérifié que la voie était libre, et l'avait suivie.

Joe avait dit que Tom ne serait pas fâché si elle montait Rimrock, mais Grace n'avait pas voulu et ils avaient sellé Gonzo, le poney pie de Joe. Comme les autres chevaux au ranch, il était doux et placide, et Grace s'en était déjà fait un ami. Sa taille par ailleurs lui convenait davantage. Elle entendit une branche craquer et le souffle discret du cheval. En se retournant, elle les vit apparaître à travers les arbres.

– On t'a vu? dit-elle.

– Non.

Il passa à côté d'elle et invita délicatement Gonzo à descendre le talus. Grace le suivit, mais la pente était difficile et, à un mètre environ de la prairie, elle se prit la jambe et tomba. Elle atterrit dans une posture plus alarmante que grave. Joe mit pied à terre.

– Ça va?

– Merde!

– Tu es blessée?

– Non. Ça va. Merde, merde, merde!

Il la laissa fulminer tout en lui époussetant le dos. Elle constata que son nouveau jean était sali sur un côté, mais elle s'en fichait.

– Ça va, ta jambe?

– Oui. Excuse-moi. Des fois, ça m'énerve.

Pendant un moment il ne dit rien et la laissa s'arranger.

– Tu veux toujours essayer?

– Oui.

Joe guida Gonzo et le trio s'avança dans le pré. Des papillons s'élevaient à leur approche, tandis qu'ils marchaient au soleil en s'enfonçant dans l'herbe haute qui se froissait sous leurs bottes. À cet endroit, le ruisseau peu profond courait sur des galets, et bientôt Grace entendit la chanson de l'eau. Un héron se souleva sur ses échasses et s'éloigna le long de la rive en ajustant ses pas.

À la hauteur d'une souche basse de peuplier, noueuse et envahie par l'herbe, Joe s'arrêta et fit passer Gonzo de l'autre côté pour bénéficier d'une marche.

– Ça ira ?

– Hum... si je réussis à grimper là-dessus.

Il resta devant l'épaule du cheval, le retenant d'une main et aidant Grace de l'autre. Comme Gonzo s'écartait, il lui flatta l'encolure et le tranquillisa de la voix. Grace se hissa sur la souche avec sa bonne jambe en s'appuyant à l'épaule de son camarade.

– Ça va ?

– Je crois.

– L'étrier est trop court ?

– Non, c'est bon.

Elle avait laissé sa main gauche sur son épaule. Elle se demanda s'il sentait les palpitations violentes de son cœur.

– Bien. Retiens-toi à moi et, quand tu es prête, mets la main droite sur le pommeau.

Grace prit une profonde inspiration et obéit. Gonzo bougea la tête légèrement, mais ses sabots restèrent plantés dans le sol. Quand il eut la certitude qu'elle était en équilibre, Joe la lâcha et saisit l'étrier.

C'était l'étape difficile. Pour loger le pied gauche dans l'étrier, tout le poids de Grace devrait se déporter sur sa prothèse. Elle craignait de glisser, mais elle sentit que Joe s'arc-boutait, assumant une bonne partie de la charge, si bien qu'en un rien de temps son pied fut calé dans l'étrier comme s'ils avaient une vieille expérience. Gonzo fit encore un léger écart, mais Joe l'interpella, calmement mais fermement, et l'animal se figea à l'instant.

Il ne lui restait plus qu'à soulever la jambe artificielle, mais ça faisait un drôle d'effet de ne plus sentir rien au bout, et elle se rappela soudain que la dernière fois qu'elle avait fait ce genre de mouvement, c'était le matin de l'accident.

– O.K. ?

– Oui.

– Vas-y.

Elle s'arc-bouta sur la jambe gauche, déportant son poids sur l'étrier, puis essaya de soulever la droite par-dessus la croupe.

– J'y arrive pas.

– Appuie-toi un peu plus sur moi. Penche-toi, tu auras un meilleur angle.

Ainsi fit-elle, et rassemblant toutes ses forces comme si sa vie en dépendait, elle souleva sa jambe. En même temps, elle basculait en se tirant après le pommeau et, comme elle sentait que Joe la poussait aussi, elle fit un dernier effort et retomba en selle.

Elle fut surprise de ne pas se sentir plus dépaysée. Voyant qu'elle cherchait l'autre étrier, Joe s'empressa de faire le tour pour lui venir en aide. Elle sentait l'intérieur de sa cuisse mutilée contre la selle et, si l'endroit était sensible, il était impossible de dire précisément où s'arrêtaient les sensations.

Joe fit un pas de côté, prêt à parer à une défaillance, mais elle était trop concentrée pour le remarquer. Rassemblant les rênes, elle invita Gonzo à avancer. Il démarra sans broncher et elle lui fit décrire une longue courbe le long du ruisseau. Elle pouvait donner plus de pression avec sa jambe qu'elle ne l'aurait cru possible quoique, sans le muscle du mollet, elle dût générer l'impulsion avec son moignon et mesurer la réponse d'après la réaction du cheval. Il se comporta comme s'il comprenait et, au moment où ils atteignirent le fond du pré et tournaient sans une faute de pas, monture et cavalier ne faisaient plus qu'un.

Joe l'attendait, debout parmi les fleurs. Elle le rejoignit en décrivant un S harmonieux et s'arrêta. Il lui sourit, avec le soleil dans les yeux et la prairie qui s'étendait derrière lui, et soudain Grace eut envie de pleurer. Mais elle se mordit cruellement la lèvre inférieure et lui rendit son sourire.

– Au petit poil, dit-il.

Grace approuva de la tête, et dès qu'elle osa se fier à sa voix, dit que ouais, c'était au petit poil.

23

LA cuisine de la petite maison était un antre spartiate, éclairé par de froids tubes au néon dont le boîtier était devenu un cercueil pour une collection d'insectes. En déménageant, Frank et Diane avaient emporté le matériel en bon état. Les casseroles et les poêles étaient désassorties et le lave-vaisselle avait besoin d'un grand coup pour enchaîner ses cycles sur un déclic. La seule chose qu'Annie ne maîtrisait pas parfaitement, c'était le four qui semblait avoir ses idées à lui. Le joint de la porte était moisi et le cadran des températures déréglé, si bien que cuisiner demandait à la fois flair, vigilance et chance.

Réaliser la tarte avait été un jeu d'enfant par rapport aux efforts qu'il avait fallu déployer pour trouver la vaisselle. Annie avait découvert trop tard qu'il manquait des plats, des couverts et même des chaises. Et avec embarras (car curieusement cela semblait flanquer tout par terre), elle avait dû téléphoner à Diane, puis descendre en voiture pour emprunter le nécessaire. Ensuite, il s'était révélé que la seule table assez grande était celle qui lui servait de bureau, et elle avait dû la débarrasser, de sorte que son matériel était à présent entassé sur le plancher parmi ses notes et magazines.

La soirée avait commencé dans la panique. Annie était habituée à recevoir des invités qui pensaient que plus on arrivait tard, plus c'était chic, aussi n'aurait-elle jamais imaginé qu'ils débarqueraient à l'heure pile. Mais à dix-neuf heures tapantes, alors qu'elle ne s'était même pas changée, elle avait vu toute la famille – sauf Tom – gravir à pied la colline. Alertant Grace d'un cri, elle avait filé comme une flèche dans l'escalier et s'était jetée sur une robe qu'elle n'avait plus le temps de repasser. Au moment où des voix résonnaient devant la véranda, elle s'était maquillée, brossé les cheveux, parfumée, et était déjà redescendue au rez-de-chaussée pour les accueillir.

En les voyant tous plantés comme des piquets, Annie comprit combien il était idiot d'inviter des gens dans leur propre maison. Tout le monde avait l'air mal à l'aise. Frank déclara que Tom avait été retenu par une pouliche malade mais il était sous la douche quand ils avaient quitté la maison et ne tarderait pas. Elle leur demanda ce qu'ils voulaient boire et, ce faisant, se rappela qu'elle avait oublié d'acheter des bières.

– Je prendrais bien une bière, dit Frank.

La situation s'améliora tout de même. Annie déboucha une bouteille de vin, tandis que Grace emmenait Joe et les jumeaux devant l'ordinateur où ils tombèrent sous le charme des programmes d'Internet. Les adultes transportèrent les sièges dans la véranda et engagèrent la conversation à la lueur du crépuscule. Ils plaisantèrent sur la mésaventure de Scott avec le veau, présumant que Grace avait tout raconté à sa mère. Annie fit comme si c'était le cas. Puis Frank raconta une longue histoire sur un rodéo désastreux datant de ses jeunes années où il s'était humilié devant une fille qu'il aurait voulu impressionner.

Annie écouta avec une feinte attention, n'attendant que le moment où elle verrait Tom passer le coin de la maison. Et lorsque cela arriva, son sourire et la façon dont il ôta son chapeau en demandant pardon pour son retard étaient juste comme elle l'avait imaginé.

Elle le précéda dans la maison, s'excusant d'emblée de n'avoir pas de bière. Tom dit qu'il prendrait volontiers du vin et la regarda faire le service. Elle lui tendit le verre, le fixa droit dans les yeux pour la première fois – et ce qu'elle voulait dire lui sortit complètement de la tête. Il y eut un point d'orgue.

– Ça sent bon, dit-il, venant à son secours.

– Rien d'extraordinaire, hélas. Votre pouliche va bien?

– Oh, oui. Elle fait un peu de température, mais rien de grave. Vous avez passé une bonne journée?

Elle allait répondre, quand Craig se précipita en criant à Tom qu'il devait venir absolument voir un truc sur l'ordinateur.

– Hé, je suis en train de parler avec la maman de Grace...

Annie dit en riant qu'ils pouvaient disposer, la maman de Grace devait de toute façon s'occuper du repas. Diane vint l'aider et les deux femmes bavardèrent tout en s'activant. Mais à tout moment, Annie jetait des coups d'œil dans le living et voyait Tom, en chemise bleu pâle, accroupi parmi les gosses qui rivalisaient pour attirer son attention.

Les spaghettis furent un succès. Diane demanda même la recette de la sauce et Annie serait passée aux aveux si sa fille ne l'avait devancée en disant que tout sortait d'une boîte. Elle avait dressé la table au milieu de la pièce et allumé des bougies achetées à Great Falls. Grace avait prétendu que c'était le comble du ridicule, mais Annie se félicitait d'avoir persisté dans son idée, car les flammes donnaient une lumière douce et projetaient des ombres dansantes sur les murs.

Et elle songea qu'il était bon d'entendre cette maison bourdonner de rires et de conversations. Les enfants étaient assis à un bout de la table et les adultes à l'autre. Tom était à son côté. Un étranger, se dit-elle, les aurait pris pour un couple.

Grace parlait de tous les jeux auxquels on avait accès sur Internet, comme *L'Homme visible*, un assassin du Texas qui était exécuté et donnait son corps à la science.

– Ils le congèlent et le découpent en deux mille petits morceaux qui sont photographiés un par un.

– C'est dégueu, dit Scott.

– Sommes-nous obligés d'écouter cela à table ? protesta Annie.

Le ton était léger, mais Grace décida de le prendre comme une rebuffade. Elle lui décocha un regard méprisant.

– C'est l'Académie de médecine, maman. C'est de l'éducatif, quoi, pas du zigouillage à la con...

– Du « découpage » plutôt, dit Craig.

– Continue, Grace, dit Diane. C'est passionnant.

– Oui, je vous assure que ça l'est..., enchaîna Grace.

Elle parlait sans ferveur maintenant, signalant à tous que sa mère, comme d'habitude, l'avait rabrouée, elle et un sujet à la fois intéressant et amusant.

– Ils le reconstituent et on peut intervenir sur l'écran et le disséquer.

– Vous faîtes tout ça sur ce petit écran ? dit Frank.

– Oui.

Le mot était si plat et définitif qu'il n'appelait que le silence. Il ne dura qu'un instant, qui parut toutefois une éternité à Annie. Et Tom dut lire le désespoir dans son regard, car il adressa à Frank un coup d'œil sardonique et lança :

– Tiens, mon vieux... La voilà, ta chance d'être immortel.

– Dieu nous garde, fit Diane. Le corps de Frank Booker exposé à l'Amérique...

– Et qu'est-ce qu'il a mon corps, si je puis me permettre ?

– Par quoi tu veux qu'on commence ? lança Joe.

Rire général.

– Remarque..., dit Tom. À partir de deux mille morceaux, tu pourrais le reconstituer dans un ordre plus flatteur.

L'atmosphère se détendit de nouveau et, dès qu'elle fut rassurée sur ce point, Annie lança à Tom un regard de soulagement et de gratitude, dont il prit acte avec un regard légèrement plus doux. Elle trouva troublant que cet homme qui n'avait jamais élevé un enfant pût saisir chaque pique blessante entre elle et Grace.

La tarte aux pommes fut un peu décevante. Annie, qui avait oublié la cannelle, comprit en découpant la première part qu'elle aurait pu la laisser encore un quart d'heure au four. Mais personne ne parut le remarquer ; d'ailleurs les gosses avaient tous pris de la glace et ils retournèrent dare-dare devant l'ordinateur, tandis que les adultes prenaient le café à table.

Frank se plaignait des défenseurs de l'environnement, les « Verts », qui ne comprenaient rien aux problèmes des éleveurs. Il s'adressait à Annie, car les autres connaissaient manifestement son couplet par cœur. Ces irresponsables lâchaient dans la région des loups du Canada qui « aidaient » les grizzlis à dévorer le bétail. Récemment, un éleveur d'Augusta avait perdu deux génisses.

– Tous ces types qui se pointent de Missoula en hélicoptère avec leur bonne conscience... « Désolé, mon pote, on va le déplacer par avion, mais si vous le descendez, on vous traîne en justice. » Ces salauds-là doivent être en train de lézarder au bord de la piscine d'un cinq étoiles, et c'est vous et moi qui payons la note.

Tom sourit à Annie. Voyant cela, Frank le désigna du doigt.

– Il est des leurs, vous savez ! Il est éleveur dans l'âme et aussi « vert » qu'un crapaud patraque sur un billard. Attendez que Monsieur Loup lui pique un de ses poulains, doux Jésus... Ça sera les trois F !

Tom éclata de rire et vit Annie sourciller.

– Tu le Flingues, tu le Fourgues et tu la Fermes. La réponse pleine d'amour de l'éleveur à Dame Nature.

Annie rit à son tour et prit soudain conscience du regard de Diane sur elle. Et comme elle se tournait vers son invitée, Diane lui adressa un sourire forcé.

– Qu'en pensez-vous, Annie ?

– Oh, je n'ai pas à vivre avec ces problèmes.

– Mais vous devez avoir une opinion.

– Pas vraiment.

– Mais si. Vous devez tout le temps couvrir ce genre de sujets dans votre journal.

Cette insistance la prit de court. Elle haussa les épaules.

– Je suppose que toute créature a le droit de vivre.

– Même les rats porteurs de la peste et les mouches à malaria ?

Diane souriait toujours et son ton était badin, mais cela cachait quelque chose, qui mit Annie sur ses gardes.

– Vous avez raison, dit-elle après réflexion. Tout dépend de l'identité de la victime.

Frank poussa un rugissement de rire, et Annie s'accorda un petit coup d'œil à Tom. Il lui souriait. Et Diane aussi, quoique d'une façon moins fine. Elle avait enfin l'air prête à abandonner le sujet. Pourquoi ? Cela resta un mystère car, soudain, il y eut un hurlement et Scott apparut derrière sa mère dont il agrippa l'épaule, les joues brûlantes d'indignation.

– Joe ne veut pas que je touche à l'ordinateur !

– Ce n'est pas ton tour ! cria Joe sans bouger de l'écran.

– Si, c'est mon tour !

– Ce n'est pas ton tour, Scott !

Diane fit venir son aîné et tenta une médiation. Mais la dispute s'envenima, Frank bientôt s'en mêla, et le conflit se déplaça du particulier au général.

– Tu ne me laisses jamais rien faire ! disait Scott, au bord des larmes.

– Ne fais pas le bébé, dit Joe.

– Les enfants, les enfants..., fit Frank, les tenant chacun par l'épaule.

– Tu crois que t'es grand, parce que...

– Oh, la ferme !

– ... parce que tu donnes des leçons d'équitation à Grace.

Le silence se fit, à l'exception d'un petit oiseau de bande dessinée qui continuait à piailler en toute insouciance sur l'écran. Annie regarda Grace qui détourna immédiatement les yeux. Personne apparemment ne savait que dire. Scott était un peu intimidé par l'effet produit par sa déclaration.

– Je vous ai vus ! (Le ton était plus sarcastique mais moins assuré.) Je l'ai vue monter Gonzo !

– Petit con! lâcha Joe entre ses dents et, au même moment, son poing se détendit.

La confusion fut générale. Scott percuta la table, et tasses et verres s'envolèrent. Les deux garçons tombèrent par terre au corps à corps, tandis que leurs parents essayaient de les séparer. Craig rappliqua en vitesse, se sentant tenu de participer, mais Tom allongea le bras et le retint en douceur. Annie et Grace regardaient, impuissantes.

Le moment d'après, Frank faisait défiler les garçons hors de la maison, Scott pleurnichant, Craig l'accompagnant par sympathie, et Joe drapé dans une rage muette plus expressive que tout le reste. Tom les raccompagna jusqu'à la porte de la cuisine.

– Annie, je suis désolée, dit Diane.

Elles se tenaient près de la table dévastée telles les rescapées hébétées d'un ouragan. Grace, blafarde, restait au fond de la pièce. Comme Annie la regardait, quelque chose qui n'était ni la peur ni le chagrin, mais un hybride des deux, effleura le visage de l'adolescente. Tom, qui sortait de la cuisine, s'en rendit compte lui aussi, car il alla lui poser la main sur l'épaule.

– Ça va?

Elle fit signe que oui, mais sans le regarder.

– Je monte...

Ramassant sa canne, elle traversa la pièce avec un gauche empressement.

– Grace, fit Annie.

– Laisse-moi!

Elle sortit et les trois adultes écoutèrent sans bouger le bruit de ses pas inégaux dans l'escalier. Annie vit de l'embarras sur le visage de Diane. Celui de Tom exprimait une compassion qui, se fût-elle laissée aller, l'aurait fait pleurer. Elle respira à fond et esquissa un sourire.

– Vous étiez au courant? Est-ce que tout le monde était au courant sauf moi?

Tom fit un signe de tête.

– Je crois que personne ne savait.

– Elle voulait peut-être vous faire une surprise, ajouta Diane.

Annie préféra en rire.

– Eh bien, c'est réussi...

Elle avait hâte d'être seule, mais Diane insista pour réparer les dégâts. Ils chargèrent donc le lave-vaisselle et débarrassèrent la table jonchée de verre brisé. Puis Diane retroussa ses manches et s'attaqua aux poêles et aux casseroles. Considérant sans doute que la bonne humeur était de mise, elle jasa devant l'évier à propos de la soirée campagnarde à laquelle Hank les avait tous conviés pour le lundi prochain.

Tom dit à peine un mot. Il aida Annie à tirer la table près de la fenêtre et attendit qu'elle eût éteint l'ordinateur. Puis, côte à côte, ils redisposèrent toutes ses affaires sur le plateau.

Pour Dieu sait quelle raison, Annie lui demanda soudain ce qu'il pensait de Pilgrim. Il ne répondit pas aussitôt, mais continua à démêler des câbles sans la regarder, en réfléchissant. Son ton, lorsqu'il ouvrit la bouche, était presque neutre.

– Je crois qu'il s'en sortira.

– C'est vrai ?

– Oui.

– Vous en êtes sûr ?

– Non... Mais voyez-vous, Annie, là où il y a de la douleur, il y a encore de la sensibilité. Et là où il y a de la sensibilité, il y a de l'espoir.

Il brancha le dernier câble.

– Et voilà...

Il se retourna et leurs regards s'affrontèrent.

– Merci, dit simplement Annie.

– De rien. Ne la laissez pas vous repousser...

À la cuisine, Diane était venue à bout de son travail et toute la vaisselle, sauf celle qu'elle avait apportée, était rangée mieux qu'Annie n'aurait su le faire. Après avoir repoussé les remerciements de son hôtesse et réitéré ses excuses pour les garçons, elle prit congé et partit avec Tom.

Debout sous l'éclairage de la véranda, Annie les regarda
s'éloigner. Et à mesure que les silhouettes étaient avalées par
la nuit, elle ressentit le besoin de le rappeler pour qu'il reste,
qu'il la prenne dans ses bras et la préserve du froid qui
retombait sur la maison.

Tom quitta Diane devant la grange et entra s'occuper de
la pouliche malade. En chemin, Diane n'avait cessé d'incri-
miner Joe, qui avait été assez bête pour emmener la fillette à
cheval sans rien dire. Tom avait répliqué qu'il ne trouvait pas
cela idiot. Il comprenait pourquoi Grace avait voulu garder
le secret. Joe était son ami, voilà tout. Diane avait répondu
que ce n'était pas l'affaire de Joe et, franchement, elle serait
soulagée quand Annie plierait bagages pour ramener cette
pauvre gamine à New York.

L'état de la pouliche n'avait pas empiré, même si sa respiration était un peu courte. La température était retombée à
quarante degrés. Tom lui flatta l'encolure et prit son pouls en
lui parlant doucement. Il compta les pulsations pendant vingt
secondes et multiplia le résultat par trois. Quarante-deux pulsations minute, toujours au-dessus de la normale. Elle avait
manifestement une infection et il faudrait peut-être appeler le
véto, s'il n'y avait pas d'amélioration au matin.

Lorsqu'il sortit, il y avait de la lumière dans la chambre
d'Annie, et c'était encore le cas quand, sa lecture terminée, il
éteignit sa lampe de chevet. C'était devenu une habitude, ce
dernier coup d'œil à la petite maison. Les stores jaunes de la
fenêtre se découpaient dans la nuit. Parfois, il voyait son
ombre passer par-derrière, tandis qu'elle accomplissait quelque secret cérémonial du coucher. Une fois, il l'avait même
vue s'arrêter là et se déshabiller dans la lumière. Il s'était
alors senti dans la peau d'un voyeur et s'était détourné.

Mais ce soir-là, les stores étaient relevés et il sut que cela
signifiait qu'une chose était advenue ou était en train de se
produire, peut-être à cet instant justement. Mais il savait
aussi que c'était une chose qu'elles étaient seules à pouvoir

régler et il songea – une idée idiote – que peut-être les stores étaient relevés non pour inviter les ténèbres à entrer mais au contraire pour les chasser.

Jamais, depuis le jour où il avait posé les yeux sur Rachel, il n'avait désiré une femme à ce point.

Ce soir, c'était la première fois qu'elle se montrait en robe. Une robe toute simple, en coton imprimé, une multitude de fleurettes rose et noir, fermée sur le devant jusqu'à l'ourlet par des boutons de nacre. La robe cachait largement le genou, et les petites manches à épaulettes découvraient le haut des bras.

Quand il était arrivé et qu'elle l'avait prié de l'accompagner dans la cuisine pour prendre un verre, il avait été incapable de détacher les yeux de sa personne. Il l'avait suivie dans la maison en respirant à fond son parfum et, lorsqu'elle avait versé le vin dans le verre, il avait remarqué qu'elle tirait la langue entre ses dents pour se concentrer. Il avait eu aussi la brève vision d'une bretelle en satin, qu'il avait essayé de ne plus regarder de la soirée, mais sans y parvenir. En lui tendant son verre, elle avait souri, creusant les commissures de ses lèvres d'une façon qu'il espérait n'être que pour lui.

Au cours du dîner, il en était presque arrivé à croire que c'était le cas, parce que les sourires qu'elle destinait aux autres étaient d'une tout autre espèce. Et peut-être se faisait-il des idées, mais quand elle parlait, quel que fût le sujet, elle semblait toujours s'adresser à lui. C'était la première fois qu'il la voyait maquillée, et il avait remarqué comment ses yeux verts chatoyaient et captaient la flamme des bougies quand elle riait.

Au moment de la bagarre, seule la présence de Diane l'avait retenu de prendre Annie dans ses bras pour la laisser pleurer comme elle en avait envie, ainsi qu'il l'avait vu. Il n'avait pas la bêtise de croire que cet élan était purement charitable. C'était le besoin de la tenir tout contre lui, de sentir étroitement la forme de son corps, la douceur de sa peau – son odeur.

267

Mais pour Tom, ce mobile n'avait rien de vil, même si d'autres auraient pu en juger ainsi. La douleur de cette femme, et son enfant, et la douleur de son enfant – tout cela faisait partie d'elle, n'est-ce pas? Et quel homme pouvait prétendre se mettre à la place de Dieu pour juger des subtiles divisions du sentiment appropriées à chacune de ces parties?

Toutes choses étaient une, et comme un cavalier en harmonie avec sa monture, le mieux qu'un homme pût faire, c'était d'être à l'écoute de ces choses, de suivre son impression et d'être aussi loyal envers lui-même que son cœur le lui permettait.

Après avoir tout éteint au rez-de-chaussée, Annie monta l'escalier et vit que la porte de Grace était close et qu'aucune lumière ne filtrait sous le battant. Elle se rendit dans sa propre chambre, alluma, et s'arrêta dans l'embrasure, consciente que franchir ce seuil serait lourd de signification. Comment pouvait-elle laisser passer ceci – laisser sans protester une nouvelle strate se déposer entre elle et sa fille, comme si quelque inexorable processus géologique était à l'œuvre dans la nuit? Ce n'était pas une fatalité.

La porte grinça, dépliant un éventail de lumière sur le parquet. Elle crut voir bouger la couverture, sans en être certaine, car le lit se trouvait au-delà de l'axe de lumière et ses yeux mirent du temps à accommoder.

– Grace?

Elle était tournée contre le mur, les épaules d'une immobilité appliquée sous le drap.

– Grace?

– Quoi?

– On peut parler?

– J'ai sommeil.

– Moi aussi, mais je crois que ça nous ferait du bien de parler.

– De quoi...?

Annie s'avança et prit place sur le lit. La jambe artificielle était appuyée contre le mur près de la table de chevet. Grace soupira et se retourna sur le dos, les yeux au plafond. Annie prit une profonde inspiration. Sois fine, se dit-elle. Ne te montre pas blessée, sois décontractée, gentille.

– Alors comme ça, tu as recommencé à monter...

– J'ai essayé.

– Et alors...?

Grace haussa les épaules.

– Ça s'est passé comment?

Elle gardait les yeux au plafond, l'air volontairement ennuyé.

– C'est formidable.

– Tu trouves?

– Pas toi?

– J' sais pas. Tu sais ça mieux que moi.

Luttant contre les battements de son cœur, Annie s'efforça au calme. Continue, laisse venir. Mais au lieu de cela elle s'entendit dire :

– Tu n'aurais pas pu m'en parler?

Grace la toisa et il y avait tant de colère et de douleur dans ses yeux que sa mère faillit en avoir le souffle coupé.

– Pourquoi j'aurais dû t'en parler?

– Grace...

– Tu me dis pas pourquoi? Parce que ça t'intéresse? Ou parce que tu dois toujours tout connaître et tout contrôler et ne laisser personne rien faire sans ta permission?

– Oh, Grace...

Annie, qui avait soudain un besoin de lumière, allongea le bras pour allumer la lampe, mais Grace l'en empêcha d'un coup de poing.

– Non! Pas de lumière!

Le coup atteignit sa mère à la main et envoya la lampe s'écraser par terre. Le pied de céramique se brisa en trois morceaux bien nets.

– Tu fais comme si ça t'intéressait, mais tout ce qui t'intéresse, c'est toi et ce qu'on va penser de toi. Et ton boulot – et tes copains haut placés!

Elle se souleva sur les coudes, comme pour soutenir une rage déjà aggravée par les larmes qui déformaient ses traits.

– De toute manière, tu ne voulais pas que je remonte, alors pourquoi j'aurais dû t'en parler? Et pourquoi je devrais te parler, d'abord? Je te déteste!

Sa mère tenta de la prendre dans ses bras mais Grace la repoussa.

– Va-t'en! Laisse-moi! Va-t'en!

Annie se mit debout, mais se sentit vaciller et crut qu'elle allait tomber. À l'aveuglette, elle traversa le pan de lumière qui la conduisait à la porte. Elle ignorait ce qu'elle allait faire, elle savait simplement qu'elle obéissait à une sorte de condamnation sans appel. Une fois à la porte, elle entendit un murmure et fit volte-face. La fillette était retournée contre le mur et ses épaules tremblaient.

– Qu'est-ce qu'il y a?

Elle attendit. Était-ce sa propre peine ou bien celle de Grace qui ensevelit ces mots pour la seconde fois – elle n'en sut rien, mais quelque chose dans le ton la fit retourner sur ses pas. Elle marcha jusqu'au lit, prête à toucher sa fille mais s'en garda bien, de peur d'un nouvel accès de violence.

– Que dis-tu, Grace?

– Ça a commencé...

Les mots avaient été prononcés dans un sanglot et, sur le coup, Annie ne comprit pas.

– Qu'est-ce qui a commencé?

– Mes règles.

– Ce soir...?

– Quand je suis remontée, j'avais du sang dans ma culotte. Je l'ai lavée dans la salle de bains, mais ça n'est pas parti...

– Oh, ma chérie...

Annie posa la main sur l'épaule de Grace, qui se retourna. Son visage n'exprimait plus qu'une immense détresse. Sa mère s'assit et la prit dans ses bras. Grace se cramponna à elle – et les sanglots les convulsèrent comme si elles n'avaient plus fait qu'un seul corps.

– Qui voudra de moi?

– Quoi, chérie?

– Qui voudra jamais de moi? Personne...

– Oh, Grace! C'est faux...

– Pourquoi est-ce qu'on voudrait de moi?

– Parce que tu es merveilleuse. Parce que tu es belle et forte. Et parce que tu es la personne la plus courageuse que j'aie rencontrée de toute ma vie.

Elles pleurèrent, serrées l'une contre l'autre. Et quand la parole fut de nouveau possible, Grace dit qu'elle n'avait jamais pensé tous ces mots affreux qu'elle avait prononcés, et Annie répondit qu'elle le savait bien, mais qu'il y avait tout de même une part de vérité là-dedans et qu'elle avait fait beaucoup, beaucoup d'erreurs. Elles restèrent ainsi, la tête sur l'épaule l'une de l'autre, et laissèrent s'épancher de leur cœur des mots qu'elles avaient à peine osé se chuchoter à elles-mêmes.

– Toutes ces années où papa et toi vous avez essayé d'avoir un autre bébé... Chaque soir, je priais pour que ça marche. Et ce n'était ni pour vous ni parce que j'aurais voulu un petit frère ou une petite sœur... mais parce que, comme ça, je n'aurais pas eu à continuer d'être... oh, je ne sais pas...

– Dis-moi...

– La meilleure. En tant que fille unique, je sentais que vous me demandiez d'être bonne en tout, parfaite, et je n'étais pas parfaite, j'étais seulement moi. Et maintenant, j'ai tout bousillé...

Annie la serra plus étroitement, lui caressa les cheveux, et lui dit qu'elle se trompait. Et elle songea sans le dire que l'amour était une marchandise bien dangereuse, et que le bon dosage entre « donner » et « prendre » était trop délicat pour de simples mortels.

Combien de temps restèrent-elles ainsi – Annie aurait bien

été en peine de le dire, mais les larmes s'étaient taries et refroidies depuis longtemps sur sa robe, lorsque Grace s'assoupit dans ses bras. Elle ne se réveilla même pas lorsque sa mère la recoucha et s'allongea à son côté.

Annie écouta le souffle de sa fille, régulier et confiant, et pendant un moment regarda la brise écarter les rideaux défraîchis. Puis elle dormit aussi, d'un sommeil profond et sans rêve, tandis qu'au-dehors la terre se déroulait, vaste et silencieuse sous la voûte des cieux.

24

Par la vitre zébrée de pluie, Robert regarda la pin-up en Raybans et maillot de bain qui lui adressait des signes depuis dix minutes sur son panneau d'affichage. Avec son bras électroniquement animé, elle faisait de son mieux pour persuader les centaines de voyageurs pris par la pluie et les embouteillages qu'ils auraient mieux fait d'acheter un billet d'avion pour la Floride.

Point de vue discutable – et plus difficile à défendre qu'il n'y paraissait, car toute la presse britannique ne parlait plus que de ces touristes anglaises qui avaient été agressées, violées et tuées en Floride. Tandis que le taxi recommençait à se traîner, il vit qu'un plaisantin avait gribouillé aux pieds de l'effigie : « N'oubliez pas votre Uzi. »

Il réalisa trop tard qu'il aurait dû prendre le métro. Voilà une dizaine d'années qu'à chacune de ses visites « on » défonçait une nouvelle section de la route d'accès à l'aéroport. Le vol pour Genève partait dans trente-cinq minutes et, à ce train-là, il allait largement le rater. Le chauffeur lui avait déjà signalé, avec un entrain suspect, que l'aéroport était dans une vraie purée de pois.

C'était vrai. Et Robert ne rata pas son vol parce qu'il fut annulé. Il alla s'asseoir dans la salle réservée aux « classe affaires » et, quelques heures durant, profita de la camaraderie d'un groupe grossissant de cadres supérieurs surmenés,

273

tous promis à un glorieux infarctus. Il essaya d'appeler Annie mais tomba sur le répondeur et se demanda où elle était passée. Il avait oublié de lui demander ses projets pour ce premier Memorial Day qu'ils ne passeraient pas ensemble depuis des années.

Il laissa un message et entonna quelques mesures des *Châteaux de Montezuma* pour Grace, code convenu pour exprimer sa grogne et une envie de tout casser. Puis il jeta un dernier coup d'œil aux notes de sa réunion de la journée (qui s'était bien passée) ainsi qu'aux documents préparatoires à la réunion du lendemain (qui devrait également bien se passer s'il parvenait à y assister) puis rangea le tout et alla se promener une fois de plus dans la zone des départs.

Alors qu'il regardait par pur désœuvrement une brochette de pulls de golf en cachemire qu'il n'aurait pas souhaités à son pire ennemi, quelqu'un le salua et il aperçut un individu qui, parmi ses connaissances, se rapprochait le plus de cette catégorie.

Freddie Kane gravitait dans les sphères inférieures de l'édition – le genre de personnage que l'on n'interroge jamais précisément sur la nature de ses fonctions de peur d'être soi-même embarrassé. Il compensait les obscures faiblesses que cachait cette zone fangeuse en ne faisant pas mystère qu'il possédait une fortune personnelle et connaissait en outre le moindre potin courant sur tous ceux qui avaient un nom à New York. En oubliant celui de Robert dans les rares occasions où ils s'étaient rencontrés, Freddie ne cachait pas non plus qu'à ses yeux l'époux d'Annie Graves ne faisait pas partie du lot. Annie, en revanche, si – et plutôt deux fois qu'une.

– Hello! Il me semblait bien... Qu'est-ce que vous faites ici?

D'une main il lui écrasa l'épaule et, de l'autre, lui pompa la main d'une façon qui réussissait à être simultanément énergique et molle. Robert nota en souriant qu'il arborait des lunettes à verres réfléchissants comme ces stars qui voudraient avoir l'air intellectuel. Il avait manifestement encore oublié son nom.

Ils parlèrent pulls de golf, échangèrent des informations sur les destinations, les estimations des arrivées et les propriétés du brouillard londonien. Sur le motif de sa présence en Europe, Robert resta évasif, non que ce fût un secret, mais pour jouir de la déception de Freddie. Et peut-être fut-ce le désir de se venger qui motiva les remarques finales de ce dernier.

— Il paraît qu'il y aurait du tangage entre Annie et Gates... ?

— Pardon ?

Il porta la main à sa bouche comme un collégien pris en faute.

— Oups ! On n'est peut-être pas censé le savoir ?

— Excusez-moi, Freddie, je ne vous suis plus...

— Oh ! c'est seulement que mon petit doigt m'avait dit que Crawford Gates était reparti en chasse. Il n'y a sûrement pas un mot de vrai là-dedans.

— En chasse... ?

— Oh ! vous savez comment ça se passe dans cette boîte, les chaises musicales et autres... J'ai entendu dire qu'il faisait tourner Annie en bourrique, c'est tout.

— Ma foi, c'est la première fois que...

— Des ragots, rien de plus. Je n'aurais pas dû en parler.

Il lui adressa un sourire satisfait et, ayant atteint ce qui était peut-être l'unique objectif de cette rencontre, déclara qu'il devait retourner au guichet de sa compagnie pour faire une nouvelle réclamation.

De retour dans la salle d'attente, Robert s'accorda une autre bière et feuilleta l'*Economist* en réfléchissant aux paroles de Freddie. S'il avait joué les naïfs, il avait tout de suite compris où le bonhomme voulait en venir. C'était la deuxième fois que cela lui arrivait dans la même semaine.

Le mardi, il avait assisté à une réception donnée par l'un des plus gros clients de sa boîte. C'était le genre de corvées auxquelles il se dérobait d'ordinaire, mais en l'absence de Grace et d'Annie, il avait eu plaisir à s'y rendre. Le raout se tenait sur des kilomètres de bureaux somptueux près de Rockfeller Center, et on y servait des montagnes de caviar hautes comme des pistes de ski.

Robert reconnut de nombreuses têtes et il en conclut que si leur hôte avait invité toute la concurrence, c'était pour que le cabinet élu continuât à se tenir à carreau. Dans la foule, se trouvait Don Farlow. Pour ne l'avoir rencontré qu'une seule fois, Robert l'appréciait et savait qu'Annie le tenait en haute estime.

Farlow lui réserva un accueil chaleureux et Robert découvrit avec plaisir au cours de la conversation qu'ils partageaient, outre un appétit pour le caviar frisant la voracité, une attitude sainement cynique vis-à-vis de leurs bienfaiteurs. Ils confisquèrent à leur profit les pistes pour débutants et Robert rapporta à cette oreille compatissante l'évolution du litige relatif à l'accident de Grace – ou plutôt l'absence d'évolution, car l'affaire devenait si compliquée qu'elle menaçait de traîner encore des années. Puis la conversation reprit. Farlow demanda des nouvelles d'Annie.

– C'est une grande professionnelle, dit-il. La meilleure. Le plus drôle, c'est que cet abruti de Crawford le sait bien.

Comme Robert lui demandait ce qu'il entendait par là, Farlow parut surpris, puis embarrassé. Il changea vivement de sujet et se borna à ajouter en partant que Annie serait bien inspirée de revenir au plus tôt. Robert était rentré directement à l'appartement pour lui téléphoner. Annie l'avait pris à la légère.

– Ils sont tous paranoïaques dans cette boîte... (Bien sûr, Gates lui cassait les pieds, mais pas plus que d'habitude.) Cette vieille canaille a trop besoin de moi...

Robert n'avait pas insisté, même s'il avait senti que la bravade était d'abord destinée à la rassurer elle-même. Mais si Freddie Kane était au courant, tout New York devait l'être également. Et même si ce n'était pas son milieu, Robert le connaissait assez pour savoir ce qui comptait le plus – des racontars ou de la vérité.

25

D'HABITUDE, Hank et Darlène donnaient leur fête le 4 juillet, jour de la Déclaration d'Indépendance. Mais cette année-là, Hank avait pris rendez-vous pour se faire opérer des varices à la fin juin, et comme il ne se voyait pas danser avec des béquilles, la fête avait été avancée au 30 mai, jour du Memorial Day.

C'était prendre des risques. Quelques années plus tôt, deux pieds de neige étaient tombés justement au cours de cette semaine-là. Et certains invités considéraient qu'un jour consacré à honorer les morts pour la Patrie était mal choisi pour faire la fête. Hank avait dit : flûte alors, célébrer l'Indépendance, c'était encore plus idiot quand on était mariés depuis aussi longtemps que lui et Darlène, et d'ailleurs il ne connaissait pas un vétéran du Viêt-nam qui eût été contre une bonne fiesta.

Rien que pour l'embêter, il plut.

Des torrents de pluie glissèrent des bâches goudronnées et ventrues pour siffler parmi les hamburgers, les côtelettes et les steaks disposés sur le barbecue, puis une boîte à fusibles explosa, soufflant toutes les guirlandes lumineuses qui décoraient la cour. L'événement ne souleva pas une grande émotion et tout le monde alla simplement s'entasser dans la grange. Quelqu'un offrit à Hank un tee-shirt qu'il enfila immédiatement et où s'étalait un « JE TE L'AVAIS BIEN DIT » en grosses lettres noires.

Tom arriva en retard, parce que le vétérinaire n'avait pu se déplacer avant la fin de la journée. Il avait administré une nouvelle piqûre à la pouliche en déclarant que cela devait suffire. Ils étaient encore en train de la soigner lorsque les autres étaient partis à la fête. Par le portail ouvert, Tom avait vu les gosses s'entasser dans la Lariat. Comme Annie lui demandait s'il venait, il lui avait répondu qu'il irait plus tard, non sans noter avec satisfaction qu'elle portait sa robe à fleurs.

Ni elle ni Grace n'avait reparlé de ce qui s'était passé cette nuit-là. Le dimanche, il s'était levé avant l'aube et, en s'habillant dans le noir, il avait remarqué que les stores d'Annie étaient toujours relevés et l'électricité allumée. Il avait eu envie de monter là-haut pour vérifier si tout allait bien, mais il avait préféré attendre, de crainte de se montrer indiscret. Lorsqu'il était rentré déjeuner après avoir vu les chevaux, Diane lui avait dit qu'Annie venait d'appeler pour demander si elle pouvait les accompagner à l'église avec Grace.

– Sûrement en vue d'un article..., avait-elle ajouté.

Tom lui avait dit qu'elle exagérait, et Diane ne lui avait plus reparlé de la journée.

Ils étaient partis tous ensemble à l'église avec les deux voitures et Tom avait découvert que la situation avait évolué entre la mère et la fille. La tension avait disparu. Lorsque Annie s'adressait à Grace, la petite la regardait désormais en face, et une fois les voitures garées, elles entrèrent dans l'église en se donnant la main.

Comme tout le monde ne pouvait tenir sur un rang, Annie et Grace prirent place devant, là où une flèche de lumière tombée d'une ouverture captait de lents mouvements verticaux de poussière. Tom vit les autres paroissiens lorgner les nouvelles, les femmes aussi bien que les hommes. Et il surprit son propre regard qui retournait à la nuque d'Annie lorsqu'elle se levait pour un hymne ou penchait la tête pour prier.

Au ranch, Grace avait monté Gonzo de nouveau, mais

cette fois dans la grande arène et devant tout le monde. Elle marcha au pas puis, au signal de Tom, se lança au trot. Au début, elle était un peu tendue, mais une fois qu'elle se décontracta, Tom vit qu'elle avait une bonne assiette. Il lui donna quelques conseils pour sa jambe et, quand tout fut au point, lui demanda de passer au galop.

— Au galop?

— Pourquoi pas?

Tout se déroula parfaitement, et lorsqu'elle détendit les hanches et évolua dans le mouvement, il vit le sourire revenir sur son visage.

— Elle ne devrait pas mettre quelque chose sur sa tête? lui demanda Annie.

Elle voulait parler de ces bombes de protection comme on en porte en Angleterre et dans l'est des États-Unis, et il lui répondit que non, sauf si elle avait l'intention de tomber. Il savait qu'il aurait dû la prendre au sérieux, mais Annie parut lui faire confiance et elle n'insista pas.

Grace ralentit en conservant une assiette parfaite et arrêta Gonzo en douceur au milieu des applaudissements et des bravos. Le petit cheval avait l'air aussi fier que s'il avait gagné le Derby du Kentucky. Et le sourire de Grace était épanoui et limpide comme un ciel de printemps.

Après le départ du vétérinaire, Tom prit une douche, changea de chemise et partit sous la pluie. Il pleuvait si fort que les essuie-glaces de la vieille Chevy renoncèrent, et il dut scruter la route caillouteuse, le nez sur la vitre, pour négocier son chemin entre les cratères inondés. Il y avait tant de voitures lorsqu'il arriva chez Hank qu'il dut se garer juste dans l'allée et serait arrivé trempé à la grange s'il n'avait pensé à prendre son imperméable.

Le maître de maison se précipita pour l'accueillir avec une bière. Tom plaisanta sur le tee-shirt et se rendit compte en ôtant son imperméable qu'il cherchait Annie dans la foule. La grange, pourtant vaste, était encore trop petite pour la masse des invités. La musique country était presque noyée sous les conversations et les rires. On mangeait toujours. À tout instant, le vent rabattait par les portes ouvertes un nuage de fumée provenant du barbecue. La plupart des gens mangeaient debout, car les tables tirées à l'intérieur étaient encore mouillées.

Tout en bavardant avec Hank, Tom parcourut la salle du regard. Au fond, un box avait été converti en buvette et il vit Frank qui faisait le service derrière le comptoir. Les adolescents, parmi lesquels Grace et Joe, s'étaient agglutinés autour de la sono et fouillaient dans la caisse des cassettes en râlant à la perspective embarrassante de voir leurs parents s'essayer à danser sur les Eagles ou Fleetwood Mac. Non loin de là, Diane ordonnait aux jumeaux de cesser de jeter de la nourriture, sinon elle les ramenait directement à la maison. Il y avait beaucoup de têtes que Tom reconnut, et nombre de gens le saluèrent. Mais un seul être l'intéressait, et enfin il la vit.

Elle se tenait tout au fond, dans un coin, un verre vide à la main, et parlait avec Smoky qui revenait du Nouveau-Mexique où il avait travaillé depuis la dernière série de consultations de Tom. C'était Smoky qui semblait faire tous les frais de la conversation. Annie n'arrêtait pas de jeter des coups d'œil dans la salle et Tom se demanda si elle cherchait quelqu'un en particulier, et si ce quelqu'un était lui. Puis il se traita d'imbécile et se dirigea vers le buffet.

Smoky sut qui était Annie dès qu'ils furent présentés.

— C'est vous la dame qui l'a appelé quand on était dans le comté de Marin !

Annie sourit.

— Précisément.

— Il m'a téléphoné quand je suis rentré de New York. Il disait qu'il était pas question qu'il s'occupe de cette bête. Et voilà que maintenant...

— Il a changé d'avis.

— Pour sûr, madame, qu'il a changé d'avis. J'ai jamais vu Tom agir contre sa volonté.

280

Annie l'interrogea sur son travail, le but de ces consultations, et il apparut que Smoky avait une véritable vénération pour Tom. À l'entendre, il y avait pas mal de types à présent qui donnaient des consultations, mais aucun ne lui arrivait à la cheville. Il lui parla de certaines choses que Tom avait accomplies sous ses yeux, des chevaux qu'il avait aidés alors que tout le monde en aurait terminé d'un coup de fusil.

— Quand il pose les mains sur eux, c'est comme s'ils se dépouillaient de toute leur rage.

Annie dit qu'il n'avait pas encore fait de même avec Pilgrim et Smoky répondit que c'était sûrement vrai, car le cheval n'était pas encore prêt.

— On dirait de la magie, dit-elle.

— Non, madame. C'est plus que de la magie. La magie, c'est seulement des tours.

Si ce n'était pas de la magie, Annie avait tout de même ressenti quelque chose. Cette impression, elle l'avait eue en regardant Tom travailler, quand ils se promenaient à cheval — et presque à tout instant lorsqu'ils étaient ensemble.

C'était à cela qu'elle avait réfléchi la veille, lorsqu'elle s'était réveillée à côté de Grace, pour voir l'aube filtrer à travers les rideaux immobiles. Longtemps, elle resta sans bouger, bercée par le souffle de sa fille. Une fois, d'un rêve lointain, Grace murmura quelque chose qu'Annie chercha en vain à décrypter.

C'est alors qu'elle remarqua parmi la pile de livres et de revues près du lit, l'exemplaire du *Voyage du pèlerin* que lui avait donné la cousine de Liz Hammond. Elle ne l'avait pas ouvert et ignorait que Grace l'avait rapporté dans sa chambre. Se glissant doucement hors du lit, elle prit le livre et gagna le fauteuil près de la fenêtre où il y avait juste assez de lumière pour permettre la lecture.

Elle se revoyait enfant, écoutant l'histoire et ouvrant de grands yeux, naïvement captivée par la légende du petit chrétien lancé dans sa quête héroïque de la Cité céleste. À la relecture, l'allégorie lui semblait transparente et maladroite. Mais un passage vers la fin retint son attention.

« Et j'ai vu dans mon rêve qu'en ce temps-là les pèlerins furent menés sur la Terre enchantée et entrèrent au pays de Beulah, où l'air était doux et plaisant ; et comme leur chemin traversait ce pays, ils s'y réconfortèrent toute une saison durant. Là, ils entendaient continuellement le chant des oiseaux, voyaient chaque jour les fleurs sortir du sol et entendaient la voix de la tortue sur la terre ferme. Dans ce pays, le soleil brillait nuit et jour ; et ceci était donc au-delà de la vallée de la Mort et très loin aussi du géant Désespoir ; et de là leur regard ne portait pas non plus jusqu'au château du Doute. Ici, ils étaient en vue de la Cité, dont ils rencontrèrent aussi certains des habitants. Car sur cette terre les Glorieux marchaient communément, parce que c'étaient les marches du Paradis. »

Annie lut trois fois ce passage et n'alla pas au-delà. C'était ce qui l'avait incitée à téléphoner à Diane pour lui demander la permission de venir à l'église avec Grace. Toutefois, cette ferveur soudaine – si farouchement étrangère à son caractère que c'en était comique – avait peu à voir avec la religion. Mais tout avec Tom Booker.

Annie savait qu'un homme avait planté le décor pour ce qui était arrivé. Il avait ouvert une porte – et par cette porte elle avait retrouvé son enfant. « Ne la laissez pas vous repousser », lui avait-il dit. Et elle l'avait écouté. Maintenant, elle voulait simplement le remercier mais d'une façon ritualisée pour ne gêner personne. Grace l'avait taquinée à ce sujet, lui demandant depuis combien de siècles elle n'était pas entrée dans une église. Mais cela avait été dit sur un ton affectueux et Grace l'avait accompagnée de bonne grâce.

Les pensées d'Annie se focalisèrent de nouveau sur la fête. Smoky ne semblait pas avoir remarqué sa distraction. Il était lancé dans un long récit circonstancié sur l'homme qui possédait le ranch où il avait travaillé au Nouveau-Mexique. Tout en l'écoutant, Annie retourna à son occupation favorite depuis le début de la soirée : chercher Tom. Peut-être ne viendrait-il pas.

Hank se fit aider pour ressortir les tables sous la pluie et on se mit à danser. La musique jouait plus fort et comme c'était de la country, les gamins pouvaient continuer à râler, secrètement ravis de ne pas avoir à se lancer en piste – rire de ses parents était nettement plus amusant que de faire rire de soi-même. Une ou deux adolescentes avaient pourtant rompu les rangs et, à cette vue, Annie s'inquiéta. Stupidement, jusqu'à présent, la pensée ne l'avait pas effleurée que voir danser les autres pouvait bouleverser sa fille. Elle s'excusa auprès de Smoky et partit à sa recherche.

Grace était assise près des stalles avec Joe. Voyant sa mère approcher, elle confia quelque chose à son camarade qui sourit. Il avait repris tout son sérieux à l'arrivée d'Annie et se leva pour l'accueillir.

– Vous dansez, madame?

Grace éclata de rire et Annie lui adressa un coup d'œil soupçonneux.

– Tout cela est entièrement impromptu, bien sûr? dit-elle.

– Bien sûr, madame.

– Et pas un pari, par hasard?

– Maman, tu es impolie! protesta Grace. Comment peux-tu soupçonner une chose pareille?

Joe était sérieux comme un pape.

– Non, madame. Absolument pas.

Annie regarda de nouveau Grace, qui lisait à présent clairement en elle.

– Maman, si tu espères que je vais danser avec lui, laisse tomber.

– Dans ce cas, merci Joe. J'en serai enchantée.

Et ils dansèrent. Et Joe s'en tira plutôt bien et ne flancha pas une fois sous les quolibets des autres gamins. Ce fut au cours de cette danse qu'elle vit Tom. Il l'observait du bar et lui fit un petit signe. Sa vue lui donna un tel frisson d'adolescente qu'elle se sentit gênée à l'idée qu'on avait pu s'en apercevoir.

Lorsque la musique cessa, Joe se fendit d'une courtoise

courbette et l'escorta jusqu'à Grace qui n'avait cessé de se tordre de rire. Sentant qu'on lui touchait l'épaule, Annie se retourna. C'était Hank, qui voulait la prochaine danse et n'aurait jamais accepté un refus. À la fin du morceau, Annie riait tellement qu'elle en avait mal aux côtes. Mais elle n'eut pas de répit. Frank prit la relève, puis Smoky.

Tout en évoluant, elle aperçut Grace et Joe qui se livraient à une sorte de danse bouffonne avec les jumeaux et d'autres marmots – juste assez bouffonne pour leur donner l'illusion qu'ils ne dansaient pas réellement ensemble.

Elle vit Tom danser avec Darlène, Diane, puis une jeune femme très jolie qu'Annie ne connaissait pas – et ne tenait pas à connaître. Peut-être une fiancée dont on ne lui avait pas parlé. Et chaque fois que la musique s'arrêtait, Annie regardait dans sa direction et se demandait pourquoi il ne venait pas l'inviter.

Il la vit se diriger vers le bar après avoir dansé avec Smoky et, dès qu'il put le faire poliment, il remercia sa partenaire et s'éclipsa. C'était la troisième fois qu'il essayait de l'atteindre, mais il avait toujours été pris de vitesse par un autre.

Se faufilant à travers la foule échauffée, il la vit essuyer son front en sueur et passer les mains dans ses cheveux, comme la fois où il l'avait rencontrée en train de courir. Il y avait une tache sombre dans son dos, là où l'étoffe de sa robe lui collait à la peau. Et en se rapprochant, il sentit son parfum – mêlé à une odeur plus subtile et puissante qui était entièrement la sienne.

Frank, qui était revenu au bar, demanda à Annie par-dessus les têtes ce qu'elle désirait. Elle voulait un verre d'eau. Désolé, dit-il, il n'avait pas d'eau, seulement du Dr Peppers. Comme il lui tendait une cannette, elle le remercia, se retourna – et se retrouva nez à nez avec Tom.

– Hello! dit-elle.

– Hello! Alors comme ça, Annie Graves aime danser...

– En vérité, j'ai horreur de ça. Mais personne ne m'a demandé mon avis.

Il rit et décida donc de ne pas l'inviter, même s'il n'avait attendu que cela toute la soirée. Quelqu'un qui se frayait de force un passage les sépara. La musique avait repris et ils devaient crier pour se faire entendre.

– Vous, vous aimez ça! dit-elle.

– Quoi?

– Danser. Je vous ai vu.

– Possible, oui. Mais je vous ai vue aussi et je crois que ça vous plaît plus que vous ne dites.

– Oh, ça dépend des moments...

– Vous voulez de l'eau?

– Ma vie pour un verre d'eau!

Tom apostropha Frank pour lui demander un verre propre et rendit le Dr Peppers. Puis il posa une main légère dans le dos d'Annie et sentit la chaleur de son corps sous la robe trempée.

– Venez!

Il lui fraya un passage parmi la foule et elle ne pensait à rien d'autre qu'au contact de sa main, juste sous les omoplates et l'agrafe du soutien-gorge.

Longeant la piste de danse, elle s'en voulut d'avoir prétendu qu'elle n'aimait pas danser, car il lui aurait sûrement demandé, et rien n'aurait pu lui faire plus plaisir.

Le portail de la grange était resté ouvert et les jeux de lumière faisaient de la pluie un rideau de perles aux couleurs changeantes. Le vent s'était calmé, mais la pluie tombait si dru qu'elle provoquait une brise et un petit groupe s'était rassemblé pour profiter de la fraîcheur.

Ensemble ils restèrent au bord de cet abri, scrutant la pluie dont le crépitement rendait lointaine la musique. Tom n'avait plus de raison de laisser sa main dans son dos et, quoiqu'elle eût espéré qu'il n'en ferait rien, il la retira. Elle distinguait au fond de la cour les lumières de la maison pareille à un vaisseau fantôme, là où, pensait-elle, ils allaient chercher de l'eau.

– On va se faire saucer, dit-elle.

– Je vous croyais prête à mourir pour un verre d'eau ?

– Oui, mais pas noyée. Quoiqu'on dise que c'est la meilleure façon d'en finir. Je me suis toujours demandé comment on pouvait le savoir...

Il rit.

– Toujours en train de cogiter, hein... ?

– Ça bouillonne là-dedans. Je ne peux pas m'en empêcher.

– Et parfois vous ne savez plus où vous en êtes, pas vrai... ?

Voyant qu'elle n'avait pas compris, il désigna du doigt la maison.

– Nous voici devant un rideau de pluie et vous pensez : dommage, pas d'eau...

Annie lui lança un regard ironique et lui prit le verre des mains.

– C'est l'histoire de l'arbre qui cache la forêt, non ?

Il haussa les épaules, sourit, et elle tendit le verre dans la nuit. Le mitraillage de la pluie sur son bras nu était saisissant, presque douloureux. Le bruit de cataracte les isolait du reste du monde. Et tandis que le verre se remplissait, leurs regards s'affrontèrent dans une communion où l'humour n'était que de surface. Cela dura moins longtemps qu'il ne leur parut – et qu'ils l'auraient voulu.

Annie lui offrit de boire en premier mais il refusa et se contenta de la regarder. Elle le regarda à son tour par-dessus le bord du verre en se désaltérant. L'eau était fraîche, pure – d'une pureté si proche du néant qu'elle en aurait pleuré.

26

GRACE eut la puce à l'oreille dès qu'elle monta dans la voiture au côté de Tom. C'était à cause de son sourire – un gosse qui a caché le bocal à bonbons. Elle claqua la portière et la Chevy redescendit en direction des corrals. Grace revenait seulement de chez la kiné et avait emporté son sandwich.

– Qu'est-ce qu'il y a?

– Quoi?

Elle lui lança un regard aigu, mais il était l'innocence en personne.

– Pour commencer, vous êtes en avance.

– Ah oui? (Il secoua sa montre.) Maudite breloque.

Voyant qu'elle n'aurait pas gain de cause, elle se renfonça dans son siège et mordit dans son sandwich. Tom lui adressa de nouveau son drôle de sourire et poursuivit son chemin.

Le second indice fut la corde qu'il rapporta de la grange avant de se diriger vers le corral. Plus courte que celle qu'il utilisait pour le lancer du lasso et d'une section plus fine, tressée d'un entrecroisement serré de vert et violet.

– C'est quoi?

– Une corde. Jolie, non...?

– Pour quoi faire?

– Eh bien... innombrables sont les usages qu'une main peut faire d'une pareille corde.

– Comme se balancer à un arbre, ligoter quelqu'un...

– Oui, ces sortes de choses...

Arrivée au corral, Grace alla se pencher à la barrière tandis que Tom entrait dans l'arène. Au fond, fidèle à lui-même, Pilgrim se mit à trotter de long en large en s'ébrouant, comme pour baliser un ultime et dérisoire territoire. Sa queue, ses oreilles et ses flancs agités de spasmes semblaient branchés sur un courant. Il observa l'approche de Tom.

Mais Tom ne le regardait pas. En marchant, il faisait quelque chose de la corde. Quoi ? Grace n'aurait su le dire, car il lui tournait le dos. Au milieu de l'arène, il poursuivit son manège, les yeux toujours baissés.

Grace vit que Pilgrim était aussi intrigué qu'elle. Il avait cessé ses va-et-vient et, immobile, suivait la scène. Et même si, à tout instant, il secouait la tête et piaffait, ses oreilles pointaient vers Tom, comme tirées par un élastique. Grace longea lentement la barrière pour observer le dresseur sous un meilleur angle. Elle n'eut pas à aller loin, car il se retourna vers elle, de sorte que son épaule cachait ses manigances des regards de Pilgrim. Grace vit seulement qu'il était occupé à former une série de nœuds. Brusquement, il leva les yeux et lui sourit sous son chapeau.

– Il est curieux, hein... ?

Pilgrim était plus que curieux. Et maintenant qu'il ne voyait plus rien, il fit comme Grace : il se rapprocha pour bénéficier d'un meilleur point de vue. Tom l'entendit et s'éloigna en lui tournant carrément le dos. Pilgrim resta là un moment, et détourna la tête pour faire le point. Puis il se tourna de nouveau vers Tom et fit quelques pas hésitants dans sa direction. Et Tom, l'entendant de nouveau, se déplaça encore, de sorte que l'espace entre eux restait presque – mais pas tout à fait – le même.

Grace vit qu'il avait terminé ses nœuds, mais il continuait à les tirer et à les façonner, et soudain elle comprit ce qu'il avait créé. Un simple licou. Incroyable.

– Vous allez essayer de lui passer ça ?

Tom lui sourit et déclara dans un chuchotement de théâtre :

– Seulement s'il me supplie...

Grace était trop prise par l'action pour savoir combien de temps cela dura – dix ou quinze minutes, guère plus. Chaque fois que Pilgrim se rapprochait, Tom le fuyait, ce qui alimentait sa curiosité. Puis le dresseur s'arrêtait et chaque station réduisait d'un pouce l'intervalle qui les séparait. Lorsque, après deux tours de corral, Tom fut revenu au milieu, ils n'étaient plus qu'à dix pas l'un de l'autre.

Tom se tourna alors de profil tout en continuant tranquillement à manier la corde, et s'il leva une seule fois les yeux en souriant à Grace, jamais il ne s'intéressa au cheval Ainsi méprisé, Pilgrim souffla par les naseaux et regarda d'un côté, puis de l'autre. Il avança encore d'un ou deux pas. Grace comprit qu'il s'attendait à voir l'homme se dérober de nouveau, mais cette fois ce ne fut pas le cas. Le changement l'étonna, et il s'arrêta pour regarder une nouvelle fois autour de lui, histoire de voir si quelque chose au monde, Grace incluse, pouvait l'aider à donner un sens à tout ceci. À défaut d'une réponse, il se rapprocha – se rapprocha encore, soufflant et tendant le cou pour flairer quel piège cet homme pouvait cacher, partagé entre la peur et une envie folle de savoir.

À la fin, il fut si proche que les poils de sa barbe effleurèrent le bord du chapeau, et Tom dut sentir qu'on lui reniflait dans le cou.

Alors le dresseur s'écarta et, quoique son mouvement n'eût rien de brusque, Pilgrim sauta comme un chat effarouché et hennit. Mais il ne s'en alla pas. Et lorsque Tom lui fit face, il s'apaisa. Maintenant, il distinguait la corde. Tom la tenait à deux mains pour qu'il pût bien la voir. Mais voir n'était pas suffisant. Il lui fallait également la flairer.

Pour la première fois, Tom le regardait et disait quelque chose aussi, que Grace n'entendit pas, car elle était trop loin. Elle se mordit les lèvres en suivant la scène, priant pour que le cheval fît le premier pas. Vas-y, il ne te fera aucun mal. Mais la curiosité de l'animal était un encouragement suffisant. Timidement mais avec une confiance croissant à chaque pas, Pilgrim marcha jusqu'à Tom et posa le nez sur la corde. Et une fois qu'il l'eut reniflée, il renifla les mains de Tom, qui ne bougea pas et se laissa faire.

Au moment de ce contact frémissant entre l'homme et l'animal, Grace sentit maintes choses se connecter. Elle n'aurait pu l'expliquer, même à elle-même. C'était comme si un sceau venait de s'apposer sur tout ce qui était advenu ces derniers jours. Retrouver sa mère, monter de nouveau à cheval, son aisance à la fête – tout cela, Grace n'avait osé s'y fier, comme si à tout instant quelqu'un pouvait le lui arracher. Mais il y avait un tel espoir, une telle promesse de lumière dans cet hésitant témoignage de confiance, qu'elle sentit que quelque chose bougeait et s'ouvrait en elle, et elle sut que c'était pour toujours.

Avec l'entier consentement de l'animal, Tom porta lentement la main à l'encolure. Le cheval frissonna et parut se figer. Mais ce n'était que de la prudence et, lorsqu'il comprit que cette main ne lui voulait aucun mal, il se détendit et se laissa flatter.

Cela dura un long moment. Peu à peu, Tom amplifia son mouvement jusqu'à couvrir toute l'encolure, et Pilgrim se laissa faire. Puis il lui permit de passer de l'autre côté et même de toucher sa crinière. Elle était si emmêlée qu'elle piquait comme des épines. Alors, en douceur et sans hâte, Tom lui glissa la boucle du licou par-dessus la tête. Et pas une fois Pilgrim ne regimba.

S'il avait hésité à montrer cela à Grace, c'était qu'il craignait de lui donner de faux espoirs. Ce stade-là était toujours critique, surtout dans ce cas précis. Tom lisait dans l'œil de Pilgrim, et dans ses flancs frissonnants, combien il était près de tout rejeter. Et s'il se butait, la prochaine fois – s'il y en avait une – serait encore plus délicate.

Pendant des jours, Tom y avait travaillé, le matin, en cachette de Grace. En sa présence, l'après-midi, il passait à d'autres exercices. Mais pour l'initiation au licou, il voulait être seul. Et ce matin encore, il ne savait pas s'il réussirait, même si l'étincelle d'espoir dont il avait parlé à Annie était véritablement là. Lorsqu'il avait vu cette étincelle, il avait tout arrêté, car il voulait que Grace fût là quand il soufflerait dessus pour la faire rougeoyer.

Il n'eut pas besoin de la regarder pour savoir combien elle était émue. Ce qu'elle ignorait, et peut-être aurait-il dû lui en parler avant de faire le malin, c'était que ça n'irait pas forcément de soi à partir de maintenant. Il y avait encore un travail à accomplir, qui pourrait donner l'impression que Pilgrim replongeait dans sa folie. Mais cela pouvait attendre. Cet instant-là appartenait à Grace et il ne voulait pas le gâcher.

Il lui demanda de venir, sachant qu'elle en mourait d'envie. Elle cala sa canne contre le poteau de la barrière et marcha prudemment, avec à peine l'ombre d'une claudication, à l'intérieur du corral. Elle était presque au milieu quand il lui dit de s'arrêter. Mieux valait que le cheval vînt à elle que le contraire et, sur une légère indication de la longe, l'animal avança.

Grace s'efforça de ne pas trembler lorsqu'elle tendit les mains sous le nez du cheval. La peur était présente des deux côtés et c'était sans nul doute un accueil de moindre qualité que ceux dont Grace devait garder la mémoire. Mais dans ces craintifs reniflements, Tom crut entrevoir enfin ce que ces deux-là avaient été l'un pour l'autre – et qu'ils redeviendraient peut-être.

– Annie, c'est Lucy. Tu es là ?

Annie laissa la question en suspens. Elle était en train de rédiger un important mémo destiné à préciser à tous ses collaborateurs comment il convenait de réagir aux ingérences de Gates. Fondamentalement, en lui disant d'aller se faire foutre. Elle avait branché le répondeur pour tâcher d'habiller son propos d'une tournure plus élégante.

– Merde. Tu dois être dehors, en train de couper les couilles des vaches ou Dieu sait quoi. Écoute, je... Rappelle-moi, veux-tu?

La note d'anxiété dans la voix la fit décrocher.

– Les vaches n'ont pas de couilles.

– Parle pour toi, ma belle. Alors, on se cache...?

– Je filtre, Luce. Ça s'appelle filtrer. Qu'y a-t-il?

– Il m'a virée.

– Quoi?

– Cet enfant de putain m'a lourdée.

Annie avait vu la chose arriver depuis des semaines. Lucy était la première personne qu'elle avait engagée et sa plus proche alliée. En la remerciant, Gates envoyait un signal sans ambiguïté. Le cœur serré, Annie écouta toute l'histoire.

Le prétexte était un papier sur les camionneuses. Annie l'avait lu et trouvé génial, quoique centré sur le sexe, comme on pouvait s'y attendre. Les photos étaient du tonnerre. Lucy avait souhaité en gros titre : LA MAIN TOUJOURS SUR LE MANCHE – mais Gates avait mis son veto, traitant Lucy d'obsédée. Devant toute l'équipe, ils avaient eu une bagarre à couteaux tirés, au cours de laquelle Lucy avait dit carrément à Gates ce qu'Annie s'efforçait d'exprimer de manière plus châtiée dans son mémo.

– Je ne vais pas le laisser faire.

– C'est fait, ma belle. Je suis balancée.

– Oh que non! Il n'a pas le droit.

– Mais si, Annie. Tu le sais bien, et puis merde, j'en avais marre. Ce n'était plus drôle du tout.

Il y eut quelques secondes d'un silence méditatif de part et d'autre. Annie soupira.

– Annie?

– Oui?

– Tu ferais mieux de rentrer. Et vite.

Grace revint tardivement à la maison, tout excitée par les derniers événements. Elle aida sa mère à servir le dîner et raconta à table ce qu'elle avait ressenti en touchant Pilgrim, combien il avait tremblé. Il ne l'avait pas laissée le caresser comme Tom, et elle avait été un peu déçue de voir qu'il ne la tolérait à son côté que pour un temps très court. Mais Tom avait dit que cela viendrait, il fallait seulement respecter les étapes.

– Il ne voulait pas me regarder. C'était bizarre. Comme s'il avait honte...

– Pour l'accident?

– Non, je sais pas. Peut-être seulement de ce qu'il est devenu.

Elle raconta qu'ensuite Tom avait reconduit le cheval dans la grange où ils l'avaient lavé à grande eau. Pilgrim avait laissé Tom soulever ses sabots pour en retirer certaines saletés incrustées, et s'il avait refusé qu'on touchât à ses crins, ils avaient tout de même réussi à l'étriller presque entièrement. Grace marqua soudain une pause et posa sur Annie un regard soucieux.

– Ça va?

– Oui. Pourquoi?

– Je ne sais pas. Tu avais l'air préoccupé.

– Je suis un peu fatiguée, c'est tout.

Le repas se terminait lorsque Robert appela. Grace quitta la table et alla s'installer au bureau d'Annie pour recommencer son récit depuis le début, tandis que sa mère débarrassait.

Debout devant l'évier, elle lava les casseroles en écoutant le cliquetis frénétique d'une bestiole prise au piège dans la lumière du néon parmi les cadavres de ses congénères. Sa conversation avec Lucy l'avait plongée dans une mélancolie pensive que même les bonnes nouvelles de Grace n'avaient pas entièrement dissipée.

Elle avait brièvement repris ses esprits en entendant crisser les roues de la Chevy qui ramenait Grace. Elle n'avait pas reparlé avec Tom depuis la fête, quoiqu'il fût rarement sorti de ses pensées, et elle avait vérifié de quoi elle avait l'air en se mirant dans la porte vitrée du four, croyant, espérant, qu'il entrerait. Mais il s'était contenté de la saluer de loin, avant de repartir.

L'appel de Lucy l'avait tirée en arrière – comme Robert maintenant, mais d'une autre façon – dans ce qu'elle reconnaissait avec ennui être sa véritable vie. Ce qu'elle entendait par « véritable » était toutefois un mystère. En un sens, rien ne pouvait être plus réel que la vie qu'elle avait découverte ici. Alors, quelle était la différence entre les deux ?

L'une, semblait-il, était composée d'obligations, et l'autre de possibilités. D'où peut-être la notion de réalité. Car les obligations étaient palpables, fondées sur une juste réciprocité des actes. Les possibilités, au contraire, étaient des chimères inconsistantes et sans valeur, et qui pouvaient même se révéler dangereuses. Si bien que, lorsqu'on avançait en âge et en sagesse, on comprenait ceci et on les laissait à la porte. Ça valait mieux. Naturellement.

L'insecte dans le néon essayait une nouvelle tactique, prenant de longs repos avant de se jeter contre le boîtier en plastique avec des efforts redoublés. Grace était en train de dire à Robert que demain elle accompagnait le troupeau sur les pâturages d'été et qu'elle dormirait à la dure. Oui, bien sûr qu'elle monterait à cheval.

– Papa, t'inquiète pas. Gonzo est super.

Sa tâche achevée, Annie quitta la cuisine et éteignit pour donner une chance à la bestiole. Elle se rendit sans hâte dans le living et s'arrêta derrière Grace, lui arrangea distraitement les cheveux sur les épaules.

– Elle ne vient pas, disait Grace. Elle dit qu'elle a trop de boulot. Elle est là, tu veux lui parler ? D'accord. Je t'embrasse.

Laissant la place libre à sa mère, elle monta à l'étage prendre son bain. Robert, qui était toujours à Genève, déclara qu'il rentrerait probablement à New York le lundi suivant. Il avait rapporté à Annie deux nuits plus tôt les propos de Freddie Kane et, avec lassitude, elle lui apprit que Lucy avait été virée. Après l'avoir écoutée en silence, Robert lui demanda ce qu'elle comptait faire. Elle soupira.

– Je ne sais pas. À ton avis ?

Il y eut un silence et Annie devina qu'il choisissait ses mots avec soin.

– De là où tu es, tu n'as pas une grande marge de manœuvre.

– Tu me conseilles de rentrer ?

– Non, je n'ai pas dit cela.

– Au moment où tout se passe si bien pour Grace et Pilgrim ?

– Non, Annie. Je n'ai pas dit cela.

– Ah bon, je croyais...

Elle l'entendit prendre une profonde respiration et s'en voulut de déformer ses propos alors qu'elle-même n'était pas honnête sur ses propres motivations. La voix de Robert, lorsqu'il reprit, était circonspecte.

– Je regrette si je t'ai donné cette impression. Ce qui arrive à Grace et Pilgrim est formidable. Il est important que vous restiez aussi longtemps que nécessaire.

– Plus important que ma carrière, tu veux dire ?

– Annie, voyons !

– Pardon.

Ils parlèrent d'autres sujets moins litigieux et, lorsqu'ils se quittèrent, ils étaient réconciliés. Après avoir raccroché, Annie resta assise. Elle n'avait pas voulu l'agresser. C'était plutôt elle-même qu'elle punissait pour son inaptitude – ou sa réticence – à démêler la confusion de désirs à demi réalisés et de dénégation qui bouillonnait en elle.

Grace avait allumé la radio dans la salle de bains. Une station diffusait ce que les animateurs du coin appelaient une « Rétrospective des Grands Succès ». Après *Daydream Believer*, c'était *Last Train to Clarksville*. Grace s'était endormie, ou bien elle avait les oreilles sous l'eau.

Soudain, avec une lucidité suicidaire, Annie sut ce qu'elle

allait faire. Elle allait dire à Gates que s'il ne réintégrait pas Lucy Friedman, elle démissionnerait. Elle lui faxerait l'ultimatum demain. Si c'était toujours d'accord avec les Booker, elle participerait à ce sacré convoi de bétail. Et, à son retour, elle verrait bien si elle était au chômage.

27

Le troupeau montait vers lui, s'enroulant autour de l'épaule de la crête comme le flot d'un torrent noir à rebours. Ici, la configuration du terrain suffisait à assurer la discipline, car le bétail était forcé de progresser sur une piste arrondie qui, même en l'absence de clôture ou d'un marquage, représentait sa seule option. Tom aimait prendre de l'avance pour suivre son approche depuis le sommet.

Les autres cavaliers venaient d'apparaître, disséminés stratégiquement autour du troupeau : Joe et Grace sur la droite, Frank et Annie sur la gauche – et se montrant enfin à la traîne, Diane et les jumeaux. Derrière eux, le plateau qu'ils venaient de traverser était un océan de fleurs sauvages où leur passage avait labouré un sillon d'un vert plus sombre ; sur ce rivage lointain, ils s'étaient reposés sous le soleil de midi en regardant les bêtes s'abreuver.

De son point d'observation, on ne voyait plus guère que le chatoiement évanescent de la mare et plus rien de la vallée au-delà, à partir de l'endroit où le terrain descendait jusqu'aux prairies et aux peupliers du Double Divide. C'était comme si le plateau déclinait directement et sans rupture jusqu'aux vastes plaines que bordait le ciel à l'orient.

Avec leur poil finement lustré, les veaux avaient un air fringant et robuste. Tom songea aux pauvres bêtes qu'il avait conduites avec son père un certain printemps, quelque trente ans plus tôt, lors de la première transhumance. Certaines étaient si efflanquées qu'on pouvait presque entendre leurs côtes s'entrechoquer.

Daniel Booker avait affronté des hivers rigoureux à Clark's Fork mais jamais d'aussi âpres que dans ces régions montagneuses. Cet hiver-là, il avait perdu presque autant de veaux qu'il en avait sauvés, et le froid et les soucis avaient raviné un visage déjà marqué à vie par sa faillite. Mais sur cette crête-là, son père avait souri en réalisant enfin que sa famille pourrait survivre dans ce pays, et – qui sait – prospérer.

Tom avait raconté cette histoire à Annie lors de la traversée du plateau. Dans la matinée, et même à la pause-déjeuner, ils avaient eu trop à faire pour parler. Mais après, l'expédition étant bien engagée, ils avaient eu tout le temps. Ils avaient chevauché côte à côte et elle lui avait demandé le nom des fleurs. Il lui avait désigné la fleur bleue du lin, le coucou et le narcisse, et celle appelée « tête-de-coq ». Annie l'avait écouté avec sa gravité coutumière, emmagasinant tout ce savoir comme une écolière.

C'était l'un des printemps les plus chauds que Tom eût jamais connus. L'herbe grasse se couchait sous les pas des chevaux avec un chuintement huilé. Tom avait pointé le doigt vers la crête en expliquant qu'autrefois il avait chevauché avec son père jusqu'à cette arête pour vérifier qu'ils étaient bien sur la voie des hauts pâturages.

Aujourd'hui, il montait l'une de ses jeunes juments, une jolie rouan lie-de-vin. Annie montait Rimrock. Toute la journée, il avait admiré son allure. La mère et la fille arboraient des chapeaux qu'il avait choisis la veille avec elles, quand Annie avait annoncé qu'elle prenait part à l'équipée. Au magasin, elles avaient ri côte à côte en découvrant leur dégaine dans la glace. Annie lui avait demandé si elle devait aussi prendre un revolver, et il avait répondu que oui, si elle avait l'intention d'assassiner quelqu'un. Annie avait dit que son seul ennemi, c'était son patron à New York, si bien qu'une fusée Tomahawk était peut-être plus indiquée.

Ils avaient pris leur temps pour traverser le plateau. Mais en atteignant le pied de la crête, flairant peut-être qu'une longue escalade les séparait du but, les bêtes avaient pressé le mouvement en s'apostrophant, comme pour appeler à un effort collectif. Tom avait proposé à Annie de prendre de l'avance avec lui, mais elle avait répondu qu'elle préférait retourner en arrière au cas où Diane aurait besoin d'aide. Aussi, il était venu seul.

Maintenant, le troupeau était presque sur lui. Il tourna bride et franchit le sommet. Une petite harde de biches détala devant lui. Elles s'arrêtèrent à une prudente distance pour regarder en arrière. Les femelles, grosses de leurs faons, le jaugèrent sous leurs grandes oreilles penchées, puis le mâle les emmena à l'écart. Entre les têtes bondissantes, Tom aperçut le premier des étroits défilés bordés de pins qui conduisaient aux hauts pâturages et, les dominant de toute leur masse, les deux pics enneigés.

Il eût aimé voir le visage d'Annie quand elle découvrirait cette vue et s'était senti spolié par son refus. Peut-être avait-elle vu dans son offre un désir d'intimité qui n'était pas dans son intention – ou plutôt qui était bien là, mais qu'il n'avait pas voulu exprimer.

À l'heure où les cavaliers l'atteignirent, la passe était déjà dans l'ombre des montagnes. Comme ils cheminaient lentement entre les rangées d'arbres obscurcis, ils se retournèrent pour voir l'ombre s'étaler à l'est comme une tache, jusqu'aux lointaines plaines qui retenaient encore le soleil. Au-dessus des arbres, des murailles abruptes de roche grise les environnaient, répondant en écho aux cris des enfants et à la rumeur du troupeau.

Frank jeta une nouvelle branche dans le feu et l'impact projeta un volcan d'étincelles dans le ciel nocturne. Le bois, qui provenait d'un arbre déraciné, était si sec qu'il semblait assoiffé des flammes qui l'assaillaient et s'effilaient dans l'air immobile avec une vigueur qui était entièrement de leur fait.

Entre les flammes dansantes, Annie contempla les visages rougeoyants des enfants et remarqua comme leurs yeux et leurs dents étincelaient quand ils riaient. Ils en étaient aux devinettes et Grace les tenait en haleine avec l'une des énigmes favorites de Robert. Elle portait son chapeau neuf crânement penché sur le front et ses cheveux retombaient en cascade sur ses épaules, captant la lueur du feu en un spectre de rouges, d'ambres et d'or. Jamais sa fille n'avait été plus jolie.

Ils avaient fini de manger, un simple repas de haricots, côtelettes et bacon, cuisiné sur le feu et accompagné de patates cuites sous les braises. Tandis que Frank surveillait le feu, Tom était allé puiser l'eau du café au ruisseau. Voilà que Diane essayait de trouver la clé de l'énigme, elle aussi. Tout le monde croyait qu'Annie connaissait la réponse et, bien qu'elle l'eût oubliée depuis longtemps, elle était ravie de pouvoir rester tranquillement adossée à sa selle, en observatrice.

Quand ils étaient arrivés sur place, les ultimes rayons du soleil s'évanouissaient des plaines lointaines. Le dernier col, très escarpé, avait été négocié à l'ombre des montagnes penchées par-dessus leurs têtes comme les murailles d'une cathédrale. Finalement, ils avaient suivi le bétail à travers une porte ancestrale dans le roc – et les pâturages s'étaient révélés à leurs yeux.

L'herbe était drue et sombre dans la lumière du soir, et parce que le printemps devait arriver là plus tardivement, les fleurs étaient encore rares. Là-haut, seul demeurait le pic le plus élevé, et son axe s'était modifié pour laisser apparaître sur sa face ouest un pan de neige d'un rose doré, sous la caresse d'un soleil depuis longtemps disparu.

Le pâturage était cerné par la forêt. Sur un côté, là où le terrain se relevait en pente douce, se dressait une petite cabane en rondins et un simple enclos à chevaux. En face, un ruisseau louvoyait parmi les arbres ; c'était là qu'ils avaient fait boire les chevaux à côté de la masse indisciplinée du bétail. Tom leur avait conseillé d'emporter des vêtements chauds, car il pouvait geler la nuit à cette altitude. Mais le beau temps s'était maintenu.

– Comment va, Annie?

Frank, qui venait de redresser les rondins, s'installait à son côté. Elle vit Tom sortir de l'obscurité, du côté où l'on entendait les meuglements du troupeau invisible.

– J'ai les fesses en compote, mais sinon c'est parfait...

Frank éclata de rire. En fait, ce n'était pas seulement les fesses. Elle avait des courbatures aux mollets et les cuisses si endolories qu'elle frissonnait au moindre mouvement. Grace, qui avait pourtant moins d'entraînement qu'elle, lui avait répondu qu'elle était en pleine forme – non, sa jambe ne la faisait pas du tout souffrir. Annie n'en croyait rien mais elle n'avait pas insisté.

– Tom, tu te rappelles ces Suisses, l'an dernier?

Tom, qui versait de l'eau dans la cafetière, répondit en riant qu'il s'en souvenait fort bien. Puis il posa le récipient dans le feu et alla s'asseoir auprès de Diane.

Frank raconta que, en conduisant à travers les montagnes, Pryor, lui et Tom avaient trouvé la route bloquée par un troupeau. Derrière, ils avaient vu arriver des cow-boys en tenue d'opérette.

– L'un d'eux portait des jambières fait main qui devaient lui avoir coûté dans les mille dollars. Le plus marrant, c'est qu'ils n'allaient pas à cheval, mais à pied! Ils tiraient leurs chevaux par la bride et avaient l'air plutôt mal en point. Tom et moi, on a abaissé la vitre pour leur demander si tout allait bien, mais pas moyen de se faire comprendre...

Annie regarda Tom par-dessus le feu. Il observait son frère avec un sourire décontracté. Comme alerté par un pressentiment, il tourna les yeux vers elle, et elle ne vit dans ce regard aucun étonnement, mais un calme si rassurant qu'elle en eut le cœur serré. Elle soutint son regard aussi longtemps qu'elle en eut le courage, puis sourit et reporta son attention sur Frank.

– De notre côté, comme on ne comprend rien non plus à ce qu'ils racontent, on les salue et nous voilà repartis. Mais en haut de la route, on tombe sur un vieux qui roupille au volant d'une Winnebago toute neuve, le modèle haut de gamme. Il soulève son chapeau et je le reconnais : c'est Lonnie Harper, une vraie baraque, mais la fainéantise en personne. On lui demande si c'est son troupeau qui est là-bas et il dit que oui, c'est bien son troupeau et que les cow-boys sont tous des Suisses en vacances.

» Il a ajouté qu'il faisait maintenant chambre d'hôtes et que ces types lui payaient une fortune pour effectuer un travail qui par le passé lui coûtait le prix de la main-d'œuvre. Quand on lui a demandé pourquoi ils allaient à pied, il a dit que c'était ça le plus beau : " Comme au bout d'une journée, ils ont trop de cloques au cul pour tenir en selle, ils fatiguent même pas les chevaux ! "

– C'est pratique..., dit Diane.

– ... Pendant que ces pauvres Suisses dormaient à la dure et se contentaient d'une gamelle de haricots, lui flemmardait dans sa belle auto, regardait la télé, et se tapait la cloche !

Lorsque l'eau se mit à bouillir, Tom prépara le café. Les jumeaux en avaient terminé avec les devinettes et Craig demanda à son père de montrer le « tour de la montre » à Grace.

– Oh non ! fit Diane. C'est reparti...

Frank sortit deux montres d'une boîte qu'il gardait dans la poche de sa veste, et en plaça une dans la paume retournée de sa main droite. Puis, l'air grave, il se pencha sur Grace et frotta l'autre montre après sa chevelure. Elle eut un rire un peu dérouté.

– Tu étudies la physique à l'école, je suppose ?

– Euh, oui...

– Alors, tu dois savoir ce qu'est l'électricité statique. C'est de ça qu'il s'agit. Pour le moment, je suis en train de la charger...

– C'est ça ! dit Scott, sarcastique.

Mais Joe lui ordonna de se taire. La montre « chargée » entre le pouce et l'index de sa main gauche, Frank la ramena lentement au-dessus de sa main droite et rapprocha les deux cadrans. Au premier contact, il y eut un gros claquement et la première montre sauta dans sa main. Grace poussa un cri de surprise et tout le monde éclata de rire.

Elle lui demanda de répéter plusieurs fois l'opération puis fit une tentative par elle-même, mais bien sûr sans réussir. Frank hocha la tête théâtralement, comme décontenancé par cet échec. Les gosses étaient ravis. Diane, qui devait avoir vu la scène une centaine de fois, jeta à Annie un sourire las et indulgent.

Les deux femmes s'entendaient bien, mieux qu'Annie ne l'avait prévu, quoique, la veille, elle eût ressenti une certaine froideur lorsqu'elle avait annoncé à la dernière minute qu'elle participerait à l'expédition. À cheval, elles avaient bavardé tranquillement. Pourtant, sous l'amabilité de Diane, Annie percevait une réserve qui tenait moins de l'aversion que de la méfiance. Surtout, elle avait remarqué que Diane l'observait quand elle était avec Tom. Raison pour laquelle elle avait refusé de chevaucher avec lui jusqu'à la ligne de crête.

– Qu'est-ce que tu préconises, Tom ? demanda Frank. On essaye avec l'eau ?

– Va pour l'eau...

En conspirateur consciencieux, il passa à son frère le bidon qu'il avait rempli au ruisseau et Frank conseilla à Grace de retrousser ses manches et de s'immerger les bras jusqu'aux coudes. L'adolescente gloussait tellement qu'elle s'en renversa la moitié sur la chemise.

– Comme ça, elle se charge encore plus en électricité, tu comprends... ?

Dix minutes plus tard, complètement trempée, son élève abandonnait. Entre-temps, Tom et Joe avaient réussi à faire sauter la montre, et Annie avait essuyé un échec, comme les jumeaux. Diane confia à Annie que la première fois où Frank avait essayé son tour sur elle, il avait réussi à la faire asseoir tout habillée dans un abreuvoir.

Puis Scott réclama à Tom le tour de la corde.

– Ce n'est pas un tour ! protesta Joe.

303

– Si, c'en est un.

– Ce n'est pas un tour. Pas vrai, Tom?

L'interpellé sourit.

– Ça dépend de ce qu'on entend par là, dit-il en sortant quelque chose de sa poche.

C'était un simple bout de corde grise d'une soixantaine de centimètres. Il en noua les extrémités de façon à obtenir une boucle.

– Bon. On va essayer avec Annie...

Il se releva et s'approcha d'elle.

– Si ça fait mal, c'est non!

– Madame, c'est sans danger...

Il s'agenouilla auprès d'elle et lui demanda de lever l'index de la main droite. Puis il lui passa la boucle au doigt et lui demanda d'être très attentive. Sa main gauche tenant l'autre extrémité de la boucle tendue, il rabattit un côté de la corde par-dessus l'autre, avec le majeur de la main droite. Ensuite il entortilla sa main, de façon à la placer sous la boucle, puis une seconde fois, avant d'appuyer le bout de son index contre celui d'Annie.

On avait l'impression que leurs doigts étaient désormais liés, et que le nœud ne pourrait se défaire que si ce contact était rompu. Tom marqua une pause et elle leva les yeux sur lui. Il sourit et la proximité de ses yeux bleu pâle la chavira.

– Regardez...

Comme elle baissait de nouveau les yeux, il tira délicatement sur la corde qui se détacha en les libérant, alors que le nœud était toujours là et leurs doigts toujours en contact.

Il recommença la démonstration plusieurs fois, puis Annie fit un essai, mais ni elle ni Grace ou les jumeaux n'aboutirent à un quelconque résultat. Joe fut le seul à s'en tirer, quoique Annie eût compris à son sourire que Frank était lui aussi dans le secret. Elle n'aurait su dire si Diane savait, car cette dernière se contenta de suivre la scène en sirotant son café avec une sorte de détachement amusé.

Quand tout le monde eut essayé, Tom se releva et enroula

la boucle autour de son doigt pour en faire un rouleau bien net, qu'il tendit à Annie.

– Un cadeau?

– Non Un prêt... Vous me le rendrez quand vous aurez compris.

Elle se réveilla et, pendant un moment, se demanda ce qu'elle était en train de regarder. Puis elle se rappela où elle était, et comprit qu'il s'agissait de la lune. Si proche qu'on avait l'impression qu'il suffirait de tendre les bras pour loger les doigts dans ses cratères. En tournant la tête, elle vit le visage de Grace, endormie à son côté. Frank leur avait proposé la cabane en rondins qui, en temps ordinaire, ne servait qu'en cas de pluie. Elle-même n'aurait pas dit non, mais Grace avait tenu à dormir comme les autres à la belle étoile. Annie distinguait les corps dans les sacs de couchage, tout près du feu mourant.

Elle avait soif et se sentait trop alerte pour espérer se rendormir. Redressée sur son séant, elle regarda autour d'elle. Le bidon d'eau restait invisible et il était à parier qu'à le chercher elle allait réveiller toute la compagnie. Au fond du pré, les formes noires du bétail projetaient des ombres plus sombres encore dans l'herbe éclairée par un pâle clair de lune. Glissant doucement les jambes hors du sac de couchage, elle ressentit de nouveau les ravages causés à ses muscles par son équipée. Ils avaient dormi tout habillés, après avoir retiré seulement bottes et chaussettes. En jean et tee-shirt blanc, Annie s'en alla pieds nus en direction du ruisseau.

L'herbe humide de rosée était d'une fraîcheur saisissante sous la plante de ses pieds, quoiqu'elle se déplaçât avec prudence, de peur de marcher dans quelque chose de moins romantique. Dans les arbres, un hibou ulula et elle se demanda si c'était cet oiseau, la lune, ou le fait d'être habillée qui l'avait réveillée. Les bêtes du troupeau levèrent la tête sur son passage, et elle les salua à mi-voix avant de réaliser sa bêtise.

305

L'herbe de la rive avait été complètement piétinée par les sabots. Le ruisseau suivait son cours, lent et silencieux, dominé par une forêt noire qui se reflétait sur sa surface cristalline. En amont, Annie trouva un endroit où le courant se divisait en douceur autour d'un îlot où poussait un arbre isolé. En deux enjambées, elle atteignit l'autre rive et redescendit jusqu'à une langue de terre en surplomb où elle put s'agenouiller pour se désaltérer.

Vue d'ici, l'eau ne reflétait plus que le ciel. Et si parfaite était la lune qu'Annie hésita à la déranger. La fraîcheur de l'eau, quand enfin elle se décida, lui coupa le souffle. Elle était plus froide que de la glace, comme si elle avait pris sa source au cœur d'un ancien glacier caché dans la montagne. Annie la recueillit dans ses mains d'une pâleur spectrale, et se rafraîchit la figure. Puis elle en prit encore un peu et but dans sa main.

Elle l'aperçut d'abord dans l'eau, quand il se dressa dans l'image de la lune qui l'avait tellement hypnotisée qu'elle en avait perdu la notion du temps. Elle ne s'effraya pas, car elle avait déjà deviné que c'était lui.

– Tout va bien ?

La rive en face était plus haute, et elle dut cligner les yeux à cause du clair de lune. Il avait l'air soucieux. Elle sourit.

– Ça va.

– Je me suis réveillé et j'ai vu que vous n'étiez plus là.

– J'avais soif.

– Le bacon...

– Je suppose.

– Est-ce que l'eau est aussi bonne que le verre d'eau de pluie, l'autre jour ?

– Presque. Essayez...

Il baissa les yeux et comprit que ce serait plus pratique depuis l'autre berge.

– Ça vous ennuie si je vous rejoins ? Si je vous embête...

Elle eut presque envie de rire.

– Oh non ! vous ne m'embêtez pas du tout. Je vous en prie.

Il remonta vers la petite île pour traverser à gué, et Annie comprit que c'était plus qu'un simple cours d'eau qui venait d'être franchi. Il s'approcha en souriant et s'agenouilla sans un mot pour se désaltérer. Un peu d'eau ruissela entre ses doigts, avivant de fils d'argents le clair de lune.

Annie eut le sentiment – et elle resterait toujours par la suite sur cette impression – que, dans ce qui suivit, son libre arbitre n'avait aucune part. Peut-être n'y avait-il pas d'explication, tout simplement. Elle tremblait au moment de l'événement comme elle tremblerait plus tard en y repensant, mais jamais elle n'eut de regret.

Sa soif étanchée, il se tourna vers elle, et le voyant sur le point d'essuyer son visage humide, elle tendit la main et le devança. Au contact de l'eau froide, elle aurait pu s'effaroucher et se raviser, mais elle sentit la chaleur rassurante de sa peau. Alors, le monde s'arrêta de tourner.

Les yeux de Tom avaient la pâleur uniforme de la lune. Clarifiés de leur couleur, ils semblaient receler une profondeur sans limites où elle s'abîma, avec étonnement mais sans crainte. Cette main restée sur sa joue, il s'en saisit, la retourna et en pressa la paume contre ses lèvres, comme pour sceller un accueil longtemps différé.

Annie le regarda faire et aspira un long frisson d'air. Puis, tendant l'autre main, elle parcourut son visage, de la joue piquante de barbe jusqu'aux cheveux si doux. Elle sentit que Tom frôlait l'intérieur de son bras et lui caressait à son tour le visage. À ce contact, elle ferma les yeux et, en aveugle, laissa ses doigts tracer un chemin délicat de ses tempes à la commissure de ses lèvres. Quand il parvint aux lèvres, elle les écarta et lui permit d'en explorer tendrement les contours.

Elle n'osait pas ouvrir les yeux, de crainte de lire dans les siens de la réticence, un doute, ou même de la pitié. Mais quand elle le regarda, elle ne découvrit en lui qu'une calme certitude, et un désir aussi lisible que le sien. Il la prit par les coudes, glissa les mains dans les manches de son tee-shirt et la retint par les bras. Annie sentit sa peau se contracter. Posant les mains sur les cheveux de Tom, elle l'attira délicatement à elle et ressentit une tension égale dans ses propres bras.

À l'instant où leurs bouches allaient se toucher, elle eut soudain l'envie de lui demander pardon, de dire qu'il fallait l'excuser, elle n'avait pas voulu ça. Il dut lire cette pensée dans son regard, car elle n'avait pas articulé un mot qu'il lui faisait signe de se taire d'un imperceptible mouvement des lèvres.

Lorsqu'ils s'embrassèrent, Annie eut l'impression d'avoir touché au but que, d'une certaine façon, elle avait toujours connu le goût de ce baiser. Et si elle faillit s'évanouir au contact de ce corps, elle n'aurait pas su dire exactement où sa peau à elle finissait – et où commençait l'autre.

Combien de temps dura ce baiser – Tom ne put en juger que d'après son ombre changée sur le visage d'Annie lorsqu'ils se séparèrent pour se contempler. Elle lui adressa un sourire triste, puis leva les yeux sur la lune qui s'était déplacée, et dont ses prunelles captèrent des éclats. Il gardait sur ses lèvres la douceur mouillée de sa bouche satinée et sentait son haleine chaude sur sa figure. Il glissa les mains le long de ses bras nus et sentit qu'elle grelottait.

– Tu as froid ?

– Non.

– J'ignorais que la nuit pouvait être aussi douce, ici, au mois de juin.

Elle baissa les yeux, prit sa main dans les siennes, la paume en l'air, et en redessina les callosités du bout des doigts.

– Comme tu as la peau dure...

– Ah ça... Ce n'est pas une très jolie main, c'est sûr...

– Oh, mais si. Ça fait du bien ?

– Oui.

Elle avait la tête toujours baissée. Sous l'arc sombre de ses cheveux répandus, il vit une larme rouler sur sa joue

– Annie ?

Elle secoua la tête, sans pouvoir le regarder. Il lui prit les mains.

– Annie, tout est bien. C'est vrai, tu sais.

– Je sais. C'est justement pour ça... Tout est bien et je ne sais pas comment je dois le prendre.

– Nous sommes deux êtres humains, c'est tout.

Elle hocha la tête.

– Qui se sont rencontrés trop tard...

Levant enfin les yeux, elle lui sourit et s'essuya les yeux. Tom ne répondit pas. Si elle avait raison, il ne voulait pas l'approuver. À la place, il lui rapporta ce qu'avait dit son frère par une nuit semblable à celle-ci, sous une lune plus mince, bien des années plus tôt. Comment son frère avait souhaité que cet instant durât pour l'éternité, et comment son père lui avait répondu que l'éternité n'était qu'une longue suite d'instants et qu'un homme n'avait rien de mieux à faire que de vivre pleinement chacun d'eux.

Elle l'écouta sans le quitter des yeux, et quand il eut fini, comme elle gardait le silence, il craignit brusquement qu'elle eût mal compris et interprété sa tirade comme une invite intéressée. Derrière eux, le hibou recommença à ululer dans la pinède, et l'un de ses congénères lui répondit depuis le fond du pré.

Annie se pencha en avant pour reprendre sa bouche et il sentit en elle une ardeur nouvelle. Il goûta le sel de ses larmes à la commissure de ses lèvres, l'endroit qu'il avait tant aspiré à toucher sans jamais rêver l'embrasser un jour. Et tandis qu'il la tenait dans ses bras et posait les mains sur son corps, pressé contre ses seins, il ne ressentit aucune honte mais seulement la crainte qu'elle pût éprouver ce genre de scrupules. Mais si cela était mal, qu'y avait-il de « bien » en cette vie ?

Finalement, elle se dégagea et le repoussa, hors d'haleine, comme intimidée par la violence de son propre appétit et ses fatales conséquences.

– Il faut que je parte, dit-elle.

– Ça vaut mieux.

Elle l'embrassa plus tendrement, puis nicha la tête contre son épaule pour cacher ses larmes. Il l'embrassa dans le cou et respira son odeur animale, comme s'il avait voulu s'en imprégner, peut-être pour toujours.

– Merci, chuchota-t-elle.

– Pourquoi?

– Pour ce que tu as fait pour nous.

– Je n'ai rien fait.

– Oh, Tom...!

Elle se libéra et se releva, en laissant ses mains posées légèrement sur ses épaules. Elle lui sourit, lui caressa les cheveux – il prit sa main et l'embrassa. Elle le quitta, s'éloigna en direction du petit îlot, et traversa à gué.

Une fois sur l'autre rive, elle se retourna pour le regarder, mais la lune était derrière elle et il ne put deviner son expression. Il suivit la tache blanche de son tee-shirt à travers la prairie, son ombre laissant des empreintes de pas dans la rosée argent, tandis que les bêtes glissaient autour d'elle, tels des vaisseaux noirs et silencieux.

À son retour, le feu était complètement éteint. Diane remua mais seulement dans son sommeil. Annie glissa doucement ses pieds mouillés dans le sac de couchage. Bientôt les hiboux cessèrent d'ululer et on n'entendit plus que le ronflement discret de Frank. Plus tard, quand la lune s'en fut allée, elle comprit que Tom était revenu, mais n'osa pas le regarder. Longtemps, elle resta allongée à compter les étoiles, en se demandant ce qu'il devait penser d'elle. C'était l'heure où le démon familier du doute venait la tourmenter et Annie s'attendait à ressentir de la honte pour ce qu'elle avait fait. Mais la honte ne vint pas.

Au matin, quand elle trouva enfin le courage de regarder Tom, elle ne vit rien chez lui qui aurait pu les trahir. Pas de coups d'œil secrets ni même, lorsqu'il prit la parole, de propos à double sens. En fait, il était si égal à lui-même qu'Annie en conçut une certaine déception, si total était le changement qui s'était opéré en elle.

Au petit déjeuner, elle chercha du regard l'endroit où ils

s'étaient retrouvés mais la lumière du jour avait modifié la géographie du pré et elle ne retrouva rien. Même les empreintes de pas avaient été foulées par le bétail, et le soleil acheva de les faire disparaître.

Après le repas, Tom et Frank allèrent faire un tour dans les environs tandis que les enfants jouaient au bord du ruisseau et que les deux femmes lavaient la vaisselle. Diane confia à Annie qu'elle et son mari réservaient une grande surprise aux enfants. La semaine prochaine, toute la famille s'envolait pour Los Angeles.

— On se fait la totale : Disneyland, les studios Universal...

— C'est formidable. Ils ne se doutent vraiment de rien ?

— Non. Frank voudrait convaincre Tom de venir, mais il a promis à un type de Sheridan de passer voir son cheval.

Elle ajouta que c'était pratiquement la seule période de l'année où ils pouvaient s'absenter. Smoky viendrait surveiller le ranch. Sinon, l'endroit serait désert.

La nouvelle frappa Annie comme la foudre, pas seulement parce que Tom ne lui avait parlé de rien. Peut-être espérait-il en avoir fini avec Pilgrim à cette époque-là. Plus odieux était le message implicite dans les propos de Diane. Dans une formule élégante, elle lui signifiait qu'il était temps de plier bagages. Annie réalisa qu'elle avait délibérément évité d'affronter cette question, laissant passer les journées sans les compter dans l'espoir que le temps aurait la politesse de l'oublier aussi.

En milieu de matinée, ils étaient déjà redescendus sous le col le plus bas. Le ciel s'était couvert. Sans le bétail, leur progression était plus rapide, quoique dans les parties très escarpées la descente fût plus délicate que la montée, et bien plus cruelle aux muscles endoloris d'Annie. L'atmosphère n'était plus à la liesse et, dans leur concentration, même les jumeaux finirent par se calmer. En chemin, Annie réfléchit longuement à la remarque de Diane et encore plus longuement aux paroles de Tom. Qu'ils étaient simplement deux êtres humains et que « maintenant » était seulement « maintenant », et rien de plus.

311

La ligne de crête franchie, Joe poussa une exclamation. Tout le monde s'arrêta pour regarder dans la direction qu'il indiquait du doigt. Loin vers le sud, de l'autre côté du plateau, ils virent des chevaux. Tom expliqua à Annie que c'étaient les mustangs que la fameuse hippie avait lâchés en liberté. Ce fut pratiquement la seule fois de la journée où il lui adressa la parole.

Ils atteignirent le ranch à la nuit, alors qu'il commençait à pleuvoir. Trop fatigués pour parler, ils dessellèrent les chevaux en silence.

Annie et Grace saluèrent les Booker devant le portail de la grange et montèrent dans la Lariat. Tom déclara qu'il s'occuperait de Pilgrim. Le salut qu'il réserva à Annie n'eut rien de particulièrement chaleureux.

Sur le chemin de la petite maison, Grace avoua que sa prothèse lui faisait un peu mal, et il fut convenu que Terri Carlson l'examinerait dès le lendemain matin. Tandis que Grace montait prendre un bain, Annie prit connaissance des messages.

Le répondeur était saturé – le fax avait vomi tout un rouleau de papier sur le sol – et la « boîte à lettres » de son ordinateur ronronnait. La plupart des messages exprimaient – à des degrés variés – stupéfaction, indignation et sympathie. Deux tranchaient sur le lot – et ce furent les seuls qu'Annie daigna lire en entier, l'un avec soulagement, l'autre avec des sentiments mêlés et confus.

Le premier, de Crawford Gates, disait qu'il était hélas ! au regret d'accepter sa démission. Le second était de Robert. Il prenait l'avion pour passer le prochain week-end dans le Montana. Et il les embrassait très, très fort.

Quatrième partie

28

Tom Booker regarda la Lariat disparaître derrière la crête en s'interrogeant une fois de plus sur l'homme que Grace et Annie étaient parties chercher. Le peu qu'il savait de lui, il le tenait de Grace. Comme par un accord tacite, Annie ne lui avait parlé que rarement de son époux, et toujours de façon impersonnelle, plutôt de sa profession que de son caractère.

Malgré toutes les qualités que Grace lui prêtait (ou peut-être à cause d'elles) et en dépit de ses propres efforts sur lui-même, Tom ne parvenait pas à éradiquer un préjugé défavorable qui n'était pourtant pas dans sa nature. Il s'était efforcé de rationaliser cette antipathie dans l'espoir de lui trouver un fondement plus acceptable. Ce type était avocat. Il détestait les avocats. Mais bien sûr, ce n'était pas cela. Il suffisait que cet avocat-ci fût l'époux d'Annie. Dire que, dans quelques heures, il serait là pour reprendre ouvertement possession d'elle. Tournant les talons, Tom entra dans la grange.

Depuis le jour où Pilgrim était arrivé au ranch, son harnais était resté dans la sellerie, pendu au même clou. Il le décrocha et le mit en bandoulière sur son épaule. La selle anglaise était restée également sur son support, voilée d'un film de poussière que Tom essuya de la main. Il souleva la selle et le tapis, les emporta hors de la sellerie, et passa devant l'enfilade de boxes vides pour ressortir par la porte de derrière.

315

Une belle et chaude matinée l'attendait. Certains yearlings dans le paddock au fond recherchaient déjà l'ombre des peupliers. Comme il se dirigeait vers l'enclos de Pilgrim, Tom regarda du côté des montagnes. Il comprit à leurs contours découpés ainsi qu'à la présence d'une première traînée nuageuse qu'il pouvait s'attendre à un orage avant la fin de la journée.

Toute la semaine, il avait évité Annie, fuyant les moments d'intimité qu'il avait naguère recherchés. Il avait appris par Grace la venue de Robert. Mais même avant, en descendant de la montagne, il avait décidé que c'était la meilleure solution. Depuis, il ne se passait pas une heure sans qu'il se rappelât son odeur, le contact de sa peau, la fusion de leurs bouches. Ce souvenir était trop intense, trop physique, pour n'être qu'un rêve, mais il ferait comme si c'était le cas, car il n'avait pas le choix. Son mari était en route et bientôt, dans quelques jours, elle s'en irait. Pour leur bien à tous deux – pour le bien de tous – il avait intérêt à garder ses distances. Ce n'était qu'à cette condition qu'il pourrait tenir bon.

Le premier soir, pourtant, son courage fut mis à rude épreuve. Lorsqu'il déposa Grace, Annie les attendait sur la véranda. Il la salua de loin, prêt à repartir, mais elle se dirigea vers la voiture tandis que Grace entrait dans la maison.

– Diane m'a dit qu'ils vont tous ensemble à Los Angeles la semaine prochaine... ?

– Oui. C'est top secret.

– Et tu vas dans le Wyoming...

– C'est vrai. J'ai promis d'aller faire une visite là-bas. Un ami qui a des poulains à débourrer...

Elle hocha la tête et, pendant un moment, on n'entendit plus que le grondement impatient du moteur. Ils échangèrent un sourire, et il sentit qu'elle non plus ne savait pas très bien où ils en étaient. Tom fit de son mieux pour ne pas se trahir par un regard, afin de ne pas lui rendre la situation encore plus difficile. Il était probable qu'elle regrettait ce qui s'était passé. Un jour, peut-être, lui aussi... La porte grillagée s'ouvrit à la volée, et Annie fit volte-face.

– Maman ? Je peux appeler papa ?

– Bien sûr.

Grace disparut de nouveau dans la maison. Comme Annie se retournait vers lui, il sentit qu'elle avait quelque chose à exprimer. Si c'était un regret, il ne voulait rien entendre et préféra prendre la parole à sa place.

– J'ai cru comprendre qu'il venait ce week-end ?

– Oui.

– Grace est sur les charbons ardents. Elle ne tenait pas en place cet après-midi.

– Son père lui manque.

– Ça se voit. On va tâcher de rendre présentable notre vieux Pilgrim d'ici là. Comme ça, Grace pourra le monter...

– Sérieusement ?

– Sans problème. J'ai encore pas mal de travail avec lui cette semaine, mais si tout se passe bien, j'essaierai de le monter. Et dans le meilleur des cas, Grace pourra faire une démonstration à son papa.

– Et on pourra le ramener à la maison...

– Oui.

– Tom...

– Bien sûr, tu peux rester ici aussi longtemps qu'il te plaira. Ce n'est pas parce qu'on part que tu dois en faire autant.

Elle lui sourit bravement.

– Merci.

– D'ailleurs, j'imagine que pour emballer tout ton matériel il te faudra au moins une bonne semaine !

Elle rit – et il dut détourner les yeux de peur de trahir la douleur qui lui broyait la poitrine à l'idée de ce départ. Il passa une vitesse, sourit et la salua.

Depuis, il avait tout fait pour éviter de se retrouver seul avec elle. Il s'était jeté à corps perdu dans le travail, déployant pour Pilgrim une énergie qu'il avait cru perdue avec les années, depuis l'époque de ses premières consultations.

Le matin, monté sur Rimrock, il le faisait circuler dans le corral, l'entraînant à passer du pas au galop, et du galop au pas, avec toute la douceur dont il devinait que l'animal avait jadis été capable – et ses pattes arrière venaient se poser sans faute dans les pas de ses antérieurs. L'après-midi, il travaillait à pied avec la longe. Il lui faisait décrire des cercles, se rapprochait pour lui faire changer de direction en pivotant sur les postérieurs.

Parfois, Pilgrim se rebiffait et reculait. Tom courait alors après lui en maintenant sa position, jusqu'à ce que le cheval eût compris qu'il ne servait à rien de courir, parce que l'homme serait toujours là et que peut-être, après tout, ce n'était pas si ennuyeux de faire ce qu'on vous demandait. Quand la sarabande cessait, les deux partenaires en sueur se reposaient, appuyés l'un à l'autre comme deux boxeurs hors d'haleine.

Au début, ce changement de rythme avait perturbé le cheval, car même Tom n'avait aucun moyen de lui expliquer qu'il y avait désormais une échéance. Non qu'il sût lui-même pourquoi il s'acharnait à hâter une guérison qui allait le priver pour toujours de l'objet de son désir. Mais pour Dieu sait quelle raison, Pilgrim parut réceptif à cet étrange regain d'énergie, et bientôt il répondit avec entrain aux efforts de Tom.

Aujourd'hui, enfin, c'était le grand jour.

Pilgrim le regarda refermer le portail et marcher jusqu'au milieu du corral, la selle et le harnais à l'épaule.

– Eh oui, vieux frère, tu as bien compris. Pas la peine d'ouvrir de grands yeux...

Il abandonna la selle dans l'herbe et s'écarta. Pilgrim détourna la tête, comme pour montrer que ce n'était pas une si grande affaire et qu'il n'était pas du tout intéressé. Mais ses yeux étaient comme aimantés par la selle et il finit par se décider à marcher dans sa direction.

Tom le regarda avancer sans faire un geste. L'animal s'arrêta à un mètre et allongea le cou presque comiquement pour en renifler l'atmosphère.

– T'inquiète pas... ça ne te mordra pas!

Pilgrim lui lança un regard torve et reprit son inspection. Il portait toujours à l'encolure le licou que son dresseur avait confectionnée pour lui. Il piaffa à plusieurs reprises, puis se rapprocha encore et repoussa légèrement la selle du nez. D'un geste naturel, Tom ôta de son épaule le harnais qu'il se mit à arranger, en le tenant à deux mains. Surpris par le tintement, Pilgrim releva la tête.

– Ne fais pas l'étonné. Comme si tu n'avais pas vu le truc arriver...

Tom attendit. Il était difficile d'imaginer que c'était la même bête qu'il avait vue dans cette stalle infernale, près de New York, coupée du monde. Sa robe resplendissait, son œil était vif, et ses cicatrices au nez lui donnaient un air de noblesse, comme quelque gladiateur romain marqué par les combats. Jamais un cheval n'avait été à ce point transformé – lui et les vies qui gravitaient dans son orbite.

Voilà que Pilgrim marchait à présent vers lui, comme prévu, réservant au harnais le même cérémonial de reniflements. Et lorsque Tom défit le licou pour le remplacer par le harnais, il n'eut pas un tressaillement. Il y avait bien encore en lui de la raideur et une vague contraction des muscles, mais il laissa le dresseur le flatter à l'encolure, puis déplacer sa main et caresser l'endroit où se poserait la selle. Et il ne broncha pas non plus quand il sentit le mors entre ses dents. Quoique fragiles, la confiance et la foi que Tom avait travaillé à instaurer lui étaient acquises.

Il le conduisit par la bride – comme il l'avait fait si souvent avec la longe –, le fit tourner autour de la selle et s'arrêter juste à côté. Tranquillement, en s'assurant que Pilgrim pouvait surveiller chacun de ses gestes, il souleva la selle et la plaça sur son dos, en le réconfortant toujours du geste ou de la voix. D'une main légère, il boucla la sangle, puis fit marcher le cheval pour lui permettre de tester ses sensations. Les oreilles de Pilgrim remuaient sans arrêt, mais il ne montrait pas le blanc de l'œil et à tout instant il produisait un léger bruit en soufflant par les naseaux – Joe appelait cela « chasser les papillons ». Tom se pencha pour resserrer la sangle puis se coucha en travers de la selle et laissa le cheval marcher encore un moment pour s'habituer à son poids, en l'encourageant tout du long. Enfin, quand l'animal fut prêt, il passa la jambe de l'autre côté et se cala en selle.

Pilgrim marcha – et marcha droit. Et même si ses muscles tremblaient encore sous l'effet de quelque profond et intouchable reliquat de peur qu'il garderait peut-être toujours en lui, il se comporta bravement – et Tom sut que s'il ne devinait pas un reflet de cette peur chez Grace, alors elle pourrait le monter à son tour.

Et quand elle l'aurait monté, sa mère et elle n'auraient plus aucune raison de rester.

Robert s'était procuré un guide du Montana dans sa librairie favorite à Broadway et à l'heure où le signal ATTACHEZ VOS CEINTURES cliqueta, alors que s'amorçait la descente sur Butte, il en savait sans doute déjà plus sur cette localité que la plupart de ses 33 336 habitants.

Quelques minutes plus tard, il survolait « la plus riche colline du monde », altitude 5 755 pieds, la plus grosse mine d'argent de la nation dans les années 1880 – et de cuivre, jusqu'au tournant du siècle. Aujourd'hui, si la ville n'était plus que le fantôme d'elle-même, elle avait toutefois d'après le guide conservé un « cachet », dont rien pourtant, jusque-là du moins, n'apparaissait à Robert depuis son avantageux poste d'observation. On avait l'impression qu'un voyageur distrait avait simplement déposé une pile de bagages sur un versant de colline – et oublié de venir les reprendre.

Il aurait préféré atterrir à Great Falls, mais un problème de dernière minute s'était présenté au bureau et il avait dû changer ses plans. Butte était la solution de repli. Malgré la distance, Annie avait tenu à venir le chercher en voiture.

Robert ne savait toujours pas à quel point son licenciement l'avait affectée. Les journaux de New York avaient bavé sur la nouvelle pendant toute la semaine. GATES GRUGE GRAVES, avait claironné l'un d'eux, tandis que d'autres se risquaient à des jeux de mots, dont le plus réussi était : GRAVE ÉCHEC POUR GRAVES. C'était déjà étrange de voir Annie distribuée pour une fois dans le rôle de la victime – ou d'une martyre, comme le laissait entendre l'article le plus compatissant. Mais le plus étrange, c'était bien la décontraction avec laquelle l'intéressée avait réagi au téléphone, lorsqu'elle était revenue de jouer les cow-boys.

– Je m'en fous complètement...

– C'est vrai ?

– Absolument. Tant mieux si j'ai été virée. Je vais pouvoir passer à autre chose.

Robert s'était demandé s'il avait appelé le bon numéro. C'était peut-être pour garder la face. Elle avait prétendu qu'elle était fatiguée des jeux du pouvoir et de la politique, qu'elle voulait retourner à l'écriture, ses premières amours. D'ailleurs, Grace avait dit que c'était la meilleure chose qui pouvait lui arriver. Robert lui avait demandé si son excursion s'était bien déroulée. Magnifiquement, avait dit Annie. Puis elle lui avait passé Grace qui sortait de son bain et lui avait tout raconté. Elles devaient venir le chercher toutes les deux à l'aéroport.

Il y avait bien un petit comité d'accueil qui faisait des signes lorsqu'il foula l'asphalte, mais personne de sa connaissance. Puis il regarda de plus près les deux inconnues en jean et chapeau de cow-boy qu'il avait déjà remarquées, parce qu'elles avaient ricané sur son passage – avec un certain culot - et il les reconnut.

– Mon Dieu ! Pat Garrett et Billy the Kid !

– Salut, étranger ! dit Grace d'une voix traînante. Qu'est-ce qui t'amène en ville ?

Elle ôta son chapeau et se jeta à son cou.

– Mon bébé, comment vas-tu ? COMMENT VAS-TU ?

– Ça baigne !

Elle se pendait si fort après lui que Robert s'étouffa d'émotion.

– Ça se voit... Laisse-moi te regarder.

Il la repoussa et eut la brusque vision d'un corps inerte et grisâtre à l'hôpital. C'était à peine croyable. Ses yeux pétillaient de vie et le soleil avait révélé toutes les taches de rousseur sur sa frimousse radieuse.

– Tu ne remarques rien?

– Tu veux dire : à part tout?

Elle se livra à une petite pirouette à son intention – et soudain, il comprit.

– Plus de canne!

– Plus de canne!

– Ma championne...!

Il l'embrassa et, au même moment, chercha Annie de la main. Elle aussi avait ôté son chapeau. Son bronzage rendait ses yeux clairs et réellement très verts. Jamais elle n'avait été aussi belle. Elle se rapprocha, mit les bras autour de lui, et l'embrassa. Robert l'étreignit aussi longtemps que l'autorisait la décence.

– Dieu, ça fait si longtemps...

– C'est vrai, dit Annie.

Ils mirent trois heures à retourner au ranch. Et, malgré sa hâte de montrer à son père la région, Pilgrim, et de lui présenter les Booker, Grace ne s'ennuya pas un instant. Depuis sa place à l'arrière, elle planta son chapeau sur la tête de Robert. Le feutre, trop petit pour lui, lui donnait l'air ridicule, mais il le garda quand même et les fit bien rire en leur racontant son vol de correspondance pour Salt Lake City.

Presque toutes les places avaient été réservées par une chorale religieuse qui avait chanté pendant tout le trajet. Coincé entre deux volumineuses contraltos, Robert avait gardé le nez dans son guide tandis qu'autour de lui on entonnait le *Plus près de Toi, mon Dieu* – ce qui, à trente mille pieds d'altitude, était de circonstance.

Il invita Grace à chercher dans son sac les cadeaux de Genève. Il lui avait rapporté une grosse boîte de chocolats et un coucou miniature qui avait vraiment un drôle de genre pour un coucou. Son cri, Robert en convint, ressemblait plutôt à celui d'un perroquet sur piles. Mais il jura qu'il était authentique ; il savait de source sûre que les coucous taïwanais, surtout ceux souffrant d'hémorroïdes, avaient exactement cette tête, et ce cri-là. Les cadeaux pour Annie, que Grace avait également déballés, consistaient dans le traditionnel flacon de son parfum préféré et un foulard en soie qu'elle ne porterait jamais – comme ils le savaient tous les trois. Annie dit qu'elle le trouvait ravissant, et embrassa Robert sur la joue.

En voyant ses parents enfin réunis, Grace ressentit un authentique contentement. C'était comme si les dernières pièces du puzzle fracturé de sa vie se remettaient en place. Il n'en manquait plus qu'une : il fallait qu'elle monte Pilgrim. Si tout s'était bien passé aujourd'hui au ranch, cette lacune serait bientôt comblée. Tant que ce ne serait pas une certitude, ni elle ni sa mère n'en parleraient à Robert.

Cette perspective l'électrisait et la troublait à la fois. En fait, elle n'avait pas tant le désir de monter Pilgrim que le sentiment qu'il le fallait. Depuis qu'elle montait Gonzo, personne ne semblait douter qu'elle réussirait – dès lors que Tom était d'accord. Pourtant, elle avait des doutes.

Ce n'était pas de la peur, du moins pas au sens ordinaire. Bien sûr, elle redoutait d'avoir le trac au moment fatidique, mais elle était pratiquement sûre de parvenir à se dominer. Ce qu'elle craignait surtout, c'était de décevoir Pilgrim – de n'être pas à la hauteur.

Sa prothèse était à présent si serrée qu'elle avait toujours mal. Le jour de la transhumance, dans la dernière partie du trajet, la douleur avait été presque insoutenable. Elle n'avait rien dit à personne, plaisantant même lorsque Annie avait remarqué qu'elle dévissait maintenant sa jambe dans l'intimité. Il avait été plus difficile d'abuser Terri Carlson. Constatant l'inflammation du moignon, la kiné avait déclaré qu'elle avait le besoin urgent d'un réglage. Hélas, personne dans la région ne fabriquait ce modèle de prothèse. Il fallait se rendre à New York.

Grace était résolue à tenir bon. C'était l'affaire d'une semaine ou deux. Elle espérait seulement que la douleur ne l'empêcherait pas de se concentrer au moment critique.

Lorsqu'ils changèrent de direction pour aller vers l'ouest, c'était déjà le soir. Droit devant eux, les Rocheuses se trouvaient sous un empilement de nuages orageux qui semblaient menacer de fondre sur la voiture.

Ils traversèrent Choteau et Grace montra à son père dans quel taudis elles avaient d'abord vécu, puis le dinosaure du musée. Il ne lui parut ni aussi grand ni aussi féroce qu'à son arrivée. En fait, elle n'aurait pas été étonnée de le voir cligner de l'œil.

À l'heure où ils quittèrent la route goudronnée, le ciel formait une voûte de nuages noirs, comme une église en ruines, à travers laquelle le soleil se frayait un accès capricieux. Tandis que la voiture avançait lentement sur la route caillouteuse qui menait au ranch, Grace se sentit gagnée par une certaine fébrilité. Elle tenait tellement à ce que son père fût impressionné. Annie aussi, peut-être, car une fois la crête franchie, lorsque le ranch s'offrit à leur vue, elle stoppa la voiture et laissa Robert apprécier le paysage.

Le nuage de poussière qu'ils avaient soulevé les dépassa et dériva lentement devant eux, pour se décomposer en particules d'or sous les rayons d'un soleil rageur. Des chevaux paissant près des peupliers qui frangeaient un coude de la rivière, redressèrent la tête dans leur direction.

– Ma parole! dit Robert. Les filles, je comprends pourquoi vous ne voulez plus rentrer à la maison...!

29

ANNIE avait acheté les provisions du week-end sur la route de l'aéroport, et elle aurait mieux fait, bien sûr, d'attendre le retour. Passer cinq heures dans une voiture surchauffée n'avait pas arrangé le saumon. À Butte, elle avait enfin trouvé un supermarché digne de ce nom – ils avaient même des tomates séchées et du basilic en pots qui s'était flétri au cours du voyage. Elle avait arrosé et disposé les plants sur le rebord de la fenêtre. Ils s'en tireraient peut-être. Pour le saumon, c'était moins sûr. Elle alla le déposer dans l'évier et tenta de noyer sous l'eau froide son odeur d'ammoniaque.

Le jet couvrit le roulement continu du tonnerre. Plongeant les flancs du poisson sous l'eau, elle regarda les écailles ramollies frémir, tournoyer et disparaître dans le siphon. Puis elle ouvrit la poche intestinale et rinça à grande eau la chair membraneuse veinée de sang, jusqu'à ce qu'elle luise d'un rose vif. L'odeur perdit de son âcreté, mais le contact de ce corps flasque souleva en elle une telle vague de nausée qu'elle abandonna son dîner sur la paillasse et sortit en courant dans la véranda.

L'atmosphère était si lourde qu'elle n'éprouva aucun soulagement. Il faisait déjà presque nuit, et pourtant il était encore tôt. Les nuages, d'un noir malsain strié de jaune, étaient si bas qu'ils semblaient peser directement sur la terre.

Voilà presque une heure que Grace était partie avec

Robert. Annie aurait préféré qu'elle attendît le lendemain, mais Grace avait insisté pour présenter son père aux Booker et lui montrer Pilgrim. À peine s'il avait eu le temps de jeter un coup d'œil dans la maison avant de l'accompagner au ranch en voiture. La petite avait demandé à sa mère de les accompagner, mais Annie avait refusé, disant qu'elle avait le dîner à préparer. Elle préférait ne pas assister à la rencontre des deux hommes. Elle n'aurait pas su où regarder. Rien que d'y penser, son malaise empirait.

C'était bien la peine d'avoir pris une douche et passé une robe, pour se sentir déjà toute moite... Elle descendit les marches de la véranda en emplissant ses poumons d'un air vicié, et contourna lentement la maison pour les voir passer côté façade.

Elle avait vu Tom, Robert et les gosses s'entasser dans la Chevy, et bientôt elle aperçut la voiture qui filait en contre-bas vers les prairies. Compte tenu de son angle d'observation, elle vit seulement Tom au volant. Il ne leva pas les yeux. Il était en train de parler avec Robert, assis à côté. Annie se demanda ce qu'il pensait de lui. C'était comme être jugé par procuration.

Toute la semaine, Tom l'avait évitée, et même si elle croyait savoir pourquoi, elle ressentait sa réserve comme un vide qui s'agrandissait en elle. Le matin, en l'absence de Grace, elle avait attendu qu'il l'appelât pour l'emmener en balade, tout en sachant au fond de son cœur qu'il n'en ferait rien. Et lorsqu'elle était allée avec sa fille le voir entraîner Pilgrim, il avait été trop concentré pour lui accorder de l'attention. Ensuite, leur conversation était restée d'une banalité navrante.

Elle voulait lui parler, lui dire qu'elle regrettait ce qui s'était passé, même si c'était faux. La nuit, seule dans son lit, elle repensait à leur tendre exploration mutuelle, la prolongeant par des fantasmes qui la consumaient de désir. Si elle voulait s'excuser, c'était simplement pour ne pas être mal jugée. Mais l'occasion ne s'était présentée qu'une seule fois, le soir où il avait ramené Grace à la maison. Et dès qu'elle avait ouvert la bouche, il l'avait interrompue comme s'il savait ce qu'elle voulait dire. En voyant son regard, quand il était reparti, elle avait failli le rappeler en lui courant après.

Les bras croisés, Annie vit des éclairs danser par-dessus les massifs montagneux ensevelis dans leur suaire. Comme, à la hauteur du gué, elle distinguait les phares de la Chevy entre les arbres, oscillant sur la piste – elle sentit une grosse goutte tomber sur son épaule. Elle releva la tête et une autre goutte atterrit au milieu de son front pour dégouliner sur sa figure. L'atmosphère soudain rafraîchie embaumait la terre mouillée. Annie vit la pluie tomber sur la vallée et fondre sur elle comme un mur. Tournant les talons, elle rentra en toute hâte s'occuper du saumon.

Le type était sympa. Quoi d'étonnant? Il était spontané, pétri d'humour, intéressant – et surtout, il s'intéressait. Robert se pencha en avant pour essayer de voir quelque chose au-delà de l'éventail balayé en vain par les essuie-glaces. Avec cette pluie qui tambourinait sur le toit de la voiture, il fallait crier pour s'entendre.

– « Si tu n'aimes pas le temps qu'il fait dans le Montana, attends donc cinq minutes », dit Robert.

Tom rit.

– C'est Grace qui vous a dit ça?

– C'était dans mon guide.

– Papa est complètement gaga avec les guides! brailla Grace depuis la banquette.

– Merci, chérie.

Tom sourit.

Il les avait emmenés aussi haut que l'on pouvait s'y risquer en voiture. Ils avaient vu une biche, un couple de faucons, et une harde d'élans, au fond de la vallée. Les petits, dont certains n'avaient pas plus d'une semaine, cherchaient à s'abriter du tonnerre sous les flancs de leur mère. Robert avait sorti une paire de jumelles et ils avaient ainsi passé une dizaine de minutes à les observer, chaque gosse revendiquant son tour. Ils avaient vu un mâle avec ses bois majestueux à six cors. Tom essaya de bramer à son intention, mais sans s'attirer de réponse.

– Ça pèse combien, une bête pareille ? demanda Robert.

– Dans les huit cents kilos. En août, ses bois atteindront une trentaine de kilos.

– Vous les chassez ?

– Mon frère, de temps en temps. Je préfère voir leurs têtes dans le paysage plutôt que sur un mur.

Au retour, Robert posa encore bien des questions, sous les taquineries incessantes de sa fille. Tom songea à Annie, à sa manie des questions, et se demanda si elle avait déteint sur Robert ou le contraire. Ou s'ils étaient tout simplement bien assortis. Plutôt la seconde hypothèse. Il s'efforça de penser à autre chose.

Il pleuvait à torrents sur le chemin qui montait à la petite maison. L'eau jaillissait à gros bouillons par tous les angles du toit. Tom se gara le plus près possible de la véranda pour éviter d'infliger une douche à ses passagers. Robert descendit le premier. Il claqua la portière et Grace en profita pour demander discrètement à Tom comment ça s'était passé avec Pilgrim.

– Très bien. Ça devrait marcher.

Elle eut un sourire ravi et Joe lui décocha un joyeux coup de coude. Mais il était trop tard pour demander des précisions, car Robert ouvrait la portière pour l'aider à descendre.

Tom aurait dû deviner que la pluie avait rendu glissants les abords terreux de la véranda. Mais il n'y pensa qu'au moment où Grace tenta de s'extirper de la voiture. Elle tomba en poussant un cri. Tom bondit de son siège et fit le tour du véhicule.

Robert était penché sur sa fille avec anxiété.

– Mon Dieu, Grace, tu n'as rien ?

– Ça va. (Elle s'efforçait déjà de se relever et semblait plus gênée que blessée.) C'est vrai, papa, ça va...

Annie, qui sortait en courant, manqua s'étaler à son tour.

– Que s'est-il passé ?

– Rien ! dit Robert. Elle a glissé...

Joe était sorti lui aussi, très inquiet. Grace fut remise sur ses pieds. Elle tressaillit en retrouvant son poids. Robert la tenait toujours par les épaules.

– Tu es sûre que ça va, ma puce ?

– S'il te plaît, papa, n'en fais pas un plat. Je n'ai rien.

Elle boitait, mais tâcha de s'en cacher tandis qu'elle s'éloignait vers la maison. Craignant de rater quelque chose, les jumeaux étaient prêts à suivre le mouvement, quand Tom les rappela à l'ordre en douceur et les renvoya dans la voiture. Il vit à l'air mortifié de Grace qu'il était temps de prendre congé.

– À demain, alors... ?

– Entendu, dit Robert. Merci pour la balade.

– À votre service.

Tom adressa un clin d'œil à Grace et lui souhaita une bonne nuit. Elle acquiesça avec un sourire brave. Puis il passa la porte à la suite de Joe et se retourna pour saluer. Son regard croisa celui d'Annie. Ce coup d'œil ne dura qu'une fraction de seconde, mais il contenait tout ce que leurs cœurs avaient à se dire.

Effleurant son chapeau, il leur souhaita une bonne nuit.

Grace comprit qu'il y avait eu de la casse dès qu'elle toucha le sol de la véranda et, dans un moment d'horreur, crut que c'était son fémur. Ce ne fut qu'en se relevant qu'elle fut rassurée sur ce point. Elle était choquée, affreusement gênée, mais elle n'avait rien de cassé.

C'était pire. Le manchon de la prothèse était fissuré sur toute sa longueur.

Elle était assise au bord de la baignoire, la jambe de son jean ratatinée sur sa cheville gauche, la prothèse dans les mains. L'intérieur du manchon lézardé était chaud, humide et sentait la sueur. On pourrait peut-être le recoller ou le scotcher. Mais il faudrait en parler à ses parents et, si ça ne marchait pas, ils ne la laisseraient jamais monter sur Pilgrim...

Après le départ des Booker, elle avait dû faire tout un numéro à propos de sa chute. Elle avait plaisanté là-dessus et répété à ses parents que TOUT ALLAIT BIEN. Apparemment, ils l'avaient crue. Quand elle avait été rassurée sur ce point, elle s'était réfugiée dans la salle de bains pour examiner tranquillement les dégâts. Elle avait bien senti cette saloperie jouer autour de son moignon, en traversant le living, et grimper l'escalier avait été vachement dur. Si elle ne pouvait même pas monter des marches avec ce truc, comment ferait-elle avec Pilgrim ? Merde ! C'était si bête. Elle avait tout gâché.

Longtemps, elle resta assise, perdue dans ses réflexions. Elle entendait Robert qui parlait avec animation de l'élan. Il essayait d'imiter le cri de Tom, mais ce n'était pas cela du tout et, Annie éclata de rire. C'était super de l'avoir enfin à la maison. Si elle leur disait la vérité maintenant, la soirée serait gâchée.

Elle savait quoi faire. Elle se leva, clopina jusqu'au lavabo et sortit la boîte à pansements de la pharmacie. Elle allait rafistoler ce truc et, demain matin, elle tenterait de monter Gonzo. Et si ça marchait, elle ne dirait rien à personne avant d'avoir monté Pilgrim.

Annie éteignit dans la salle de bains et marcha sans bruit dans le couloir jusqu'à la chambre de Grace. Elle poussa la porte entrebâillée, qui grinça doucement. La lampe de chevet était restée allumée – celle qu'elles avaient achetée ensemble à Great Falls pour remplacer l'ancienne. La nuit de ce drame-là semblait dater d'une autre vie.

– Gracie ?

Pas de réponse. Elle s'approcha du lit et éteignit la lumière, notant distraitement que la jambe artificielle n'était pas calée à sa place habituelle contre le mur, mais posée par terre, dans la pénombre, entre la table et le lit. Grace dormait. Son souffle était si doux qu'Annie dut prêter l'oreille pour l'entendre. Ses cheveux répandus en volutes sur l'oreiller évoquaient l'embouchure d'une sombre rivière. Annie resta là un moment, à la contempler.

Elle avait été si courageuse après la chute. Pourtant, elle avait dû se faire mal. Mais pendant toute la soirée, elle s'était montrée drôle, spirituelle et gaie. Une brave gosse. Avant le repas, dans la cuisine, tandis que Robert prenait un bain à l'étage, elle lui avait rapporté ce que Tom avait dit au sujet de Pilgrim. Elle pétillait d'enthousiasme et avait tout arrangé pour faire la surprise à son père. Joe entraînerait Robert du côté de Bronty, pour le ramener juste au bon moment afin qu'il la vît montée sur Pilgrim. Annie se faisait du souci à ce sujet. Mais si Tom estimait que c'était sans danger...

– C'est un chic type, avait dit Robert en se resservant une part du saumon qui, contre toute attente, s'était révélé excellent.

– Il a été très aimable avec nous, répondit Annie d'une voix faussement détachée.

Dans le court silence qui suivit, ses mots semblèrent rester en suspens – comme pour se prêter à une enquête. Dieu merci, Grace enchaîna sur une nouvelle histoire.

Annie se pencha pour embrasser sa fille. De très loin, Grace murmura une réponse.

Robert était déjà au lit. Il était nu. Lorsqu'elle se mit à se dévêtir, il abandonna son livre et la regarda. C'était un signal convenu depuis des années, et par le passé elle avait souvent aimé se déshabiller devant lui – c'était excitant. Mais, aujourd'hui, elle trouvait ce regard silencieux dérangeant et presque intolérable. Elle savait, bien sûr, qu'il avait l'intention de lui faire l'amour après une aussi longue séparation. Toute la soirée, elle avait redouté ce moment.

Elle ôta sa robe, la reposa sur la chaise, et sentit avec une telle acuité le poids de ce regard et l'intensité du silence qu'elle gagna la fenêtre et écarta les stores.

– Il ne pleut plus.

– Ça s'est arrêté il y a une demi-heure environ...

– Ah...

Elle regarda la grande maison. Quoiqu'elle ne fût jamais entrée dans la chambre de Tom, elle savait où était sa fenêtre et constata que la pièce était éclairée. *Mon Dieu, pourquoi ce n'est pas toi? Pourquoi ce n'est pas nous?* Cette réflexion la remplit d'un désir violent, si proche du désespoir qu'elle referma bien vite les stores et tourna les talons. Elle ôta ses sous-vêtements à la hâte et attrapa le grand tee-shirt qui lui servait de chemise de nuit.

– Laisse, dit Robert doucement. (Elle se tourna vers lui et il lui sourit.) Viens...

Il lui tendit les bras, et elle fit de son mieux pour lui rendre son sourire, priant pour qu'il ne pût lire ce qu'elle craignait d'exprimer par son regard. Reposant son tee-shirt, elle marcha jusqu'au lit, se sentant scandaleusement exposée dans sa nudité.

Elle s'assit près de lui, et ne put réprimer un frisson lorsqu'il posa une main sur sa nuque et l'autre sur son sein gauche.

– Tu as froid?

– Un peu.

Délicatement, il attira sa tête à lui et l'embrassa – comme il l'embrassait toujours. Et elle essaya, de chacune des fibres de son être, de vider son esprit de toute comparaison pour se perdre dans les contours familiers de sa bouche, dans son odeur, et dans le contact de sa main sur son sein.

Elle ferma les yeux, sans parvenir à contenir un envahissant sentiment de trahison. Elle avait trahi cet homme bon et aimant, sinon par ses actes, du moins en pensée. Par-dessus tout, et même si c'était complètement idiot de sa part, elle avait l'impression de trahir Tom.

Ouvrant les draps, Robert bougea pour lui faire de la place. Elle vit le dessin familier des poils brun-roux sur son ventre et l'engorgement rose de sa vibrante érection. Elle sentit son membre contre sa cuisse quand elle se coucha à son côté.

– Oh, Annie. Tu m'as manqué...

– Toi aussi, tu m'as manqué.

– C'est vrai?

– Bien sûr...

Elle sentit le plat de sa main parcourir son flanc, sa hanche et son ventre, et elle sut qu'il allait la caresser entre les cuisses – pour découvrir qu'elle n'était absolument pas excitée. Au moment où ses doigts touchaient le bord de sa toison, elle se déroba légèrement.

– Laisse-moi faire..., dit-elle.

Elle se glissa entre ses jambes et cueillit son membre dans sa bouche. Il y avait longtemps, peut-être des années, qu'elle n'avait pas fait cela, et Robert en suffoqua.

– Oh, Annie, ça m'étonnerait que je tienne...

– Ça ne fait rien. J'en ai envie.

Quels fieffés menteurs l'amour fait de nous, songea-t-elle. Quelles voies obscures et inextricables il nous fait parcourir... Et l'excitation venant, elle songea dans un flot de tristesse que, quoi qu'il arriverait, elle ne serait plus jamais la même et que cette mauvaise action était secrètement son cadeau d'adieu.

Plus tard, quand la lumière fut éteinte, il entra en elle. Si profonde était la nuit qu'ils ne pouvaient se regarder dans les yeux et, ainsi protégée, Annie se laissa enfin émouvoir. Elle se livra alors à la cadence fluide de leur étreinte – et par-delà sa peine trouva un bref oubli.

30

APRÈS le petit déjeuner, Robert conduisit Grace à la grange. La pluie avait lavé et rafraîchi l'atmosphère – et le ciel n'était plus qu'une conque azur. Il avait déjà remarqué que sa fille était plus réservée, plus grave que la veille, et il lui demanda en route si tout allait bien.

– Papa, arrête ! JE VAIS BIEN !

– Pardon.

Elle lui tapota la main et il n'insista pas. Elle avait téléphoné à Joe avant de partir et, quand ils arrivèrent, Gonzo avait déjà quitté son paddock. Joe les accueillit avec un grand sourire.

– Bonjour, jeune homme, dit Robert.

– Bonjour, monsieur Maclean.

– Robert, s'il te plaît.

– Entendu, monsieur.

Ils conduisirent Gonzo dans la grange. Robert nota que Grace semblait boiter davantage que la veille. Une fois, elle parut même perdre l'équilibre et dut se rattraper au portail d'une stalle. Il les regarda seller Gonzo en posant à Joe toutes sortes de questions sur le poney : son âge, sa taille, si cette race-là avait un caractère spécial. Joe lui fit des réponses détaillées et courtoises. Grace ne dit pas un mot. Robert vit à son regard troublé qu'elle avait un souci. Il comprit en regardant Joe que le garçon partageait ses

334

doutes, même si lui non plus n'aurait pas osé demander des explications.

Gonzo quitta la grange par la porte du fond, et fut lâché dans l'arène. Grace était prête à monter.

– Tu ne mets rien... ?

– Sur la tête, tu veux dire ?

– Oui.

– Non, papa. Pas de bombe.

Robert haussa les épaules.

– Bon, comme tu veux.

Grace le dévisagea en plissant les yeux. Joe les regarda tour à tour, et sourit. Puis Grace rassembla les rênes et, appuyée à l'épaule de Joe, mit le pied gauche à l'étrier. Comme elle déportait son poids sur sa prothèse, quelque chose parut céder et Robert la vit sursauter.

– Merde !

– Qu'y a-t-il ?

– Rien. C'est bon...

Avec un grognement d'effort, elle lança sa jambe par-dessus le troussequin et retomba en selle. Avant même qu'elle eût trouvé son assiette, il comprit qu'il y avait un problème puis il vit son visage crispé et réalisa qu'elle pleurait.

– Gracie, qu'y a-t-il ?

Elle secoua la tête. Au début, il crut qu'elle souffrait mais quand elle ouvrit enfin la bouche, il comprit que c'étaient des larmes de rage.

– C'est foutu ! explosa-t-elle. Ça marchera jamais...

Robert passa le reste de la journée à tenter de joindre Wendy Auerbach. Le répondeur de la clinique indiquait un numéro pour les urgences qui, curieusement, semblait occupé en permanence. Peut-être d'autres prothèses à New York avaient-elles craqué par sympathie ou en raison d'un défaut caché qui s'était soudainement révélé. Quand enfin il obtint la communication, l'infirmière de garde lui dit qu'elle regrettait mais le règlement de la clinique interdisait de divulguer les numéros personnels. Toutefois, si c'était réellement urgent (ce dont elle doutait à l'entendre), elle essayerait de contacter le Dr Auerbach de son côté. Une heure plus tard, elle rappelait pour signaler que le docteur était absent de son domicile jusqu'en fin d'après-midi.

En attendant, Annie appela Terri Carlson, dont le numéro – à la différence de celui de Wendy Auerbach – était dans l'annuaire. Terri connaissait en effet un praticien à Great Falls qui serait en mesure de confectionner une autre prothèse. Mais elle les mit en garde : une fois qu'on s'était fait à un modèle particulier, changer était risqué et pouvait demander du temps.

Si Robert avait été bouleversé par les larmes de Grace et comprenait sa frustration, il éprouvait également un secret soulagement à la perspective d'échapper à un petit numéro qui – c'était clair – avait été spécialement conçu à son intention. Déjà, voir Grace grimper sur Gonzo lui avait donné des palpitations. La perspective de la voir monter Pilgrim, à l'amendement duquel il ne croyait qu'à moitié, était tout bonnement affolante.

Il ne cherchait pas à savoir pourquoi, d'ailleurs. C'était plus fort que lui. Les seuls chevaux auprès desquels il se fût jamais senti à l'aise, c'étaient ceux des galeries marchandes, qui se trémoussaient quand on glissait une pièce dans la fente. Dès lors qu'il fut établi que le projet avait l'aval non seulement d'Annie, mais de Tom – ce qui était plus embêtant –, Robert avait entrepris de sauver les apparences en feignant de soutenir à fond ce projet.

À six heures du soir, ils avaient un plan.

Wendy Auerbach finit par rappeler et demanda à Grace de décrire précisément la fêlure. Puis elle dit à Robert que si la petite pouvait rentrer à New York pour un nouveau moulage dans la soirée du lundi, la pose pourrait avoir lieu le mercredi et la prothèse serait prête pour le week-end.

– Ça colle ?

– Ça colle ! dit Robert, et il la remercia.

À l'issue du conseil de famille qui se déroula dans le living, le trio arrêta une décision. Annie partirait avec sa fille pour New York, et le week-end prochain elles seraient de retour pour que Grace pût monter Pilgrim. Robert ne pourrait se joindre à elles, à cause d'une nouvelle réunion à Genève. Il s'efforça d'avoir l'air raisonnablement attristé à l'idée de manquer le grand événement.

Annie appela les Booker et tomba sur Diane, qui s'était montrée adorable quand elle avait appris la nouvelle. Bien entendu, on pouvait laisser Pilgrim sur place. Smoky garderait l'œil sur lui. La famille Booker rentrerait le samedi de Los Angeles – pour Tom, elle ne savait pas. Elle les invita au barbecue qu'ils organisaient ce soir-là. Annie accepta avec joie.

Puis Robert appela la compagnie d'aviation. Un problème se présenta. Il ne restait plus qu'une place libre dans son vol Salt Lake City-New York. Il la réserva provisoirement.

– Je prendrai un autre vol, dit Annie.

– Pourquoi ? Tu peux rester.

– Elle ne pourra pas rentrer toute seule...

– Pourquoi ? protesta Grace. Je suis bien allée toute seule à Londres quand j'avais dix ans !

– Là, il y a une correspondance. Je ne veux pas que tu te balades toute seule dans un aéroport.

– Annie ! s'exclama Robert. C'est Salt Lake City... Il y a là-bas plus de chrétiens au mètre carré qu'au Vatican.

– Maman, je ne suis plus un bébé !

– Tu parles.

– Les hôtesses prendront soin d'elle, dit Robert. Écoute, si tu y tiens, Elsa pourra l'accompagner.

Il y eut un flottement. Le père et la fille regardaient Annie, attendant sa décision. Il y avait quelque chose de nouveau chez elle, un changement indéfinissable que Robert avait remarqué le jour où elle était venue le chercher à l'aéroport. Il l'avait d'abord mis simplement sur le compte de son apparence, sa bonne mine rayonnante de santé. Pendant le trajet, elle avait suivi son badinage avec Grace dans une sorte de sérénité amusée. Mais plus tard, sous le calme, il avait cru percevoir une certaine mélancolie. Au lit, son comportement avait été sublime, et pourtant aussi un peu choquant. Elle lui avait paru inspirée non par le désir mais par quelque intention secrète et triste.

Robert s'était dit que ce changement était sans doute lié au contrecoup de son licenciement. Mais maintenant, il devait s'avouer que sa femme lui était devenue une énigme.

Par la fenêtre, Annie regardait la belle soirée de printemps. Elle se retourna, avec une grimace apitoyée.

– Vous me laissez toute seule alors ?

Grace la prit par la taille.

– Pauvre petite maman...

Robert lui sourit.

– Décompresse... Profites-en ! Après une année chez Crawford Gates, si quelqu'un mérite une récréation, c'est bien toi !

Il rappela la compagnie pour confirmer la réservation.

Le feu pour le barbecue fut allumé dans un méandre abrité de la rivière, sous le gué – là où restaient à longueur d'année deux tables et des bancs fixes en bois brut, que les intempéries avaient érodé, creusé et blanchi. Annie avait remarqué cette installation lors de son footing matinal – sa corvée quotidienne à laquelle elle semblait avoir réussi à échapper sans inconvénient apparent. Depuis la transhumance, elle n'était allée courir qu'une fois, et s'était surprise à dire à Grace qu'elle sortait *jogger*. Si elle *joggait*, maintenant, autant abandonner.

Les hommes étaient allés préparer le feu à l'avance. Grace n'aurait pas pu monter avec sa prothèse rafistolée et sa canne ressuscitée ; elle était donc partie avec Joe dans la Chevy chargée de victuailles. Annie et Diane suivaient à pied avec les jumeaux. Elles marchaient lentement, profitant des dernières lueurs du soleil. La virée à Los Angeles avait cessé d'être un secret et les petits ne parlaient plus que de ça.

Diane était plus amicale que jamais. Elle semblait sincèrement réjouie que le problème de Grace eût trouvé une solution, et ne s'était pas du tout hérissée à l'idée qu'Annie restât sur place, comme cette dernière l'avait appréhendé.

– À dire vrai, je suis contente que vous soyez dans les parages. Smoky est gentil, mais ce n'est qu'un gosse et je ne crois pas qu'il en ait beaucoup dans la caboche...

Elles poursuivirent leur chemin, les jumeaux courant devant. Une seule fois, la conversation s'interrompit, lorsqu'un couple de cygnes vola au-dessus de leurs têtes. Elles virent le soleil caresser les cols blancs sagement tendus vers les hauteurs, et entendirent le battement des ailes s'évanouissant dans la paix du soir.

Bientôt, Annie perçut le crépitement du feu et une volute blanche s'éleva par-dessus les peupliers.

Les hommes avaient fait le feu sur une langue d'herbe rase qui avançait dans le cours d'eau. De son côté, Frank se livrait devant les enfants à une démonstration de ricochets saluée par des rires moqueurs. Robert, une bière en main, s'occupait des steaks. Il prenait son rôle avec tout le sérieux qu'on pouvait attendre de lui, parlant à Tom avec un hémisphère de son cerveau – l'autre surveillant la viande qu'il harcelait constamment, redisposant chaque pièce à l'aide d'une longue fourchette. Auprès de Tom, en chemise écossaise et mocassins, il paraissait si décalé dans le paysage qu'elle ressentit une bouffée d'affection pour lui.

Ce fut Tom qui les aperçut le premier. Il alla leur chercher à boire dans la glacière. Diane prit une bière et Annie goûta le vin blanc qu'elle avait fourni. Elle eut du mal à affronter le regard de Tom, quand il lui tendit son verre. Leurs doigts se touchèrent une fraction de seconde et cette sensation lui fit bondir le cœur.

– Merci, dit-elle.

– Alors comme ça, il paraît que c'est vous la maîtresse du ranch la semaine prochaine ?

– Oh, absolument.

– Au moins, il y aura quelqu'un d'assez finaud pour savoir se servir du téléphone, fit Diane.

Tom adressa un regard complice à Annie et sourit. Il n'avait pas son chapeau, et repoussa tout en parlant une mèche blonde qui lui barrait le front.

– Diane ne croit pas que le pauvre Smoky soit capable de compter jusqu'à dix...

Annie lui rendit son sourire.

– C'est très aimable à vous. Nous abusons de votre hospitalité.

Il ne répondit pas, et cette fois Annie réussit à soutenir son regard. Il lui semblait que, si elle n'y prenait garde, elle pourrait se noyer dans le bleu de ses yeux. Au même moment, Craig surgit en disant que Joe l'avait poussé à l'eau. Son pantalon était trempé jusqu'aux genoux. Diane cria après Joe et s'en alla mener l'enquête. Restée seule avec Tom, Annie sentit la panique monter en elle. Elle avait tant de choses à lui dire, mais rien ne semblait convenir à la situation. Elle n'aurait su dire s'il partageait ou devinait cet embarras.

– Je suis désolé pour Grace, dit-il.

– Eh bien... Ça va s'arranger. Je veux dire, si vous... si tu n'y vois pas d'inconvénient, elle pourra monter Pilgrim quand tu seras de retour.

– Entendu.

– Merci. Robert ne sera pas là pour voir ça, mais ce serait bête, après tout ce...

– Pas de problème. Grace m'a dit que tu avais démissionné ?

– Si l'on veut...

– Elle prétend que ça ne t'a pas trop démoralisée.

– C'est vrai. Je suis plutôt contente.

– Tant mieux.

Annie sourit encore et prit une gorgée de vin, dans l'espoir de dissiper le silence qui était retombé. Elle regarda vers le feu et Tom suivit son coup d'œil. Livré à lui-même, Robert accordait aux steaks toute son attention. Annie savait que le résultat serait impeccable.

– Il a le coup de main avec les steaks, ton mari...
– Oh, oui. Ça l'amuse.
– C'est quelqu'un de bien.
– Oui. C'est vrai.
– Je me demandais qui était le plus verni...

Annie le considéra. Son attention était toujours dirigée sur Robert. Le soleil tombait en plein sur son visage. Il se tourna vers elle.

– Toi d'être avec lui, ou lui d'être avec toi...

Ils passèrent à table. Les enfants à une table, les adultes à une autre. Les rires montèrent dans les peupliers. Le soleil déclinait et, entre les arbres qui se découpaient en ombres chinoises, Annie vit la surface en fusion de la rivière se teinter de rose, de pourpre et d'or. Quand il fit assez sombre, ils allumèrent des bougies dans des photophores pour les protéger d'une brise qui ne vint pas, et observèrent le vol périlleux des phalènes au-dessus des flammes.

Maintenant que ses espoirs de monter Pilgrim étaient restaurés, Grace avait retrouvé le sourire. Après le repas, elle demanda à Joe de montrer à Robert le tour de la montre, et les enfants se rassemblèrent autour de la table pour la démonstration.

La première fois où la montre sauta, ce fut un rugissement général. Intrigué, Robert demanda à Joe de le refaire, puis encore une fois, plus lentement. Il était assis face à Annie, entre Diane et Tom. Les flammes des bougies dansaient sur son visage tandis qu'il se concentrait, suivant tous les mouvements des doigts, comme toujours à la recherche de l'explication rationnelle. Annie se surprit à espérer, avec une ferveur presque religieuse, qu'il ne trouverait pas – ou, sinon, qu'il n'en laisserait rien paraître.

Il fit lui-même plusieurs tentatives sans succès. Joe lui débita son boniment sur l'électricité statique avec maestria. Il était sur le point de l'amener à plonger la main dans l'eau, pour « renforcer la charge », lorsque Robert sourit et Annie comprit qu'il avait trouvé. *Ne gâche pas tout*, se dit-elle. *Je t'en prie, ne gâche pas tout*

– J'y suis. Tu la fais sauter avec l'ongle. C'est ça? Laisse-moi essayer.

Frottant la montre après ses cheveux, il la ramena lentement au-dessus de la paume de sa main, où se trouvait l'autre montre. Au contact des deux boîtiers, la montre sauta dans sa main avec un claquement. Les enfants applaudirent. Robert sourit avec candeur, comme un gosse qui a ferré le plus gros poisson. Joe s'efforça de cacher sa déception.

– Ils sont malins, ces avocats, dit Frank.

– Et le tour de Tom! s'écria Grace. Maman? Tu as toujours la cordelette?

– Bien sûr...

Annie l'avait gardée dans sa poche depuis le jour où Tom lui en avait fait cadeau. Elle la conservait précieusement. C'était la seule chose qu'elle possédait de lui. Sans réfléchir, elle la sortit de sa poche et la confia à Grace. Son regret fut immédiat. Voilà qu'elle avait une prémonition soudaine, effrayante, si forte qu'elle faillit crier. Elle savait que si elle le laissait faire, Robert allait aussi démystifier cela. Et s'il le faisait, alors une chose précieuse – une chose au-delà de la raison – serait perdue pour toujours.

Grace tendit la corde à Joe, qui demanda à Robert de lever le doigt. Tout le monde regardait. Sauf Tom. Il s'était reculé un peu, et observait Annie par-dessus la bougie. Elle sut qu'il lisait dans ses pensées. Joe avait passé la boucle au doigt de Robert.

– Non! fit Annie.

Tout le monde la fixa, rappelé à l'ordre par ce cri anxieux. Elle sentit la chaleur lui monter aux joues. Elle sourit désespérément, cherchant du secours parmi ces visages.

– Je... je voudrais trouver d'abord par moi-même.

Joe hésita, pour voir si c'était sérieux. Puis il ôta la boucle et la rendit à sa propriétaire. Annie crut voir dans le regard de l'adolescent qu'il comprenait, comme Tom. Ce fut Frank qui vint à sa rescousse.

– Bien joué, Annie. Ne rien montrer à un avocat avant d'avoir un bon contrat!

Chacun se mit à rire, même Robert. Pourtant, lorsque leurs regards se croisèrent, elle vit qu'il était déconcerté, et peut-être même blessé. Plus tard, lorsque la conversation eut repris sur un terrain plus sûr, seul Tom la vit enrouler tranquillement la corde et la glisser dans sa poche.

31

Dans la nuit du dimanche, Tom alla voir une dernière fois ses chevaux puis rentra boucler ses bagages. Scott, en pyjama sur le palier, essuyait un dernier avertissement de sa mère qui ne croyait pas du tout à ses prétendues insomnies. L'avion décollait le lendemain matin à sept heures, et les enfants avaient été envoyés se coucher depuis belle lurette.

– Si tu n'arrêtes pas cette comédie, tu restes. Compris ?
– Tu ne laisserais pas ton petit garçon tout seul, ici ?
– C'est ce que tu crois.
– Tu ne ferais pas ça...
– Attends un peu que je me fâche...

En haut de l'escalier, Tom tomba sur un bric-à-brac de vêtements et de valises à demi remplies. Il adressa un clin d'œil à Diane et ramena Scott dans la chambre des jumeaux. Craig dormait déjà. Assis sur le lit, ils parlèrent à mi-voix de Disneyland, jusqu'au moment où le petit finit par battre des paupières et s'assoupit.

Sur le chemin de sa chambre, il croisa Frank puis Diane, qui le remercia et lui souhaita une bonne nuit. Il sélectionna tout ce dont il avait besoin pour la semaine – bien peu de choses – puis essaya de lire mais ne put se concentrer.

Dehors, en allant voir ses chevaux, il avait aperçu Annie revenant de l'aéroport où elle était allée en voiture déposer sa famille. Il gagna la fenêtre et leva les yeux sur la petite maison. Les stores jaunes de sa chambre étaient éclairés et il guetta quelques instants sa silhouette, mais en vain.

Il fit sa toilette, se dévêtit et se mit au lit avec son livre. Là non plus, sans succès. Alors il éteignit et resta allongé sur le dos, les mains derrière la tête, l'imaginant toute seule, là-haut dans la maison.

Puisqu'il devait prendre la route vers neuf heures, il irait la saluer avant son départ. Il se retourna avec un soupir et se plongea d'autorité dans un sommeil qui ne devait pas lui apporter la paix.

Annie se réveilla vers cinq heures du matin et resta couchée à admirer le jaune lumineux des stores. La maison renfermait un silence délicat qu'elle craignait de fracasser au moindre geste. Elle devait s'être assoupie, car elle fut de nouveau réveillée par une voiture qui passait au loin et elle devina que c'étaient les Booker en route pour l'aéroport. Elle se demanda si Tom s'était levé pour leur dire adieu. Sûrement. Elle se leva et alla ouvrir les stores, mais la voiture avait disparu et il n'y avait personne devant la grande maison.

Elle descendit l'escalier en tee-shirt et se fit du café. Puis elle alla se poster, sa tasse dans les mains, à la fenêtre du living. Il y avait du brouillard sur la rivière et dans les creux du versant de la vallée Il était peut-être déjà auprès de ses chevaux, à leur faire ses adieux. Si elle courait, elle avait peut-être une chance de tomber sur lui. Mais s'il venait lui dire au revoir et qu'elle était sortie ?

Elle monta se faire couler un bain. Sans Grace, la maison était vide et le silence oppressant. Elle sélectionna un programme à peu près acceptable sur le transistor de sa fille et s'allongea dans l'eau chaude, sans grand espoir d'y trouver l'apaisement.

Une heure plus tard, elle était habillée. Elle avait passé pratiquement tout ce temps à choisir sa tenue, enfilant un vêtement après l'autre, si bien qu'à la fin, exaspérée par sa propre sottise, elle s'était punie en se rabattant sur un tee-shirt et son vieux jean. *Quelle importance, crétine ? Il vient simplement prendre congé.*

Enfin, comme elle regardait pour la vingtième fois par la fenêtre, elle l'aperçut qui sortait de la maison et jetait son sac à l'arrière de la Chevy. Le voyant marquer un arrêt à la bifurcation, elle eut une bouffée d'angoisse à l'idée qu'il pourrait s'engager dans l'autre direction et passer son chemin. Mais le nez du véhicule pointa bel et bien vers sa maison. Annie fila à la cuisine. Il devait la trouver occupée, prise par le train-train quotidien, comme si son départ n'avait vraiment aucune importance. Elle regarda autour d'elle, affolée. Il n'y avait plus rien à faire. Le lave-vaisselle avait été vidé, les ordures jetées, et elle était même allée – Seigneur ! – jusqu'à récurer l'évier. Tout cela pour passer le temps jusqu'à sa venue. Elle décida de préparer du café frais. Le crissement des roues attira son attention. Elle vit le véhicule décrire un cercle et stopper dans le sens au départ. Il l'aperçut et la salua de loin.

Chapeau bas, il entra en frappant discrètement au chambranle.

– Bonjour...

– Bonjour.

Il restait là, tournant le bord de son feutre dans ses mains.

– Grace et Robert ont attrapé leur avion ?

– Oui, merci. J'ai entendu partir Frank et Diane.

– C'est vrai ?

– Oui.

Un long moment s'écoula, dans un silence seulement troublé par les gouttes du café s'écoulant du filtre. Ils ne pouvaient plus ni parler ni même se regarder dans les yeux. Annie, le dos à l'évier, jouait les décontractées, les ongles fichés dans ses paumes.

– Tu prends du café ?

– Merci, je suis pressé.

– Bon...

– Eh bien... (De sa poche poitrine, il sortit un petit papier qu'il alla lui donner.) Mon numéro à Sheridan. On ne sait jamais..

– Merci. Tu rentres quand?

– Samedi, normalement. Smoky arrive demain. Il s'occupera des chevaux. Il sait que tu nourris les chiens. N'hésite pas à monter Rimrock...

– Merci. J'y penserai.

Il se retourna, poussa la porte, et elle le suivit dans la véranda. C'était comme si des mains lui broyaient le cœur pour en exprimer la dernière parcelle de vie. Il remit son chapeau

– Eh bien, au revoir, Annie.

– Au revoir.

Debout sur la véranda, elle le regarda remonter en voiture. Il lança le moteur, effleura son chapeau à son intention, et repartit sur la piste.

Il conduisit pendant quatre heures et demie – et à chaque tour de roue la douleur se creusait dans sa poitrine. À l'ouest de Billings, perdu dans ses pensées, il faillit emboutir un convoi de bestiaux. Il décida de prendre la prochaine sortie et de poursuivre vers le sud par une petite route qui traversait Lovell.

Ce détour le conduisit non loin de Clark's Fork, dans une région qu'il avait connue tout enfant et qui était désormais méconnaissable. Le ranch des origines n'était plus. La compagnie pétrolière avait depuis longtemps pris ce qui l'intéressait, dépeçant la propriété pour la vendre en parcelles trop petites pour faire vivre dignement un homme et sa famille. Il passa devant le modeste cimetière isolé où étaient inhumés ses grands-parents, et les parents de ses grands-parents. Un autre jour, il se serait arrêté avec un bouquet, mais pas aujourd'hui. Seules les montagnes semblaient lui offrir un mince espoir de réconfort et, au sud de Bridger, il tourna à gauche et fila sur des pistes de terre rouge vers les montagnes Pryor.

Cela ne fit qu'augmenter son malaise. Il abaissa la vitre et sentit sur son visage une bouffée d'air chaud au parfum de sauge. *Regardez-moi cet abruti transi d'amour.* Il allait trouver un endroit pour s'arrêter et faire le point.

Depuis sa dernière visite, on avait aménagé un nouveau belvédère au-dessus du Bighorn Canyon, avec un vaste parking et des panneaux d'informations concernant la géologie du site. Deux cars de touristes japonais se faisaient prendre en photo et un jeune couple lui demanda s'il voulait bien le photographier. Il s'exécuta et en fut amplement remercié, puis tout le monde s'entassa dans les cars et il resta seul dans le paysage.

Accoudé au garde-fou, il plongea le regard quelque trois cent cinquante mètres plus bas, et contempla le cours d'eau d'un vert cru qui serpentait au pied de cette falaise de calcaire striée de rose et de jaune.

Pourquoi ne l'avait-il pas prise dans ses bras? Elle ne demandait que ça, alors pourquoi? Depuis quand avait-il des scrupules en ces matières? Jusque-là, il avait toujours agi selon cette philosophie que si un homme et une femme se plaisaient, ils se comportaient en conséquence. Certes, elle était mariée. Mais ça ne l'avait pas toujours arrêté par le passé, sauf si le mari était un copain ou avait des pulsions homicides Qu'est-ce qu'il avait? Il chercha une réponse et n'en trouva aucune, excepté qu'il se trouvait devant une situation sans précédent pour lui.

À mi-distance, il suivit l'essor d'un vol d'oiseaux aux ailes noires déployées sur le fond vert de la rivière. Soudain, il comprit ce qu'il ressentait. Le manque. Un sentiment que Rachel avait connu autrefois et qu'il avait été incapable d'éprouver envers elle, ni envers aucun être humain. Maintenant, il savait. Il avait été un être complet, et il ne l'était plus. C'était comme si le contact des lèvres d'Annie lui avait volé une part vitale de lui-même dont il découvrait seulement maintenant l'absence.

C'était mieux ainsi, songea Annie. Elle lui était reconnaissante – ou du moins, elle aurait dû l'être – de s'être montré plus fort qu'elle.

Après le départ de Tom, elle avait été ferme avec elle-même, s'imposant toutes sortes de résolutions pour la journée et la semaine à venir. Elle téléphonerait aux amis dont les fax de condoléances étaient restés sans réponse ; puis à son avocat au sujet des conditions de son licenciement. Et elle expédierait le reste des affaires courantes. Puis elle jouirait de sa solitude. Elle marcherait, ferait du cheval, elle lirait – peut-être qu'elle écrirait, même si elle ne savait pas sur quoi. Et pour le retour de Grace, sa tête, et peut-être son cœur, aurait retrouvé la paix.

Ce ne fut pas si facile. Après la dissipation d'un nuage élevé, la journée fut splendide, claire et ensoleillée. Mais malgré ses efforts pour en profiter et accomplir toutes les tâches qu'elle s'était fixées, elle échoua à combler ce gouffre d'inertie qui se creusait en elle.

Vers dix-neuf heures, elle se servit un verre de vin qu'elle posa sur le rebord de la baignoire et se fit un shampooing. Elle avait trouvé du Mozart sur le transistor et, malgré la friture, la musique l'aida à tromper sa solitude. Pour se donner du courage, elle enfila sa robe préférée, la noire à petites fleurs roses.

À l'heure où le soleil sombrait derrière les montagnes, elle monta en voiture et alla nourrir les chiens. Fusant de nulle part, les bêtes lui firent fête et l'escortèrent comme une vieille amie jusqu'à la grange où l'on entreposait leur pâtée.

Elle finissait de remplir les gamelles à l'intérieur, quand elle entendit une voiture et s'étonna de l'indifférence des chiens. Disposant les rations au sol, elle gagna la sortie.

Elle le vit – un instant seulement avant qu'il ne la vît

Il se tenait devant la voiture. La portière était restée ouverte et les phares formaient deux ronds pâles dans le demi-jour. Comme elle se figeait sur le seuil, il se retourna et l'aperçut. Il ôta son chapeau, mais sans le manipuler nerveusement comme la dernière fois. Son visage était grave Ils restèrent là sans faire un geste, à quelques pas l'un de l'autre, et longtemps aucun mot ne fut prononcé.

– J'ai pensé..., dit-il d'une voix étranglée. Je suis revenu. Elle hocha la tête.

– Oui.

Sa voix était plus évanescente que l'air.

Elle voulait marcher vers lui, mais elle ne pouvait plus bouger. Il comprit et, posant son chapeau sur le capot, marcha dans sa direction. En le voyant s'approcher, elle craignit d'être submergée et emportée par la vague qui enflait en elle avant qu'il ne l'atteignît. De peur, elle jeta alors les bras en avant comme une femme qui se noie – et il entra dans le cercle de ses bras, l'enlaça, la soutint – la sauva.

La vague se brisa sur elle, les pleurs la secouèrent des pieds à la tête, elle s'agrippa à lui. Sentant qu'elle tremblait, il la serra plus fort, enfouissant son visage contre le sien, apaisant de ses lèvres ce torrent de larmes. Et quand le tremblement décrut, elle se frotta à ce visage mouillé et trouva sa bouche.

Il l'embrassa comme l'autre fois dans la montagne, mais avec une fougue qui n'admettait plus de retour en arrière. Il lui prit le visage pour approfondir son baiser, et elle glissa les bras dans son dos, s'arrima à lui, et sentit comme son corps était dur et si mince qu'elle pouvait poser les doigts entre ses côtes. Puis il l'enlaça à son tour et ce contact la fit grelotter.

Ils se séparèrent pour reprendre haleine.

– Je n'arrive pas à croire que tu es revenu, dit-elle.

– Je ne sais pas comment j'ai pu partir.

Il lui prit la main et l'entraîna devant la Chevy dont la portière était restée ouverte et dont les phares trouaient à présent plus franchement le crépuscule. Au-dessus de leurs têtes, le ciel était un dôme orange foncé qui entrait en contact avec le noir des montagnes dans une débauche de rouges carmin et vermillon. Annie attendit dans la véranda tandis qu'il ouvrait la porte.

Sans faire de lumière, il la guida parmi les ombres du

living. Les craquements de leurs pas résonnaient sur le parquet, et les visages en sépia suivirent leur passage depuis les cadres noyés de pénombre.

Le désir d'Annie était si fort qu'il confinait à la nausée, alors qu'elle gravissait le bel escalier. Ils s'avancèrent main dans la main dans le couloir, devant des portes ouvertes sur des chambres au sol jonché de vêtements et de jouets, comme un navire à l'abandon. La porte de la chambre de Tom était ouverte aussi. Il s'effaça pour la laisser passer, la suivit en refermant la porte.

La pièce, vaste et nue, ne correspondait pas à ce qu'elle avait imaginé toutes ces nuits où elle avait contemplé sa fenêtre éclairée ; par cette même fenêtre, voilà qu'elle apercevait à présent la petite maison en ombre chinoise. L'endroit était baigné d'une lueur rasante qui transformait tout en corail.

Il allongea les bras vers elle et l'attira pour l'embrasser encore une fois. Puis, sans un mot, il entreprit de défaire la longue rangée de boutons qui fermait sa robe. Elle le regarda – le travail de ses doigts, son visage tendu par la concentration. Il leva les yeux, et soutint ce regard, mais sans sourire, tandis qu'il défaisait le dernier bouton. La robe s'ouvrit, il glissa la main sous l'étoffe, et elle frémit au contact de cette main sur sa peau. Il la prit par les hanches, et s'inclinant, l'embrassa tendrement sur les seins, par-dessus le soutien-gorge.

La tête rejetée en arrière, Annie ferma les yeux en pensant : *il n'y a rien d'autre que nous, que cet instant.* Nul besoin bassement terrestre de calculer les conséquences, de songer à l'avenir, au bien et au mal, car rien – rien – n'existait que ce moment.

Tom la guida jusqu'au lit et resta debout tandis qu'elle se déchaussait et commençait à lui déboutonner sa chemise. C'était maintenant à son tour de regarder – ce qu'il fit, dans l'éblouissement.

Jamais il n'avait fait l'amour dans cette chambre – ni d'ailleurs, depuis Rachel, dans aucun cadre intime. Il avait fréquenté le lit de certaines femmes, mais jamais il ne leur avait permis d'entrer dans le sien. Il avait banalisé le sexe, le tenant à distance pour préserver sa liberté et se protéger de lui-même. La présence d'Annie dans ce sanctuaire prenait un sens à la fois intimidant et merveilleux.

La lumière du dehors nacrait la parenthèse de nudité que découvrait sa robe. Elle défit sa ceinture et le haut de son jean, tira sur sa chemise, et dénuda ses épaules.

Comme il ôtait son tee-shirt par la tête, dans ce bref instant d'aveuglement, il sentit qu'elle posait les mains sur son torse. Il l'embrassa entre les seins et inspira profondément son odeur comme pour s'y noyer. Avec délicatesse, il la débarrassa de sa robe.

– Annie...

Elle écarta les lèvres sans rien dire, son regard rivé au sien, et passa les mains dans le dos pour dégrafer son soutien-gorge. C'était un modèle simple, blanc, bordé d'un point de dentelle. Elle en souleva les bretelles de ses épaules et le laissa tomber. Elle avait un corps splendide. Une peau pâle, sauf au cou et aux bras où le soleil avait semé des taches de rousseur dorées. Ses seins étaient plus épanouis qu'il l'aurait cru, très fermes, avec des mamelons larges et haut placés. Il y posa la main, puis la figure, et sentit comme ils se raidissaient sous la caresse de ses lèvres. Elle avait les mains sur sa braguette.

– Je t'en prie, dit-elle

Il rabattit l'édredon et ouvrit les draps pour qu'elle pût s'y étendre et le regarder ôter ses bottes, ses chaussettes – puis son jean et son caleçon. Et il ne ressentit en lui nulle honte, et en elle pas davantage – car pourquoi auraient-ils dû avoir honte d'une chose qui n'était pas de leur fait, mais venait d'une force plus profonde, qui animait non seulement leurs corps mais leurs âmes, et se trouvait par-delà le bien et le mal ?

Comme il s'agenouillait sur le lit, elle tendit les mains et saisit son sexe roide. Tête basse, elle en effleura le pourtour de ses lèvres, si savamment qu'il frissonna et dut fermer les yeux pour calmer le jeu.

Les yeux d'Annie, quand il se risqua à les regarder, étaient sombres et luisants de désir. Abandonnant son sexe, elle se renversa en arrière et souleva ses hanches pour qu'il lui retirât sa culotte. Un modèle banal de coton gris. Il passa la main sur le doux renflement, puis tira la culotte délicatement.

Sa toison était épaisse, foisonnante, et de l'ambre le plus foncé. Les pointes frisées captaient les derniers éclats de lumière. Juste au-dessus, courait la cicatrice pâle d'une césarienne. Curieusement, cette découverte l'émut et il y porta ses lèvres pour en retracer le dessin. Le contact de sa toison sur sa figure, et son odeur chaude et suave, le bouleversèrent plus encore et, relevant la tête, il bascula sur les talons pour reprendre haleine et l'admirer plus en détails.

Ils se contemplèrent dans leur mutuelle nudité, avec des regards égarés, affamés – incrédules. L'atmosphère vibrait à l'unisson de leur souffle et la pièce semblait palpiter à leur rythme comme une membrane protectrice.

– Prends-moi, dit-elle.

Les traits contractés de désir, elle tendit de nouveau la main et, quand ses doigts se refermèrent sur son sexe, il sentit qu'elle avait pris possession de toutes les fibres de son être. Il se remit alors à genoux et elle l'attira entre ses cuisses.

Devant ce corps offert, Tom revit soudain en esprit ces grands oiseaux noirs du canyon aux ailes éployées. Il eut le sentiment qu'il était de retour d'un lointain exil – et qu'ici, seulement ici, il pourrait de nouveau être complet.

Pour Annie, ce fut comme si on réveillait dans ses reins quelque brûlante source de vie, qui déferla lentement à l'intérieur de son corps pour aller clapoter et rayonner autour de son cerveau. Elle sentit son entrée houleuse en elle, la fusion aérienne de leurs deux moitiés. Elle sentit la caresse de ses mains calleuses sur ses seins et ouvrit les yeux pour le voir quand il se mit à les baiser. Elle sentit sa langue voyageuse, ses dents qui taquinaient ses mamelons.

Il avait la peau pâle, moins pâle que la sienne cependant, et la toison de son buste était plus sombre que ses cheveux dorés. Il y avait chez lui une sorte de souplesse anguleuse, née du travail, et qui ne l'étonnait pas. Il lui faisait l'amour avec cette application assurée qu'elle lui connaissait – mais qui, là, lui était exclusivement consacrée. Elle se demanda comment ce corps qu'elle n'avait jamais vu, cette peau jamais touchée, pouvaient lui être si familiers et s'accorder si bien à elle.

La bouche de Tom explorait l'anse ouverte de ses bras. Sa langue léchait sa chevelure qu'elle avait laissé pousser depuis son arrivée. En tournant la tête, elle aperçut les photos sur la commode. Et l'espace d'un instant. cette vision menaça de la relier à un autre monde, un lieu qu'elle avait fréquenté dans une autre vie et où elle se retrouverait souillée de culpabilité si elle lui accordait ne fût-ce qu'un regard. *Pas maintenant, pas encore...* Prenant la tête de son amant, elle mendia en aveugle l'oubli dans ses baisers.

Lorsque leurs lèvres se détachèrent, il se souleva et la regarda, et pour la première fois, sourit en bougeant en elle au rythme lent de leur union.

– Tu te souviens, dit-elle, notre première chevauchée ?

– Je n'ai rien oublié.

– Ce couple d'aigles royaux ? Tu te souviens ?

– Oui.

– C'est nous... Tu sais, c'est nous...

Il acquiesça. Leurs yeux se nouèrent, graves, avec un sentiment grandissant de l'urgence, jusqu'à l'instant où elle le vit ciller et tressaillir – et il jaillit en elle. Comme elle se cambrait contre lui, au même moment, ses reins furent secoués d'une longue implosion charnelle qui l'atteignit au plus intime d'elle-même, puis rejaillit par vagues jusqu'aux limites extrêmes de son être, la remplissant tout entière de son amant au point de les rendre indiscernables.

32

Il s'éveilla à l'aube et sentit aussitôt la chaleur de ce corps endormi à son côté. Elle était nichée contre lui, dans le creux de son bras. Il sentait son souffle sur sa peau et le doux mouvement de houle de sa poitrine. Elle avait calé sa jambe droite par-dessus la sienne ; sa toison lui chatouillait la cuisse. Et elle avait posé sa main droite sur son torse, au-dessus du cœur.

C'était l'heure raisonnable, quand l'homme s'en va et que la femme voudrait le retenir. Maintes fois, il avait connu ce besoin de s'éclipser comme un voleur au point du jour. Ce n'était pas tant la mauvaise conscience que la peur – peur de se compromettre dans une relation de confort ou de compagnonnage à laquelle les femmes semblaient aspirer après une nuit de débauche. Peut-être était-ce en lui l'œuvre d'un instinct primitif, commandant à l'homme de répandre sa semence et d'aller voir ailleurs.

Ce matin-là, pourtant, il n'avait aucune envie de fuir.

Il resta immobile pour ne pas la réveiller. Et la pensée l'effleura qu'il redoutait peut-être cet instant. À aucun moment au cours de cette nuit, de leurs longs ébats infatigables, elle n'avait montré le moindre regret. Mais il savait qu'avec l'aube viendraient, sinon le regret, du moins des considérations plus terre à terre. Aussi restait-il là, tandis que la lumière montait, veillant précieusement sur ce corps alangui dans son innocence.

Il se rendormit pour se réveiller de nouveau en entendant une voiture. Annie s'était retournée, et il se trouvait maintenant étroitement collé à elle, le visage contre sa nuque parfumée. Comme il se dégageait, elle murmura dans son sommeil. Il se glissa hors du lit et ramassa ses affaires sans bruit.

C'était Smoky. Il s'était garé entre les deux voitures et examinait le chapeau qui avait passé la nuit sur le capot. Son air soucieux fit place à un sourire soulagé, lorsqu'il entendit claquer la porte grillagée et qu'il aperçut Tom qui venait à sa rencontre.

— Bonjour, Smoky!

— Tu devais pas aller à Sheridan?

— Oui. Changement de programme. Pardon, j'aurais dû t'appeler.

Si Tom avait pensé à prévenir l'homme de Sheridan depuis une station-service à Lovell, il avait complètement oublié le jeune Smoky.

— J'ai pensé que t'avais p't-êt'r été enlevé par des extra-terrestres... (Il regardait la voiture d'Annie, visiblement désorienté.) Annie, elle devait pas partir avec Grace?

— Eh bien... Grace est partie, mais il n'y avait plus de place dans l'avion pour Annie. Elle est restée ici.

— Ah bon.

Smoky avait beau hocher lentement la tête, Tom devina qu'il n'était pas certain d'avoir tout compris. La portière de la Chevy était restée ouverte et il se rappela que les phares étaient restés allumés toute la nuit.

— Ma batterie m'a lâché hier. Tu ne pourrais pas me remorquer?

Ce n'était pas vraiment une explication, mais la perspective de se rendre utile sembla gommer les derniers doutes de Smoky.

— Sûr. J'ai ce qu'il faut dans le coffre.

Annie ouvrit les yeux et se rappela presque aussitôt où elle était. Comme elle se retournait, elle eut une bouffée d'angoisse en découvrant sa solitude. Puis elle entendit des voix, une portière qui claquait, et se sentit soulagée. Se redressant dans le lit, elle extirpa ses jambes du désordre des draps et marcha jusqu'à la fenêtre, en éprouvant d'exquises courbatures.

Par l'étroite fente des rideaux, elle vit le camion de Smoky qui s'éloignait de la grange, et Tom qui agitait la main derrière lui. Puis il se retourna et repartit vers la maison. Elle savait qu'il ne pouvait pas la voir, même s'il levait les yeux dans sa direction et, tout en l'observant, elle se demanda si cette nuit les avait changés tous les deux. Que pensait-il d'elle après ces abandons? Et elle, que pensait-elle de lui?

Tom scruta le ciel où les nuages brûlaient déjà. Comme les chiens venaient se jeter dans ses jambes, il les flatta à la tête, leur parla en marchant, et Annie comprit que pour elle du moins rien n'avait changé.

Elle alla prendre une douche dans la petite salle d'eau, s'attendant à être assaillie par le remords ou sa mauvaise conscience, mais rien ne vint – rien que de la fébrilité concernant les sentiments de Tom. La vue de ses humbles affaires de toilette rassemblées sur le lavabo la toucha. Elle utilisa sa brosse à dents. Un grand peignoir en éponge bleu était pendu derrière la porte. Elle le passa et rentra dans la chambre, enveloppée de l'odeur de son amant.

Il avait ouvert les rideaux et regardait par la fenêtre. En l'entendant, il se retourna, et elle se rappela le jour où il lui avait rendu visite à Choteau. Deux bols fumants étaient posés près de lui sur la table. Il y avait de l'inquiétude dans son sourire.

– J'ai fait du café.

– Merci.

Elle alla chercher son bol, qu'elle prit dans le creux de ses mains. Seuls dans cette grande pièce vide, ils avaient l'air de deux étrangers arrivés trop tôt à une réception. Il remarqua le peignoir.

– Il te va bien.

Elle sourit et prit une gorgée de café. Il était noir, fort et brûlant.

– Il y a une salle de bains plus grande, si tu...

– La tienne me convient parfaitement.

– C'était Smoky. J'avais oublié de le prévenir...

Le silence retomba. Quelque part près de la rivière, un cheval hennit. Il avait l'air si soucieux qu'elle craignit de l'entendre dire qu'il était désolé, que ç'avait été une erreur et qu'il valait mieux oublier ce qui s'était passé.

– Annie?

– Quoi?

Il déglutit.

– Je voulais simplement te dire que... quels que soient tes sentiments, quelle que soit ta décision, pour moi c'est d'accord...

– Et toi, quels sont tes sentiments?

Il répondit simplement :

– Je t'aime, c'est tout.

Et il sourit avec un léger haussement d'épaules à vous briser le cœur.

Elle reposa son bol, alla se jeter contre lui – et ils s'étreignirent comme si le monde conspirait déjà à les séparer. Elle couvrit de baisers son visage incliné.

Ils avaient quatre jours devant eux avant le retour de Grace et des Booker – quatre jours et quatre nuits. Rien qu'un instant d'éternité dans la suite de « maintenant ». Et Annie résolut de ne plus vivre, de ne plus respirer que pour cela. Il n'y avait plus ni passé ni avenir. Peu importait ce qui arriverait, tant pis s'ils étaient un jour brutalement forcés de rendre des comptes, ce moment-là resterait pour toujours gravé dans leur tête et leur cœur.

Ils s'aimèrent encore tandis que le soleil s'élevait par-dessus le coin de la maison et entrait en complice dans leur lit. Plus tard, bercée dans ses bras, elle lui dit ce qu'elle désirait. Elle voulait partir avec lui sur les hauts pâturages où ils s'étaient embrassés pour la première fois – et l'aimer avec les montagnes et le ciel pour uniques témoins.

Ils passèrent le gué un peu avant midi.

Tandis que Tom sellait les montures et chargeait un cheval de bât, Annie était remontée en voiture jusqu'à sa maison pour se changer et prendre ses affaires. Chacun emporterait des vivres. Si la question n'avait pas été abordée, il savait qu'elle en profiterait pour joindre son mari à New York et inventer un prétexte à son absence. Il avait fait de même avec Smoky, que ces changements commençaient à perturber.

– Bon, si je comprends bien, tu vas voir le bétail...

– Oui.

– Tout seul ou...?

– Non, Annie vient aussi.

– Ah bon. Ah bon.

Il y eut un flottement. Les éléments s'emboîtaient lentement dans le cerveau du gosse.

– Ça serait bien, Smoky, si tu gardais ça pour toi.

– Oh sûr, Tom. Compte sur moi.

Il avait déjà réaffirmé qu'il passerait voir les chevaux, comme c'était convenu depuis le début. Tom savait qu'il pouvait compter sur lui.

Avant de partir, il mena Pilgrim au pré. D'habitude, le cheval partait au galop, mais aujourd'hui, il n'avait pas l'air décidé.

Tom avait choisi de monter la même jument que le jour de la transhumance. Sur le chemin de la petite maison, guidant par la bride Rimrock et le petit cheval de charge, il se retourna et constata que Pilgrim était resté tout seul à la barrière, et qu'il le regardait s'éloigner. À croire qu'il avait deviné qu'il était arrivé quelque chose.

Tom attendit avec les chevaux sur la piste qui passait sous la petite maison, et bientôt il aperçut Annie qui dévalait la pente à grands pas.

Une herbe luxuriante avait poussé dans le pré au-delà du gué. Bientôt, ce seraient les foins. Les longues touffes vertes léchaient les jambes des chevaux que les cavaliers menaient côte à côte, dans un silence ponctué par les grincements des selles.

Longtemps, aucun d'eux n'éprouva le besoin de parler. Annie ne posait plus de questions sur le paysage. Et Tom eut l'impression que ce n'était pas parce qu'elle connaissait le nom des choses, mais parce que leurs noms n'avaient plus d'importance. Seule importait leur présence.

Ils firent halte au plus chaud de l'après-midi pour rafraîchir les chevaux dans la mare. Ils mangèrent le repas tout simple qu'elle avait apporté : une miche de pain, du fromage et des oranges. Elle éplucha son fruit adroitement, en une seule volute, et se moqua de lui quand il essaya sans succès de l'imiter.

Ils traversèrent le plateau où les fleurs avaient commencé à pâlir et, cette fois, gagnèrent ensemble la ligne de crête. Ils ne devaient pas surprendre de biche mais aperçurent, à un demi-mile de distance dans la montagne, une bande de mustangs. Tom fit signe à Annie de s'arrêter. Ils étaient sous le vent, et les mustangs ne les avaient pas encore repérés. C'était une famille qui comptait sept juments et cinq poulains. Il y avait également deux jeunes, trop petits encore pour avoir été chassés. Tom n'avait encore jamais vu l'étalon.

– Quelle bête splendide, fit Annie.

Il était en effet magnifique. Avec son large poitrail et ses épaules puissantes, il devait peser plus de cinq cents kilos. Sa robe était d'un blanc immaculé. S'il n'avait pas encore repéré les cavaliers, c'était pour la simple raison qu'il devait déjà faire face à un intrus autrement plus pressant. Un jeune étalon bai revendiquait les juments.

– Les choses se corsent toujours à cette époque, expliqua Tom. C'est la saison des amours et ce jeune-là pense que son tour est venu. Il a pisté cette bande pendant des jours, probablement avec un petit groupe. (Il tendit le cou.) Tiens, là-bas...

Il les montra du doigt. Plus au sud, Annie aperçut dans le lointain encore une dizaine de chevaux.

– C'est ce qu'on appelle une bande de célibataires. Ils traînent ensemble, ils font la bringue, fanfaronnent, gravent leur nom sur les arbres, jusqu'au jour où ils sont assez costauds pour aller piquer la femme du voisin.

– Ah...

À son intonation, il réalisa soudain ce qu'il venait de dire. Elle lui lançait un regard entendu, mais il fit comme si de rien n'était. Il savait exactement à quoi ressemblerait son sourire et cette certitude lui plut.

Les deux étalons se faisaient face, sous les regards des juments, de leurs poulains, et des amis du perturbateur. Puis soudain, ils poussèrent des cris aigus en secouant leurs crinières. C'était le moment où le plus faible aurait dû céder, mais le jeune bai n'en fit rien. Il se cabra en hurlant, et l'étalon blanc se dressa plus haut encore et le frappa de ses sabots. Même à cette distance, on pouvait voir leurs dents blanches et entendre l'impact des coups. Puis, au bout de quelques instants, le combat fut terminé et le bai détala, vaincu. L'étalon blanc le regarda partir. Et, sur un coup d'œil aux humains, il emmena toute sa famille.

Tom sentit de nouveau le regard d'Annie. Il haussa les épaules et lui sourit.

– C'est la vie...

– Il reviendra?

– Bien sûr. Il va passer un peu plus de temps à la gym, mais il recommencera...

Ils firent du feu près du cours d'eau, tout près de l'endroit où ils s'étaient embrassés. Ils enfouirent comme l'autre fois des patates sous les braises et, pendant qu'elles cuisaient, déroulèrent les tapis de sol côte à côte, en utilisant les selles en guise de chevet. Puis ils solidarisèrent leurs sacs de couchage. Un petit comité de génisses curieuses les observait, la tête basse, depuis l'autre rive.

Lorsque les patates furent cuites, ils les mangèrent avec des saucisses rissolées dans une poêle noircie et des œufs dont

Annie n'aurait jamais cru qu'ils résisteraient au voyage. Ils saucèrent leur assiette avec le reste de pain. Le ciel s'était couvert. Les ustensiles furent rincés dans le courant du ruisseau et mis à égoutter dans l'herbe. Puis ils se déshabillèrent et, devant les flammes qui dansaient sur leur peau, ils firent l'amour.

Leur union fut consommée avec une gravité dont Annie trouva qu'elle convenait à ce lieu. C'était comme s'ils étaient venus honorer une promesse qui avait été faite ici.

Plus tard, Tom se cala contre la selle et elle se blottit dans ses bras, le dos et la tête contre sa poitrine. Le temps s'était considérablement rafraîchi. Très haut dans la montagne, ils entendirent des glapissements et des plaintes, et Tom lui apprit que c'étaient des coyotes. Il drapa une couverture autour de ses épaules, referma les pans sur eux pour la protéger de la nuit – et de tout le reste. Rien, songea Annie, rien ne pouvait les atteindre ici, depuis l'autre versant du monde.

Pendant des heures, devant le feu, ils parlèrent. Elle lui parla de son père et de tous ces pays exotiques où ils avaient vécu jusqu'à sa mort. Elle lui parla de sa rencontre avec Robert, qui lui avait paru si intelligent et sérieux, si adulte et pourtant si sensible. Et il l'était toujours, il était resté un homme très, très bien. Leur mariage avait été une réussite – et l'était toujours, à bien des égards. Mais à la réflexion, elle réalisait que ce qu'elle avait cherché en lui, c'était précisément ce qu'elle avait perdu avec son père : la stabilité, la sécurité et un amour aveugle. Tout cela, Robert le lui avait donné spontanément et sans y mettre de condition. Ce qu'elle lui avait donné en retour, c'était sa loyauté.

– Ça ne veut pas dire que je ne l'aime pas. Je l'aime vraiment. Mais c'est un amour qui est surtout... qui ressemble à de la gratitude.

– Pour l'amour qu'il te porte...

– Oui. Et pour Grace. C'est épouvantable, n'est-ce pas ?

– Non.

Elle lui demanda si c'était ainsi entre lui et Rachel, et il répondit que non, c'était différent. Et Annie écouta en silence son histoire. Par la pensée, elle donna vie au portrait qu'elle avait vu dans la chambre de Tom, le beau visage aux yeux noirs et à la longue chevelure chatoyante. Le sourire de la photo cadrait mal avec l'histoire triste que Tom lui contait.

C'était surtout l'enfant dans les bras de la femme qui l'avait émue, excitant sa jalousie, même si elle ne l'aurait jamais admis sur le moment. Cette même jalousie qu'elle avait éprouvée devant les initiales imprimées dans le ciment du puits. Curieusement, l'autre portrait, celui du fils adolescent, l'avait apaisée. S'il avait les cheveux noirs de sa mère, ses yeux étaient ceux de Tom. Même sur papier glacé, ces yeux-là désarmaient toute animosité.

– Tu la revois ?

– Ça fait des années qu'on ne s'est vus. On parle au téléphone, surtout de Hal.

– J'ai vu sa photo chez toi. Il est très beau.

Elle devina qu'il avait souri dans son dos.

– Il est beau, oui.

Le silence retomba. Une branche, sous son manteau de cendres blanches, s'effondra dans le feu en crachant dans la nuit une pluie d'étincelles orange.

Il lui demanda :

– Tu n'as pas voulu d'autres enfants ?

– Nous avons essayé. Mais je n'ai pas pu les garder. Finalement, on a abandonné. C'est surtout pour Grace que je regrette. J'aurais voulu lui donner un petit frère ou une petite sœur...

Ils se turent de nouveau, et Annie devina – ou crut deviner – à quoi il pensait. Mais c'était une pensée trop triste, même sur cet autre versant du monde, pour qu'on pût l'exprimer par des mots.

Le chœur des coyotes se prolongea toute la nuit. Ces bêtes-là s'accouplaient pour la vie, lui apprit Tom. Et elles étaient si fidèles que si l'une était prise au piège, l'autre lui apportait à manger.

Deux jours durant, ils chevauchèrent sur les falaises et dans les ravines de la montagne. Parfois, ils descendaient de cheval et marchaient à pied. Ils virent des élans, un ours, et une fois Tom crut apercevoir un loup qui les observait depuis un surplomb. La bête se détourna et disparut sans lui laisser le temps d'en avoir le cœur net. Il n'en parla pas à Annie pour ne pas l'inquiéter.

Ils traversèrent des vallons cachés couverts de yuccas et de fleurs des glaciers ; et ils pataugèrent jusqu'aux genoux dans des prairies que les lupins transformaient en lacs d'un bleu éclatant.

La première nuit qu'il plut, il dressa la petite tente qu'il avait emportée sur un terrain plat et verdoyant jonché de branches de trembles décolorées. Complètement trempés, ils se blottirent en riant à l'entrée de la tente, en frissonnant sous des couvertures. Ils burent du café bouillant dans des quarts noircis, tandis qu'au-dehors les chevaux continuaient à brouter en toute insouciance, la pluie ruisselant sur leur dos. Comme Annie les contemplait, avec son visage mouillé et sa nuque qu'éclairait par en dessous la lampe à pétrole, il songea qu'il n'avait jamais vu – et ne reverrait jamais plus – une créature aussi belle.

Cette nuit-là, tandis qu'elle dormait dans ses bras, il écouta le crépitement de la pluie sur la toile de tente, et s'efforça de faire comme elle avait dit : ne pas penser au-delà du moment présent, se contenter de le vivre. Mais il ne pouvait pas.

Le lendemain, le ciel était limpide et il faisait très chaud. Ils découvrirent un bassin alimenté par le coude d'une cascade. Comme Annie déclarait qu'elle voulait nager, il répliqua qu'il était trop vieux, et l'eau trop froide. Mais elle était têtue et, sous le regard dubitatif des chevaux, ils se déshabillèrent et se jetèrent à l'eau. La température en était si glaciale qu'ils poussèrent des clameurs et remontèrent à toute vitesse pour se réchauffer l'un contre l'autre, les fesses nues et bleus de froid, bredouillant comme deux gosses attardés.

Cette nuit-là, le ciel se para d'un chatoiement vert, bleu et rouge. Annie n'avait jamais vu une aurore boréale – et Tom lui dit que celle-ci était exceptionnellement éclatante et claire. C'était une vaste arche lumineuse qui ondulait et se déployait dans le ciel, traînant des stries de couleurs dans les plis de son sillage. Il en vit les reflets crénelés dans ses yeux quand ils firent l'amour.

Ce fut la dernière nuit de leur idylle aveugle, même si ni l'un ni l'autre ne lui avait donné ce nom, sinon par la fusion de leurs corps. Par un accord tacite de la chair, ils ne se donnèrent aucun répit, ne gaspillèrent pas leur temps à dormir. Mais ils se rassasièrent l'un de l'autre comme des créatures promises à un hiver terrible et qui n'aurait pas de fin. Ils ne cessèrent que lorsque leur squelette meurtri et leur chair exacerbée leur arrachèrent un cri de douleur. Le cri flotta dans la paix lumineuse de la nuit, parmi les pins assombris, et monta jusqu'aux pics attentifs.

Annie dormait quand il entendit, comme en lointain écho, un hurlement aigu et primitif qui rappela au silence toutes les bêtes de la nuit. Et Tom sut alors que c'était bien un loup qu'il avait vu.

33

Elle pela les oignons, puis les coupa en deux et les éminça, en respirant par la bouche pour éviter de pleurer. Elle devinait le regard de Tom suivant ses moindres gestes et se sentait curieusement inspirée, comme si ce regard l'investissait de talents qu'elle n'aurait jamais cru posséder. Elle ressentait cela aussi quand ils faisaient l'amour. Peut-être (cette pensée la fit sourire), peut-être les chevaux éprouvaient-ils la même chose en présence de Tom.

Il se trouvait au fond de la pièce, adossé au meuble de séparation. Il n'avait pas touché au verre de vin qu'elle lui avait servi. Dans le living, le programme musical qu'elle avait sélectionné sur le transistor avait fait place à une causerie sur un compositeur dont elle n'avait jamais entendu parler. Tous ces gens de la radio nationale semblaient s'exprimer avec la même voix sirupeuse.

– Qu'est-ce que tu regardes? dit-elle doucement.

Il haussa les épaules.

– Toi. Ça t'embête?

– Au contraire. Ça me donne l'impression de savoir ce que je suis en train de trafiquer.

– Tu es bonne cuisinière.

– Tu parles! Je ne saurais pas réussir un plat même si ma vie en dépendait.

– Ne change rien pour moi. C'est parfait.

En retournant au ranch cet après-midi-là, elle avait redouté d'être agressée par la réalité. Mais non, bizarrement. Elle se sentait armée d'une sorte de paix inviolable. Elle avait profité que Tom descendait voir ses chevaux pour prendre connaissance des messages dont aucun n'avait pu la perturber. Le plus important était de Robert, qui lui communiquait le numéro du vol de Grace et l'heure de son arrivée pour le lendemain à Great Falls. Tout avait bien « collé » avec Wendy Auerbach – en fait, Grace était si contente de sa nouvelle prothèse qu'elle envisageait de se mettre au marathon.

Cette sérénité avait persisté même lorsque Annie avait téléphoné à sa famille. Le message qu'elle avait laissé le mardi – elle partait quelques jours dans la cabane en rondins – n'avait pas provoqué le moindre remous. Depuis son mariage, elle avait gardé l'habitude de partir de son côté et Robert devait croire que c'était sa façon de prendre du recul après son licenciement. Il lui avait demandé simplement si ça s'était bien passé. Merveilleux, avait-elle répondu. Elle n'avait pas eu à mentir, sauf par omission.

– Ça m'inquiète, ce retour à la nature, fit-il sur le ton de la plaisanterie.

– Comment ça ?

– Bientôt tu vas vouloir déménager, et je vais devoir me recycler dans les litiges entre éleveurs...

Après avoir raccroché, Annie s'était demandé pourquoi le son de ces voix ne l'avait pas précipitée dans un océan de mauvaise conscience. C'était comme si cette part sensible d'elle-même attendait, l'œil sur la pendule, qu'elle eût épuisé ses derniers moments d'intimité avec Tom.

Elle était en train de préparer à son intention le plat de pâtes qu'elle avait voulu leur offrir le soir de son invitation à dîner. Le basilic en pot acheté à Butte prospérait. Elle ciselait les feuilles, lorsqu'il surgit derrière elle et l'embrassa dans le cou, les mains posées légèrement sur ses hanches. Le contact de ses lèvres lui coupa le souffle.

– Ça sent bon... dit-il.

— Quoi? Moi ou le basilic?

— Les deux.

— Tu sais, dans l'ancienne Égypte, le basilic était utilisé pour embaumer les morts. Cela prévient la corruption des chairs.

— Je croyais que c'était contre la luxure.

— Aussi. Alors n'en abuse pas...

Elle jeta sa préparation dans la poêle, où mijotaient déjà les oignons et les tomates, puis pivota lentement entre les bras de Tom. Il baisa son front qui lui arrivait juste à hauteur des lèvres. Elle baissa les yeux et enfonça les pouces dans les poches de son amant. Et dans la quiétude de cet instant partagé, elle sut qu'elle ne pourrait jamais le quitter.

— Oh Tom, comme je t'aime...

— Moi aussi je t'aime.

Ils allumèrent les bougies et éteignirent le néon pour dîner à la petite table de cuisine. Les pâtes étaient succulentes. À la fin du repas, il lui demanda si elle avait trouvé la solution du tour de la corde. Elle lui rappela que, d'après Joe, ce n'était pas un tour. Non, elle n'avait pas trouvé.

— Tu l'as toujours?

— Qu'est-ce que tu crois?

Elle sortit de sa poche la cordelette, qu'elle lui confia, et il lui demanda de lever le doigt — et de bien regarder car il ne lui montrerait qu'une fois. Elle suivit les passes compliquées de sa main jusqu'au moment où la boucle faisait un tour et semblait prise au piège de leurs doigts. Puis, comme il tirait lentement sur la boucle, au tout dernier moment, Annie comprit.

— Laisse-moi essayer!

Elle découvrit qu'elle pouvait se représenter exactement les mouvements des mains de Tom et les transposer en miroir. Et fatalement, lorsqu'elle tira, la cordelette se détacha.

Il s'adossa à son siège et lui offrit un sourire à la fois aimant et triste.

— Voilà. Maintenant, tu sais...

– Je peux garder la corde ?
– Tu n'en as plus besoin.
Et il la prit pour la remettre dans sa poche.

Ils étaient tous là – et Grace aurait préféré qu'il n'y eût personne. L'événement était tellement attendu qu'il fallait que ce fût une réussite complète. Elle regarda les visages attentifs derrière la rambarde de la grande arène : sa maman, Frank et Diane, Joe, les jumeaux avec leurs casquettes des Studios Universal, même Smoky était venu. Et si tout ratait ? Non. Elle ne le permettrait pas.

Pilgrim était sellé, et Tom réglait les étriers. Le cheval était magnifique, même si ça lui faisait toujours un drôle d'effet de le voir avec une selle du Far West. Depuis qu'elle montait Gonzo, elle s'était mise à préférer ces selles-là au modèle anglais. Elle s'y sentait plus en sécurité.

Ce matin-là, Tom et elle avaient réussi à éliminer les derniers nœuds dans ses crins, et ils l'avaient étrillé jusqu'à le rendre éclatant. Cicatrices à part, on aurait dit un cheval de concours – toujours sa fameuse prestance. Il y avait presque un an qu'elle avait vu la première photo de lui, celle qu'on lui avait envoyée du Kentucky.

Tom venait d'accomplir plusieurs tours d'arène sur son dos, sous les yeux des spectateurs. Grace, debout à côté de sa mère, s'était efforcée de chasser ses crampes d'estomac en respirant bien à fond.

– Et s'il ne veut pas que je le monte ?
Annie la serra contre elle.
– Chérie, Tom ne te laisserait pas le faire, si c'était dangereux...
C'était la vérité. Mais elle n'en était pas moins nerveuse.

Tom venait d'abandonner Pilgrim et marchait maintenant dans leur direction. Elle s'avança. Sa nouvelle prothèse était parfaitement adaptée.

– Prête ?
Elle acquiesça, la gorge nouée. Elle n'était pas sûre de pou-

369

voir se fier à sa voix. La voyant contractée, il lui dit à voix basse, pour que personne ne pût l'entendre :

– Tu sais, on peut remettre à plus tard... À dire vrai, je ne m'attendais pas à un tel cirque.

– Ça va. Je m'en fiche.

– C'est vrai ?

– Oui, oui.

Il la prit par les épaules et l'entraîna au milieu du corral, où Pilgrim les attendait. Elle vit l'animal pointer les oreilles dans leur direction.

Le cœur d'Annie battait si fort qu'elle se demanda si Diane, sa voisine, ne l'entendait pas. Difficile de savoir si ses palpitations étaient plutôt pour Grace – ou pour elle-même. Car ce qui se passait sur cette bande de sable rouge était d'une importance capitale. C'était à la fois un début et une fin, même si elle ne savait pas encore de quoi – ni pour qui. C'était comme s'ils avaient tous été entraînés dans quelque énorme centrifugeuse à émotions, qui devrait d'abord s'arrêter de tourner pour qu'elle pût comprendre ce qu'ils étaient devenus en cours de route – et ce qui les attendait.

– Elle en a du courage, cette petite ! s'exclama Diane.

– Je sais...

Tom avait demandé à Grace de s'arrêter à quelques pas de Pilgrim, pour ne pas le bousculer. Il parcourut les derniers mètres seul, s'arrêta auprès de l'animal et allongea délicatement le bras pour l'attraper par la bride. Puis, la tête appuyée contre celle de l'animal, il lui caressa l'encolure du plat de la main pour l'apaiser. Pilgrim ne quittait pas Grace des yeux.

De loin, Annie comprit qu'il y avait un problème.

Lorsque Tom essaya de le faire avancer, l'animal résista, leva la tête et regarda Grace de haut, en montrant le blanc de l'œil. Tom l'emmena à l'écart et le fit marcher en rond, comme elle l'avait vu faire autrefois quand il travaillait avec la longe, tirant sur la bride, le forçant à céder à la contrainte, à danser sur ses postérieurs. Il parut se calmer. Mais dès que Tom voulut le ramener vers Grace, il redevint nerveux.

Comme Grace regardait dans l'autre direction, Annie ne pouvait voir son expression. Mais elle devinait sans peine ce qu'elle ressentait.

– Je me demande si c'était une bonne idée, soupira Diane.

– Ça va se tasser, répliqua Annie avec trop de hâte, presque durement.

– Ça devrait..., dit Smoky.

Mais même lui, il semblait en douter.

Tom éloigna Pilgrim et lui fit accomplir de nouveaux tours. Comme cela ne donnait rien, il monta en selle et le fit partir au galop autour de l'arène. Grace se tourna lentement, en le suivant des yeux. Elle jeta un coup d'œil à Annie, mais le sourire qu'elles échangèrent manquait de conviction.

L'attention de Tom était entièrement consacrée à Pilgrim. Il avait les traits tendus, et Annie n'aurait su dire si c'était seulement un effet de sa concentration ou parce qu'il était inquiet – quoiqu'elle eût appris qu'il ne montrait jamais son inquiétude quand il était en présence d'un cheval.

Il mit pied à terre et guida Pilgrim une fois de plus vers Grace. Là encore, l'animal regimba. Cette fois, Grace tourna les talons et faillit tomber. Lorsqu'elle traversa l'étendue sablonneuse, sa bouche tremblait, et Annie vit qu'elle refoulait ses larmes.

– Smoky ? appela Tom.

Le jeune homme escalada la barrière et le rejoignit.

– Ça ira, déclara Frank à l'adresse de Grace. Attends un peu... Tom va tout arranger, tu vas voir.

Grace acquiesça avec l'ébauche d'un sourire, mais sans pouvoir le regarder – ni lui ni personne, et encore moins sa mère. Annie aurait voulu la prendre dans ses bras, mais elle se domina. Elle savait que Grace serait incapable de le supporter, qu'elle pleurerait et que cela la gênerait et la mettrait en colère. Mais elle attendit qu'elle fût assez proche, pour lui dire d'une voix posée :

– Frank a raison. Ça va s'arranger.

– Il a vu que j'avais la frousse, fit Grace dans un souffle.

Là-bas dans l'arène, réunis en conciliabule, Tom et Smoky poursuivaient une discussion animée que seul Pilgrim pouvait entendre. Au bout d'un moment, Smoky fit demi-tour et partit à petites foulées vers le fond de l'arène. Puis il escalada la barrière et disparut à l'intérieur de la grange. Abandonnant Pilgrim, Tom rejoignit l'assistance.

– Bon, Grace... On va tenter quelque chose dont j'aurais préféré me passer. Mais c'est malheureusemen* nécessaire. Moi et Smoky, on va essayer de le « coucher ». Compris ?

Grace hocha la tête. Annie vit que sa fille n'avait pas plus compris qu'elle-même.

– Qu'est-ce que cela implique ? demanda-t-elle.

Il la regarda e* elle eut subitement une vision frappante de *ieurs corps enlacés.

– Ce que je viens de dire à peu près... Mais je dois vous prévenir que ce n'est pas un joli spectacle. Il arrive que le cheval se défende avec acharnement... C'est pourquoi j'aime autant procéder autrement, quand j'ai le choix. Ce gars-là nous a déjà montré qu'il n'était pas contre une bonne bagarre... Alors, si vous préférez, je suggère que vous rentriez à la maison et je vous rappellerai quand il sera prêt.

Grace secoua la tête.

– Non, je veux regarder.

Smoky réapparut dans le corral avec le matériel que Tom lui avait demandé. Son patron avait déjà procédé à ce type d'intervention quelques mois plus tôt, lors d'une consultation au Nouveau-Mexique, et il savait à quoi s'en tenir. Pourtant, très calmement, et comme s'ils étaient seuls, Tom lui rappela toutes les étapes du processus, pour qu'il n'y eût pas d'erreurs et que personne ne fût blessé.

Smoky l'écouta gravement, acquiesçant à tout instant. Quand Tom vit qu'il avait assimilé sa leçon, ils rejoignirent ensemble l'animal. Il s'était réfugié au fond de l'arène, et on voyait aux tressaillements de ses oreilles qu'il flairait un traquenard. Il laissa Tom venir à lui et lui tapoter l'encolure, mais il ne détachait pas les yeux de Smoky resté un peu à l'écart, avec les cordes et le reste de son attirail.

Tom retira le harnais pour le remplacer par le licou. Puis Smoky lui passa l'une après l'autre l'extrémité des deux longues cordes enroulées autour de son bras. Tom en attacha une au licou et l'autre au pommeau de la selle.

Il procédait dans le calme, ne donnant à Pilgrim aucune raison de s'alarmer. Ce subterfuge lui causait des remords car, connaissant la suite, il savait que la relation de confiance qu'il avait forgée entre l'animal et lui allait devoir être rompue avant de pouvoir être rétablie. Peut-être était-ce sa faute. Peut-être sa liaison avec Annie l'avait-elle affecté au point que le cheval l'avait deviné. Le plus probable, c'était que Pilgrim avait perçu la peur de Grace. On ne pouvait jamais savoir avec un cheval. Peut-être qu'au plus profond de lui-même, Tom lui faisait comprendre qu'il ne voulait pas d'un dénouement heureux, parce que ce dénouement entraînerait le départ d'Annie.

Il réclama l'entrave. Elle se composait d'une vieille bande de toile à sac prolongée par une corde. Passant le plat de la main sur l'antérieur gauche de Pilgrim, Tom lui souleva le sabot. Le cheval remua vaguement. Tom le rassurait sans cesse de la main et de la voix. Puis, quand l'animal fut immobile, il passa la bande de toile autour du sabot, s'assura qu'elle était bien ajustée, et tira sur la corde qu'il ficela rapidement au pommeau de la selle. Pilgrim n'était plus qu'un cheval à trois pattes. L'explosion était imminente.

Elle eut lieu, comme c'était prévisible, dès que Tom s'écarta pour attraper l'une des cordes – celle du licou – des mains de Smoky. En voulant bouger, Pilgrim découvrit qu'il lui manquait une jambe. Il tituba, sautilla sur sa jambe droite, et cette sensation l'effraya tellement qu'il marqua un arrêt brutal – puis de nouveau un petit bond, qui acheva de le terroriser.

S'il ne pouvait plus marcher, il pourrait peut-être courir... Il fit une tentative, et son regard se gonfla d'angoisse. Tom et

Smoky, arc-boutés, tiraient chacun sur une corde pour le faire tourner en rond autour d'un certain périmètre. Et Pilgrim tournait, tournait, comme un cheval fou à la jambe cassée.

Tom considéra les visages derrière la barrière. Grace était devenue blême et Annie la serrait contre elle. Il se maudit de leur avoir laissé le choix au lieu de les forcer à rentrer dans la maison, pour leur épargner ce triste spectacle.

Annie tenait Grace par l'épaule, et ses phalanges étaient blanches. Tous les muscles de la mère et la fille se crispaient nerveusement à chaque sursaut de la bête martyrisée.

– Pourquoi il fait ça ? s'écria Grace.

– Je ne sais pas.

– Ne t'inquiète pas, dit Frank. Je l'ai déjà vu agir de la sorte une fois.

Annie se tourna vers lui et esquissa un sourire. Mais le visage de Frank démentait ses paroles rassurantes. Joe et les jumeaux avaient l'air presque aussi consterné que Grace.

– Vous devriez peut-être la ramener à l'intérieur, déclara Diane d'une voix calme.

– Non ! dit Grace. Je veux regarder.

À présent, Pilgrim était en sueur, mais il avançait toujours. Son pied entravé battait l'air comme une nageoire folle, déformée. À chacun de ses pas, sa démarche sautillante projetait des giclées de sable rouge qui flottaient au-dessus de la scène comme un délicat brouillard.

C'était si bizarre, si peu dans le caractère de Tom... Annie savait qu'il pouvait être ferme avec des bêtes, mais jamais elle ne l'avait vu faire preuve de cruauté. Tout son travail avec Pilgrim avait consisté à bâtir une relation de confiance. Et maintenant, voilà qu'il lui faisait du mal. C'était incompréhensible.

Enfin, le cheval s'arrêta. Au même moment, Tom fit signe à Smoky, et ils relâchèrent les cordes. Puis le cheval repartit, et les cordes retrouvèrent leur tension. Nouvel arrêt. L'animal restait figé là, pantelant, les flancs humides. Il haletait comme un asthmatique et ce râle était si atroce qu'Annie résista à l'envie de se boucher les oreilles.

Cette fois Tom parla à Smoky, qui lui confia sa corde et alla ramasser le lasso qu'il avait laissé sur le sable. Il fit tournoyer une belle boucle qui, à la seconde tentative, atterrit sur le pommeau de la selle. Il resserra le nœud en tirant sur la corde, dont il alla ensuite attacher l'extrémité à la barrière, au ras du sol. Ensuite, il revint se charger des deux cordes.

Tom gagna la barrière et commença à exercer une pression sur le lasso. Pilgrim résista. La pression l'attirait vers le sol et le pommeau de la selle pencha.

– Qu'est-ce qu'il fait? demanda Grace d'une petite voix terrorisée.

– Il veut le mettre à genoux, expliqua Frank.

L'animal lutta longtemps, âprement, et quand enfin il tomba à genoux, cela ne dura qu'un instant. Rassemblant ses dernières forces, il se remit debout. Par trois fois, il retomba et se releva, tel un converti malgré lui. Mais la pression était trop impérieuse et, finalement, il s'effondra pour de bon.

Annie sentit le soulagement dans les épaules de sa fille. Mais ce n'était pas fini. Tom continua à exercer une pression. Il cria à Smoky de lâcher les cordes pour venir l'aider. Ensemble, ils tractèrent la bête au bout du lasso.

– Pourquoi ils ne le laissent pas tranquille! s'écria Grace. Ça ne leur suffit pas?

– Il doit rester couché, dit Frank.

Pilgrim renâclait comme un taureau blessé. Sa bouche vomissait de l'écume. Du sable était collé à ses flancs souillés de sueur. Il lutta encore longtemps. Mais il était le moins fort. Alors, lentement, il chavira sur le côté, la tête dans le sable – et ne bougea plus.

Pour Annie, c'était une capitulation totale et humiliante. Elle sentit le corps de Grace secoué de sanglots. Elle-même en avait les larmes aux yeux. Grace se jeta contre elle et cacha son visage contre sa poitrine.

– Grace ! cria Tom.

Annie releva les yeux. Il se tenait avec Smoky auprès du corps prostré de l'animal. On eût dit deux chasseurs posant devant la carcasse de leur victime.

– Grace ? répéta Tom. Tu veux bien venir ?

– Non !

Abandonnant Smoky, il vint la trouver. Son visage était menaçant, presque méconnaissable, comme s'il était possédé par une force sombre et vengeresse. Elle garda Grace sous la protection de ses bras. Tom se campa devant elle.

– Viens avec moi, Grace.

– Non ! Je veux pas.

– Il le faut.

– Non. Vous allez encore lui faire mal.

– Il ne souffre pas. Il va très bien.

– Ah oui ?

Annie voulut intervenir, la protéger. Mais si intimidante était la présence de cet homme que, malgré elle, elle se laissa arracher sa fille. Il agrippa l'enfant par les épaules et l'obligea à le regarder.

– Il faut le faire, Grace. Crois-moi.

– Faire quoi ?

– Viens. Je vais te montrer.

À contrecœur, elle se laissa conduire dans l'arène. Guidée par son instinct maternel, Annie escalada la barrière à son tour sans y avoir été invitée, et les suivit. Elle resta un peu en arrière, prête à parer à toute éventualité. Smoky voulut lui sourire, mais il comprit que ce n'était pas le moment.

– Bon, Grace... Tu vas le caresser en commençant par les postérieurs... et puis, tu lui bougeras les jambes. Ensuite tu le tâteras bien partout.

– Pour quoi faire ? Il est mort...

– Fais comme je te dis.

Grace s'approcha de la croupe d'un pas hésitant. Pilgrim ne souleva pas la tête, mais Annie vit qu'il essayait de la suivre de son œil unique.

– Bien. Maintenant, caresse-le. Vas-y. La jambe d'abord. Continue. Agite-la. C'est bien.

– Il est tout mou! Qu'est-ce que vous lui avez fait?

Annie eut soudain une vision de Grace dans le coma, à l'hôpital.

– Ne t'en fais pas. Maintenant, mets la main sur sa hanche et frictionne-le. Vas-y, Grace. C'est bien.

Pilgrim ne bougeait pas. Peu à peu, Grace progressait sur son corps, étalant la poussière collée aux flancs palpitants, remuant les membres selon les instructions de Tom. Finalement, elle flatta l'encolure et la joue soyeuse et humide.

– Bien, maintenant, tu vas lui monter dessus.

– Quoi?

Grace le regarda comme s'il avait perdu la raison.

– Tu vas lui monter dessus.

– Pas question.

– Grace...

Annie fit un pas en avant.

– Tom...

– Annie, restez où vous êtes.

Il ne l'avait même pas regardée.

– Obéis, Grace! dit-il d'une voix tonnante. Monte sur lui. Immédiatement!

Il était impossible de lui désobéir. Grace se mit à pleurer. Il la prit par la main et la conduisit devant le ventre rebondi de l'animal.

– Monte. Vas-y, monte-lui dessus!

Elle obéit. Et le visage barbouillé de larmes, frêle et malheureuse, elle resta debout sur le flanc de la créature qu'elle aimait le plus au monde, et sanglota sur sa propre brutalité.

En se retournant, Tom vit qu'Annie pleurait également, mais il n'y prêta aucune attention, et dit à Grace qu'elle pouvait descendre.

– Pourquoi faites-vous cela? balbutia Annie. C'est cruel, humiliant!

– Non, vous vous trompez...

Il était en train d'aider Grace à redescendre et ne regardait même pas sa mère.

— Ah bon? fit Annie, d'un ton méprisant.

— Vous vous trompez. Ce n'est pas de la cruauté. Il avait le choix.

— Quel choix?

Il se retourna et, enfin, la regarda. Grace pleurait à son côté, mais il ne faisait plus attention à elle. La pauvre ne semblait pas comprendre elle non plus comment Tom pouvait être aussi dur et impitoyable.

— Il avait le choix entre se battre jusqu'à la mort ou accepter.

— Il n'avait pas le choix.

— Si. Ça aurait été un combat très dur, mais il aurait pu continuer. Il aurait pu se rendre de plus en plus malheureux. Mais à la place, il a choisi de monter sur le pont et de regarder l'autre côté. Il a vu alors ce qui l'attendait – et il a choisi d'accepter.

Se tournant vers Grace, il lui posa les mains sur les épaules.

— Ce qui vient de lui arriver, il ne pouvait rien envisager de pire. Et tu sais quoi? Il a découvert qu'il pouvait le supporter. Même quand tu es montée sur lui. Il a compris que tu ne lui voulais pas de mal. C'est toujours avant l'aube qu'il fait le plus sombre. Pilgrim a connu son heure la plus sombre et il a survécu. Tu comprends?

Grace essuyait ses larmes, cherchant à comprendre.

— Je sais pas... Je crois que oui.

Tom se tourna alors vers Annie, et elle vit dans ses yeux une douceur implorante qu'elle reconnaissait enfin, à quoi elle pouvait se raccrocher.

— Annie? C'est très important que vous compreniez ceci. Parfois, ce qui apparaît comme une reddition n'est pas une reddition. C'est dans le cœur que ça se passe. Quand on a compris certaines choses, on les accepte loyalement, même si ça doit faire mal, parce qu'un refus causerait une douleur plus grande encore. Annie... je sais que vous comprenez

Elle essuya ses yeux et s'efforça de sourire. Elle savait qu'il y avait dans ses paroles un autre message, un message qui lui était exclusivement destiné. Cela ne concernait plus Pilgrim, mais ce qui leur était arrivé. Et même si elle fit mine d'avoir compris, ces paroles restèrent obscures, et elle dut se contenter d'espérer que l'heure viendrait où elles prendraient un sens.

Grace regarda les deux hommes ôter l'entrave et les cordes. Pilgrim resta allongé un moment, en les suivant d'un œil mais sans bouger la tête. Puis, avec une certaine hésitation, il se releva en chancelant. Il se dégourdit les épaules, hennit, s'ébroua, puis fit quelques pas pour vérifier qu'il était bien en un seul morceau.

Tom demanda à Grace de le conduire à l'abreuvoir qui se trouvait sur le côté de l'arène, et elle resta à son côté tandis qu'il s'abreuvait longuement. Quand il eut fini, il souleva la tête et bâilla – ce fut un éclat de rire général.

– Il chasse les papillons ! s'écria Joe.

Tom remit le harnais en place et demanda à Grace de poser le pied dans l'étrier. Pilgrim resta d'une immobilité de pierre. Tom supporta le poids de la fillette sur son épaule, puis elle lança sa jambe et retomba en selle.

Elle n'avait plus peur. Elle lui fit faire le tour de l'arène dans un sens, puis dans l'autre. Ensuite, elle le mena au galop, et il se comporta merveilleusement, gardant une allure disciplinée et lisse comme de la soie.

Elle mit du temps à réaliser qu'on la félicitait comme le jour où elle avait monté Gonzo.

Mais là, il s'agissait de Pilgrim. Son Pilgrim. Il avait survécu. Et elle sentait qu'il était redevenu le cheval d'autrefois - généreux, honnête et droit.

34

LA fête était une idée de Frank. Il la tenait, prétendait-il, de la bouche du cheval : Pilgrim lui avait dit qu'il voulait une fête – on ferait donc la fête. Il téléphona à Hank, qui se déclara « partant ». Le bonhomme ajouta que sa maison était pleine de cousins désœuvrés, qui étaient « partants » eux aussi. Lorsqu'ils eurent téléphoné à toutes leurs connaissances, on était passé d'une « petite fête » à une « fête moyenne » puis au grand modèle, et Diane avait cinquante raisons de se demander comment elle allait réussir à nourrir tout ce monde.

– On ne peut quand même pas lâcher Annie et Grace sur les routes sans leur souhaiter bon voyage ! déclara Frank.

Diane haussa les épaules. Tom comprit qu'elle pensait : flûte, et pourquoi pas ?

– Ah, et la musique, ajouta Frank. Parce qu'on va danser... !

– Danser ! Et puis quoi encore... ?

Frank demanda à Tom ce qu'il en pensait, et son frère répondit qu'il trouvait que c'était une bonne idée. Aussi, Frank rappela Hank, et Hank proposa d'apporter la sono et les guirlandes lumineuses en prime. Une heure plus tard il débarquait et les hommes allaient tout installer devant la grange avec les gosses, tandis que Diane, faisant contre mauvaise fortune bon cœur, partait faire les courses avec Annie à Great Falls.

À sept heures, tout était prêt et chacun alla se changer.

En sortant de la douche, Tom posa les yeux sur le peignoir bleu et éprouva un vague vertige. Espérant que l'odeur d'Annie serait restée, il enfouit son visage dans le tissu en éponge, mais l'odeur était partie

Depuis le retour de Grace, il n'avait pas eu l'occasion de s'isoler avec elle et il ressentait cette séparation comme une mutilation barbare. En la voyant pleurer pour Pilgrim, il avait eu envie de se précipiter pour la prendre dans ses bras. Ne pas pouvoir la toucher lui était presque insupportable.

Il s'habilla sans hâte, s'attardant dans la chambre, tandis que la cour résonnait des bruits des voitures, des rires et des premiers accords de la musique. Quand il regarda dehors, il constata qu'il y avait foule. C'était une belle soirée. Les lumières commençaient à luire dans le crépuscule. Des nuages de fumée s'élevaient lentement du barbecue où il aurait mieux fait d'aller aider Frank. Parmi tous ces visages, il reconnut Annie. Elle causait avec Hank. Elle portait une robe bleu foncé à bretelles qu'il ne lui connaissait pas. Au moment où il l'admirait, elle rejeta la tête pour rire à une remarque de Hank. Tom se dit qu'elle était splendide. De toute sa vie, jamais il n'avait eu moins le cœur à rire.

Elle l'aperçut dès qu'il sortit dans la véranda. L'épouse de Hank rentrait dans la maison avec un plateau de verres et il lui tint la porte en riant d'une chose qu'elle lui disait au passage. Puis il accrocha le regard d'Annie et lui sourit. Elle réalisa que Hank venait de lui poser une question.

— Pardon, vous disiez... ?

— Il paraît que vous êtes sur le départ... ?

— Oui. Nous partons demain.

— Pas moyen de vous convaincre de rester, hein ?

Annie rit, un peu trop fort, comme elle n'avait cessé de le faire depuis le début de la soirée. *Calme-toi.* Parmi la foule, elle constata que Tom avait été kidnappé par Smoky qui voulait lui présenter des amis.

– Mince, ça sent drôlement bon. On attaque, Annie...? Suivez-moi !

Elle se laissa conduire, comme si elle n'avait plus eu de volonté propre. Hank lui procura une assiette où il empila de gros morceaux de viande grillée qu'il noya sous une louche de haricots aux piments. Annie avait le cœur au bord des lèvres, mais elle garda le sourire. Elle avait déjà pris sa décision.

Elle allait parler à Tom en tête à tête – elle lui demanderait de danser, si c'était nécessaire – et elle lui dirait qu'elle quittait Robert. Elle rentrerait à New York pour annoncer la nouvelle. D'abord à Robert, ensuite à Grace.

Mon Dieu ! songea Tom, ça recommence comme la dernière fois. On dansait depuis plus d'une demi-heure et, chaque fois qu'il essayait de la rejoindre, elle était accostée ou alors c'était lui. Juste au moment où il se croyait libre, il sentit qu'on lui tapotait l'épaule. C'était Diane.

– Alors, les belles-sœurs n'ont pas le droit de danser...?

– Diane, enfin tu te décides à me demander...!

– Puisque *toi*, tu ne te proposes pas...

Il la prit dans ses bras et son cœur se serra quand il réalisa que le morceau suivant était un slow. Diane portait la robe neuve qu'elle avait rapportée de Los Angeles et elle avait tenté de se farder les lèvres dans un rouge assorti, mais ce n'était pas une réussite. Sous son parfum capiteux, on sentait les vapeurs d'une ivresse qui se lisait aussi dans ses yeux.

– Tu es très belle, ce soir, dit-il.

– Monsieur est trop aimable...

Il y avait longtemps qu'il n'avait vu Diane ivre. Il ne savait pourquoi, cela lui fit de la peine. Elle plaquait ses hanches contre lui et se cambrait au point que s'il la lâchait, elle tomberait à la renverse. Son sourire aguichant, chargé de sous-entendus, ne présageait rien de bon.

– Smoky m'a dit que tu n'étais pas allé dans le Wyoming, en fin de compte ?

– Il t'a dit ça ?

– Hé hé...

– C'est exact. Le type là-bas était tombé malade... J'irai la semaine prochaine.

– Hé hé...

– Qu'est-ce que tu veux dire, à la fin ?

Il le savait, bien sûr. Et il s'en voulut de lui offrir l'occasion de le dire. Il aurait dû mettre un terme à cette conversation.

– J'espère que tu as été sage, c'est tout.

– Tu as trop bu, Diane.

C'était une erreur. Ses yeux lancèrent des éclairs.

– Ah, j'ai trop bu ? Tu crois qu'on n'a pas tous remarqué ?

– « Remarqué » quoi ?

Nouvelle erreur.

– Tu le sais bien... Vous êtes comme deux chiens en chaleur.

Il leva les yeux au ciel comme si elle disait une folie, mais elle vit qu'elle avait fait mouche et pointa le doigt sur lui avec un sourire de victoire.

– Ça t'embête qu'elle foute le camp, hein... ?

Ils n'échangèrent plus un mot jusqu'à la fin du morceau, puis elle lui lança un dernier regard entendu et s'en retourna en ondulant de la croupe comme une catin. Il récupérait encore au bar, quand Annie surgit derrière lui.

– Si seulement il pleuvait..., murmura-t-elle.

– Viens, on va danser...

Il la prit par le bras, pendant qu'il en était encore temps, et l'entraîna sur la piste.

C'était un rock, et ils dansèrent sans se toucher, ne détachant leurs regards que lorsque l'émotion menaçait de les déborder ou de les trahir. L'avoir si près de soi et malgré tout inaccessible était une forme d'exquise torture. Après le second morceau, Frank voulut tenter sa chance, mais Tom invoqua en plaisantant ses prérogatives d'aîné pour l'éconduire.

Le morceau suivant était un slow – le chant d'amour d'une femme pour son amant condamné à mort. Enfin, ils pouvaient se toucher. Le contact de la peau d'Annie ainsi que la discrète pression de son corps à travers les vêtements faillirent le faire craquer, et il dut fermer les yeux pendant quelques instants. Diane ne devait pas en perdre une miette, mais ça lui était égal.

On se bousculait sur la piste poussiéreuse. Annie regarda les visages autour d'elle, et déclara posément :

– J'ai à te parler. Où pouvons-nous aller ?

Il faillit dire : « Qu'y a-t-il encore à dire ? Tu t'en vas. Il n'y a rien à ajouter. » Mais à la place, il répondit :

– La piscine. Dans vingt minutes. Rendez-vous là-bas...

Elle eut à peine le temps d'acquiescer, car Frank revenait déjà à la charge et l'entraînait au loin.

Grace avait le tournis et ce n'était pas seulement à cause de ses deux verres de punch. Elle avait dansé avec presque tout le monde – Tom, Frank, Hank, Smoky, et même ce cher Joe – et l'image qu'elle avait d'elle-même était exaltante. Elle pouvait valser, danser le rock, et même swinguer. Pas une fois elle n'avait perdu l'équilibre. Elle pouvait tout faire. Si seulement Terri Carlson avait été là pour la voir. Pour la première fois de sa nouvelle vie – peut-être de toute sa vie – elle se sentait belle.

Elle avait envie d'aller au petit coin. Il y avait bien un W.C. attenant à la grange mais, lorsqu'elle s'y rendit, on faisait la queue à la porte. Songeant que personne ne dirait rien si elle utilisait les cabinets de la maison – elle était presque de la famille et puis, après tout, c'était sa fête – elle se dirigea vers la véranda.

Passant la porte grillagée, elle retint d'instinct le battant pour éviter qu'il se referme en claquant. Comme elle traversait le vestiaire en L qui conduisait à la cuisine, elle entendit des éclats de voix. Frank et Diane se disputaient.

– Tu as trop bu, voilà tout, disait-il.

– Fous-moi la paix avec ça !

– D'ailleurs, ça ne te regarde pas, Diane...

– Elle a eu des vues sur lui depuis le premier jour. Tu l'as vue...? Elle a le feu aux fesses.

– Tu es ridicule.

– Vous êtes si bêtes, vous les hommes...

Il y eut un vilain fracas de vaisselle. Grace s'était arrêtée dans son élan. Juste au moment où elle décidait de rebrousser chemin, elle entendit Frank se diriger vers la porte ouverte. Elle comprit que si elle partait maintenant, il ne manquerait pas de la voir. Et en la voyant filer en douce, il comprendrait qu'elle venait de les espionner. Le mieux, c'était de continuer à avancer et de tomber sur lui comme si elle venait seulement d'entrer.

Au moment où Frank apparaissait sur le seuil, il marqua un arrêt et fit volte-face.

– À t'entendre, on dirait que tu es jalouse...

– Oh, fous-moi la paix !

– Fous-lui la paix ! Il a l'âge de raison, que je sache.

– Et elle, elle a une gosse et un mari, que je sache !

Comme il se retournait et s'avançait dans le vestiaire en hochant la tête, Grace fit un pas dans sa direction.

– Salut, fit-elle gaiement.

Il eut l'air un peu plus que surpris, mais se ressaisit immédiatement.

– Tiens, la plus belle ! Comment ça va, la grande ?

Il lui mit les mains sur les épaules.

– Je m'amuse beaucoup. Merci pour cette fête. Et pour tout le reste.

– Grace, tout le plaisir est pour moi, tu peux me croire !

Et il l'embrassa sur le front.

– Je peux utiliser les toilettes ? Il y a la queue là-bas...

– Bien sûr que oui... File !

Quand elle entra dans la cuisine, il n'y avait plus personne. Elle entendit des bruits de pas montant l'escalier. Assise sur la cuvette, elle se demanda qui était l'objet de cette dispute, et eut la désagréable impression qu'elle le savait déjà.

Annie arriva sur place avant lui et fit lentement le tour de la piscine. L'air sentait le chlore, et son pas sur le ciment résonnait en écho dans les ténèbres profondes. Elle s'appuya au mur passé à la chaux et en ressentit la fraîcheur apaisante dans son dos. Un éclat de lumière filtrait depuis la grange, et elle en admira le reflet sur les eaux dormantes du bassin. Dans un autre monde, une chanson country succédait à sa sœur jumelle.

Il semblait impossible que ce fût seulement la veille qu'ils s'étaient retrouvés dans la cuisine de la petite maison, sans personne pour les déranger ou les séparer. Elle regrettait de ne pas avoir prononcé là-haut les paroles qu'elle s'apprêtait maintenant à dire, mais elle avait redouté de ne pas trouver les mots justes. Ce matin même, quand elle s'était réveillée dans ses bras, elle avait encore hésité – dans ce même lit qu'une semaine plus tôt elle avait partagé avec son mari. Sa seule honte était qu'elle n'en ressentait aucune. Pourtant, quelque chose l'avait retenue de parler. Et maintenant, elle se demandait si c'était parce qu'elle avait peur de sa réaction.

Elle ne doutait pas de son amour – comment aurait-elle pu en douter ? Mais il y avait cette chose en lui, une sorte de résignation confinant au fatalisme. Il lui en avait encore donné la preuve aujourd'hui, quand il avait voulu à tout prix qu'elle comprît son comportement vis-à-vis de Pilgrim.

Un bref flot de lumière apparut au fond du passage qui menait à la grange. Tom s'arrêta pour scruter les ténèbres. Comme elle s'avançait dans sa direction, il l'aperçut et marcha vers elle. Annie parcourut à la course les derniers mètres, comme si on avait pu lui arracher brusquement son amant. Et dans leur étreinte, elle sentit une forme de relâchement nerveux qui la délivrait enfin de la tension de cette soirée. Voilà qu'ils n'avaient plus qu'un seul souffle, qu'une seule bouche, leurs pouls battaient à l'unisson, comme reliés au même cœur.

Quand elle put parler, blottie dans l'asile de ses bras, elle lui dit qu'elle était prête à quitter Robert. Elle parla avec tout le calme dont elle était capable, la joue pressée contre sa poitrine, peut-être de crainte de ce qu'elle aurait pu lire dans ses yeux, si elle avait relevé la tête. Elle dit qu'elle savait qu'elle leur infligerait une terrible peine. Mais c'était une douleur qu'elle pouvait imaginer, à la différence de l'idée de le perdre, lui.

Il l'écouta en silence, en lui caressant le visage et les cheveux. Mais quand elle eut fini, son silence se prolongea, et Annie sentit le doigt glacé de l'épouvante pointer sur son front. Elle leva la tête, osant enfin le regarder, et vit qu'un trop-plein d'émotion l'empêchait de parler. Il dirigea son regard de l'autre côté de la piscine; là-bas, la musique se déchaînait en cadence. Il reporta les yeux sur elle et hocha la tête.

– Oh, Annie...

– Quoi? Dis-moi...

– Tu ne peux pas faire cela.

– Si, je le peux. J'irai tout lui expliquer.

– Et Grace? Tu crois que tu pourras lui expliquer?

Elle le scruta, cherchant son regard. À quel jeu jouait-il? Elle avait espéré son approbation, et il ne professait que le doute, la soumettant immédiatement à la seule question qu'elle n'avait pas encore osé affronter. Et voilà à présent qu'elle comprenait que, dans ses délibérations, elle avait eu recours à sa vieille habitude de se protéger par des rationalisations : certes, un enfant était bouleversé par un divorce, c'était inévitable. Mais si les parents se comportaient en civilisés, avec tact, on n'avait pas à redouter des séquelles du traumatisme; il ne s'agissait pas de la mort d'un parent mais d'une association qui n'avait plus de raison d'être. Annie savait que c'était ainsi en théorie; d'ailleurs, elle connaissait des exemples dans ses relations qui montraient que c'était possible. Dans son propre cas, c'était bien sûr une absurdité.

– Après ce qu'elle a enduré..., dit-il.

– Tu crois que je ne suis pas au courant!

– Ce que je veux dire, c'est qu'à cause de cela, tu n'irais jamais jusqu'au bout, même si tu crois maintenant le contraire.

Elle sentit les larmes affluer et sut qu'elle ne pourrait pas les refouler.

– Je n'ai pas le choix.

Ces accents déchirants se répercutèrent contre les murs nus comme une plainte.

– Tu as dit la même chose pour Pilgrim, mais tu avais tort.

– Le seul choix qui me reste, c'est de te perdre ! (Il hocha la tête.) Ce n'est pas un choix, tu ne le vois pas ? Tu pourrais choisir de me perdre ?

– Non. Mais moi je n'ai pas à choisir.

– Tu te rappelles ce que tu disais au sujet de Pilgrim ? Qu'il s'était avancé sur le pont pour voir ce qu'il y avait de l'autre côté, et qu'il avait choisi d'accepter ? Mais si l'on voit la souffrance et la peine, seul un idiot choisirait de traverser le pont.

– Eh bien, pour nous, ce sera la souffrance et la peine.

Il acquiesça. Annie sentit monter en elle une bouffée de colère. Contre lui qui avait prononcé les paroles qu'elle reconnaissait pour justes au fond de son cœur, et contre elle-même pour les pleurs qui torturaient son corps.

– Tu ne m'aimes pas, dit-elle, en se haïssant aussitôt pour ce puéril accès d'auto-apitoiement – et plus encore pour son sentiment de victoire quand elle vit des larmes dans les yeux de Tom.

– Oh, Annie... Tu ne sais pas combien je t'aime.

Elle pleura dans ses bras et perdit la notion du temps et de l'espace. Elle lui dit qu'elle ne pouvait pas vivre sans lui, mais ne vit pas un mauvais présage dans le fait qu'il lui réponde que c'était vrai pour lui, mais non pour elle. Il dit qu'avec le temps elle finirait par considérer cette expérience non avec regret, mais comme un cadeau de la nature qui avait embelli leurs vies.

Quand elle eut versé toutes les larmes de son corps, elle se rafraîchit le visage dans l'eau froide du bassin. Il trouva une serviette et l'aida à éponger les coulées de mascara. Ils attendirent, sans presque plus parler, d'avoir repris une contenance. Puis, séparément, quand la voie fut libre, ils s'en allèrent.

35

ANNIE se faisait l'effet d'une créature de la vase observant le monde depuis le fond d'une mare. C'était la
première fois qu'elle prenait un somnifère depuis des mois.
Il s'agissait de ces pilules réputées pour être en usage chez
les pilotes de ligne – ce qui est censé vous donner
confiance dans les somnifères et non vous faire douter des
pilotes. De fait, quand par le passé elle en avait pris de
façon régulière, les effets secondaires avaient été minimes.
Ce matin, elle avait le crâne pris sous une épaisse couverture paralysante qu'elle était impuissante à déplacer, mais
qui lui laissait tout de même assez de lucidité pour qu'elle
pût se rappeler les raisons – tout à fait fondées – de son
acte.

Elle était à peine sortie de la grange que Grace était venue
la trouver pour lui annoncer carrément qu'elle voulait partir.
Elle avait l'air pâlichon et contrarié, mais quand Annie lui
avait demandé ce qui n'allait pas, elle avait répondu que
c'était seulement la fatigue, en fuyant son regard. Sur le chemin du retour, elle avait à peine desserré les dents. Et lorsque
sa mère lui avait de nouveau demandé si tout allait bien, elle
avait répété qu'elle se sentait fatiguée et avait mal au cœur.

– C'est le punch?
– J'en sais rien.
Tu en as bu combien de verres?

– Je sais pas ! C'est rien du tout, n'en fais pas une montagne !

Elle monta directement se coucher et, quand sa mère vint l'embrasser, elle se contenta de marmonner, tournée vers le mur. Exactement comme aux premiers temps de leur installation. Annie s'était jetée sur ses somnifères.

Elle tendit le bras vers sa montre et dut forcer son cerveau embrumé à se concentrer sur le cadran. Presque huit heures. La veille, se rappelait-elle, Frank lui avait demandé si elle souhaitait les accompagner à l'église et cela lui avait paru tellement de circonstance, comme une sorte de punition finale, qu'elle avait dit oui. Tirant sa carcasse récalcitrante hors du lit, elle se traîna jusqu'à la salle de bains. La porte de Grace était légèrement entrouverte. Elle décida de prendre un bain avant de réveiller sa fille avec un jus de fruits.

Allongée dans les vapeurs d'eau, elle tenta de se raccrocher aux ultimes effets du somnifère. À travers les brumes, elle sentait déjà la froide géométrie de la douleur qui se dessinait en elle. *Des formes habitent en toi – et à ces points et lignes, il te faudra t'accoutumer.*

Une fois habillée, elle alla chercher le jus de fruits de Grace à la cuisine. Il était huit heures trente. Depuis que sa somnolence s'était dissipée, elle avait cherché une diversion dans le fait de dresser mentalement la liste des tâches à accomplir pour son dernier jour au ranch. Boucler les bagages ; nettoyer la maison ; faire le plein d'essence et vérifier la pression des pneus, acheter des provisions pour la route, régler la note...

En arrivant sur le palier, elle constata que la porte de Grace n'avait pas bougé. Elle frappa et entra. Les rideaux étaient restés tirés et elle traversa la pièce pour les écarter légèrement. Il faisait très beau.

En se retournant, elle vit que le lit était vide.

Ce fut Joe qui découvrit que Pilgrim avait disparu lui aussi. À ce moment-là, ils avaient déjà fouillé à fond chaque bâtiment – sans trouver trace de Grace. Ils s'étaient séparés pour ratisser les bords de la rivière, les jumeaux braillant le nom de Grace à tout bout de champ, sans obtenir d'autre réponse que le pépiement des oiseaux. Puis Joe était monté des corrals en hurlant que le cheval n'était plus là, et tout le monde était alors revenu en courant vers la grange pour constater que le harnais et la selle avaient également disparu.

— Pourquoi se faire de la bile ? déclara Diane. Elle est allée se balader, c'est tout.

Tom remarqua le regard angoissé d'Annie. Tous deux savaient que c'était plus grave.

— Elle avait déjà agi de cette façon par le passé ?

— Jamais.

— Comment était-elle en montant se coucher ?

— Calme. Elle avait un peu mal au cœur. Comme si elle était contrariée.

Annie avait l'air si fragile et bouleversé que Tom aurait voulu la prendre dans ses bras pour la réconforter, ce qui aurait paru tout naturel, mais il n'osa pas en présence de Diane et Frank prit sa place.

— Diane a raison. Il n'y a pas de raison de s'inquiéter.

Annie regardait toujours Tom.

— Et Pilgrim ? Il n'y a pas de danger pour elle ? Elle ne l'a monté qu'une fois...

— Lui, ça ira, dit Tom.

Ce n'était pas tout à fait un mensonge. La vraie question, c'était de savoir si « ça irait » pour Grace – et tout dépendait de sa disposition d'esprit.

— Je pars avec Frank. On va tâcher de la retrouver.

Joe déclara qu'il voulait venir aussi, mais Tom refusa et l'envoya avec les jumeaux seller les chevaux, tandis que lui et Frank allaient se changer.

Tom fut le premier sorti. Abandonnant Diane à la cuisine, Annie le suivit dans la véranda et l'accompagna à la grange. Ils n'auraient pas d'autre occasion de se parler.

— Je crois que Grace sait...

Elle parlait à voix basse en regardant droit devant elle. Elle se dominait à grand-peine. Tom opina gravement.

– Je le pense aussi.

– Je regrette...

– Ne regrette rien, Annie. Jamais.

Ils n'en dirent pas plus, car Frank les rattrapait en courant et le trio marcha en silence jusqu'à l'endroit où Joe avait attaché les chevaux.

– On voit ses traces, remarqua Joe.

Il désigna les marques nettes dans la poussière. Pilgrim avait des fers particuliers. Ces empreintes étaient sans aucun doute les siennes.

Au moment de lancer son cheval au galop, Tom jeta un coup d'œil en arrière, mais Annie n'était plus là. Diane avait dû la ramener à l'intérieur. Seuls les gosses les regardaient. Il les salua de la main.

Ce n'était qu'en trouvant les allumettes dans sa poche que Grace avait eu cette idée... Elle les avait fourrées là après s'être entraînée à exécuter un tour que son père lui avait montré à l'aéroport, en attendant l'avion.

Elle ne savait pas depuis combien de temps elle était partie. Sûrement un bon bout de temps, car le soleil était haut. Elle chevauchait comme une folle, de façon délibérée, de tout son cœur, se jetant dans la démence et exhortant Pilgrim à retrouver la sienne. Il avait reçu ce message et foncé ventre à terre toute la matinée, l'écume aux lèvres, telle la monture d'une sorcière. On l'aurait dit prêt à s'envoler.

Au début, elle n'avait pas eu de but, seulement une rage aveugle, destructrice, qui n'avait pas encore trouvé sa cible et aurait pu aisément se reporter sur un tiers. En sellant Pilgrim aux premières lueurs de l'aube, elle n'avait voulu que les punir. Leur donner des remords pour ce qu'ils avaient fait. Ce n'était qu'en atteignant les pâturages, quand elle avait galopé au contact de l'air frais, qu'elle s'était mise à pleurer. De grosses larmes avaient ruisselé sur ses joues et, penchée sur l'encolure de son cheval, elle avait donné libre cours à ses sanglots.

Maintenant que Pilgrim s'abreuvait à la mare du plateau, sa fureur n'avait pas diminué, mais s'était comme distillée. Elle passa la main sur son cou en sueur et revit en esprit les deux silhouettes des coupables sortant furtivement de l'ombre de la grange, comme des chiens dans la cour d'une boucherie, croyant passer inaperçues. Elle revoyait sa mère, son maquillage barbouillé par le vice et les joues encore rouges, lui demandant la bouche en cœur si tout allait bien.

Comment Tom avait-il pu agir ainsi? Son Tom. Lui qui avait été si gentil, il avait montré son vrai visage. Tout cela n'avait été qu'un numéro, un bon prétexte pour cacher leurs manigances... Dire qu'il n'y avait qu'une semaine – une semaine! – qu'il avait bavardé et rigolé avec son père. Et tout le monde était au courant, tout le monde. Diane l'avait bien dit. Elle avait dit que sa mère avait le feu aux fesses. C'était à vous rendre malade, complètement malade.

En haut du plateau, par-delà la crête, elle aperçut le premier col, taillé comme une cicatrice arrondie dans la montagne. Là-haut, dans la cabane où ils s'étaient amusés tous ensemble – c'était là-haut que tout s'était passé. Ils avaient souillé, abîmé ce lieu. Sa mère avait menti sans vergogne. Inventer qu'elle partait s'isoler là-bas pour « faire le point ». Tu parles!

Elle allait leur montrer. Elle avait les allumettes. Tout flamberait comme du papier. On retrouverait ses os calcinés dans les cendres, et ils regretteraient. Oh oui, ils regretteraient.

Il était difficile de déterminer l'avance qu'elle avait prise. Tom connaissait un jeune Indien de la réserve qui était capable de dire, en voyant une trace, à quelle heure elle avait été faite, pratiquement à la minute près. En sa qualité de chasseur, Frank avait d'assez bonnes notions de ces choses, supérieures à celles de Tom, mais insuffisantes toutefois pour lui permettre de se prononcer. On pouvait seulement dire qu'elle menait Pilgrim à un train d'enfer et que, si ça continuait, il allait finir à genoux.

Ils devinèrent qu'elle se dirigeait vers les hauts pâturages avant même d'avoir repéré les traces de sabots dans la vase de la mare. Grâce à Joe qui l'avait emmenée en balade, elle connaissait bien les parties basses du ranch, mais elle n'était venue qu'une seule fois en altitude, lors du rassemblement des troupeaux. Si elle cherchait un refuge, le seul endroit qu'elle connaissait, c'était la cabane. Du moins si elle se rappelait le chemin, une fois arrivée à la hauteur des cols. Après deux semaines d'été, le paysage avait changé. Même sans la tornade qui – à en juger par son allure – tempêtait dans son crâne, elle pouvait facilement se perdre.

Frank mit pied à terre et alla examiner de plus près les empreintes au bord de l'eau. Il ôta son chapeau et essuya son visage en sueur après sa manche. Tom descendit lui aussi et retint les bêtes pour les empêcher d'effacer les indices.

– Qu'est-ce que tu en dis?

– J'hésite... C'est déjà sec, mais avec ce soleil ça ne veut rien dire. Une demi-heure, peut-être plus.

Laissant les bêtes se désaltérer, ils s'épongèrent le front et regardèrent vers le sommet du plateau.

– Je pensais qu'on la verrait..., dit Frank.

– Moi aussi.

Pendant un moment, plus personne ne parla. On n'entendait plus que les lapements des bêtes.

– Tom?

Il se retourna et remarqua le sourire gêné de son frère.

– Ça ne me regarde pas, mais la nuit dernière, Diane... tu sais, elle avait un verre dans le nez... on était à la cuisine, et elle a fait des commentaires sur toi et Annie... Enfin, ça n'est pas nos affaires.

– C'est bon, continue.

– Elle a dit un ou deux trucs, et puis Grace est entrée... Je n'ai pas de certitude, mais il se peut qu'elle ait entendu...

Tom hocha la tête. Frank lui demanda si Diane avait eu raison, et Tom répondit que oui. Les deux frères se regardèrent, et la douleur que Tom avait dans le cœur devait se refléter dans ses yeux, car Frank dit

– T'es bien accroché, hein ?

– Autant qu'on peut l'être...

Sans ajouter un mot, ils éloignèrent les bêtes du point d'eau et se remirent en route.

Ainsi Grace savait – peu lui importait comment elle l'avait appris. C'était bien ce qu'il avait craint, avant même que Annie eût exprimé cette peur à haute voix. Quand Grace avait quitté la fête, il lui avait demandé si elle s'était amusée, et elle l'avait à peine regardé. Comme elle devait souffrir, pour avoir fichu le camp... Une souffrance dont il était la cause, et qui ajouta à sa peine.

Sur la ligne de crête, ils s'attendaient là encore à la voir, mais cet espoir fut déçu. Les traces, quand ils les repérèrent, montraient un léger ralentissement de son allure. Elle ne s'était arrêtée qu'une fois, à une cinquantaine de mètres du seuil du défilé. On avait l'impression qu'elle avait freiné Pilgrim et décrit un petit cercle comme pour réfléchir ou examiner quelque chose. Puis elle était repartie au galop.

Frank tira sur ses rênes juste à l'endroit où le terrain montait brutalement entre les pins. Il désigna le sol à l'attention de Tom.

– Qu'est-ce que ça signifie ?

Il y avait là de nombreuses empreintes de sabots, parmi lesquelles on reconnaissait clairement celles de Pilgrim. Impossible de dire quelles étaient les plus récentes.

– Les mustangs de la hippie..., déclara Frank.

– Ça m'en a tout l'air...

– Je ne les avais jamais vus à cette altitude. Et toi ?

– Non.

Ils entendirent le vacarme dès qu'ils atteignirent le tournant qui se trouvait environ au milieu du col, et s'arrêtèrent pour écouter. C'était un profond grondement que Tom prit pour une chute de pierres quelque part, parmi les arbres. Il entendit alors un concert de clameurs aiguës et sut qu'il s'agissait des chevaux.

Ils gagnèrent en vitesse mais avec prudence la sortie du

défilé, s'attendant à tout moment à tomber sur une cavalcade de mustangs. Mais à part les traces, ils ne firent pas de rencontres. Difficile d'évaluer leur nombre. Une bonne dizaine, d'après Tom.

À son point culminant, le col bifurquait comme les jambes d'un pantalon serré en deux pistes divergentes. Pour accéder aux hauts pâturages, il fallait prendre à droite. Ils firent de nouveau halte pour étudier le sol. Il avait été si piétiné que l'on ne pouvait plus distinguer les traces de Pilgrim ni deviner par où il était passé.

Les frères se séparèrent, Tom prenant à droite et Frank à gauche. Quelques mètres plus loin, Tom retrouva les empreintes de Pilgrim, mais elles se dirigeaient vers le bas et non vers les hauteurs. Un peu plus loin, il y avait encore des traces de piétinements, qu'il s'apprêtait à considérer lorsque Frank le rappela.

Lorsqu'il l'eût rejoint en tirant sur les rênes, Frank lui demanda d'écouter. Pendant un moment, rien. Puis, Tom entendit aussi de nouveaux cris frénétiques.

– Où mène cette piste ?

– Je ne sais pas. Je ne suis jamais passé par là.

Tom planta ses talons dans les flancs de Rimrock, et le cheval s'élança au grand galop.

La piste montait, descendait, remontait. Elle était tortueuse, étroite, et de chaque côté les arbres étaient si rapprochés qu'ils semblaient défiler dans l'autre sens, comme animés d'un mouvement propre. Ici et là, des troncs s'étaient abattus en travers de la piste. Il les franchissait en baissant la tête ou en s'élevant d'un bond. Rimrock n'hésita pas une seule fois, mais passa tous les obstacles en calculant son allure et sans frôler la moindre branche.

Au bout de quelques centaines de mètres, le terrain descendait de nouveau puis butait sur une côte raide et encombrée de rochers où la piste se prolongeait en formant un long croissant ascendant. Dessous, le sol tombait à pic sur un chaos obscur de pins et de rochers.

Le chemin conduisait à ce qui se révéla être quelque vaste et ancienne carrière creusée dans le calcaire, tel un chaudron de géant qui aurait craqué et déversé son contenu dans la montagne. De là où il était, sous le martèlement des sabots de Rimrock, Tom entendit à nouveau les hurlements des chevaux. Puis il entendit un autre cri et comprit, avec un coup au cœur, que c'était Grace. Ce ne fut que lorsque Rimrock atteignit le rebord du chaudron, qu'il vit ce qui se passait.

La fillette était recroquevillée contre la muraille du fond, prise au piège d'un tourbillon de juments hurlantes. Elles étaient sept ou huit, qui tournaient avec leurs poulains, et chaque passage les affolait davantage. L'écho de leurs clameurs contre les parois ne faisait que redoubler leur panique, et la poussière qu'elles soulevaient les aveuglait et mettait le comble à leur terreur. Au milieu, ruant, criant, et se battant à coups de sabots, se trouvaient Pilgrim et l'étalon blanc.

– Mon Dieu !

Frank venait de parvenir à sa hauteur. Son cheval regimba en découvrant le spectacle, et il dut tirer fermement sur les rênes et décrire un petit cercle avant de venir se ranger au côté de son frère. Rimrock n'avait pas bougé en dépit de son trouble. Grace ne les avait pas vus. Tom mit pied à terre et confia ses rênes à son frère.

– Reste là au cas où j'aurais besoin de toi, mais il faudra dégager en vitesse quand elles sortiront...

Frank hocha la tête.

Il partit sur la gauche, le dos à la muraille, sans quitter les juments des yeux. Elles tournoyaient devant lui comme un manège fou. La poussière lui piquait la gorge, formant un rideau si dense que, derrière les juments, Pilgrim n'était plus qu'une tache sombre qui se détachait sur la forme blanche de l'étalon cabré.

Grace n'était plus qu'à quelques pas de lui. Enfin, elle l'aperçut. Elle était livide.

– Tu es blessée ? lança-t-il.

Grace essaya de crier pour lui signaler qu'elle allait bien, mais sa voix était trop ténue pour porter à travers le vacarme et la poussière. Elle s'était fait mal à l'épaule et tordu la cheville en tombant, mais c'était tout. Si elle était paralysée, c'était de peur – plus pour Pilgrim que pour elle-même. Elle voyait les gencives roses de l'étalon blanc chaque fois qu'il tailladait l'encolure de Pilgrim, d'où avait jailli un sang noir. Mais le pire, c'étaient ces cris – des cris qu'elle avait déjà entendus jadis, en un autre lieu, par un matin d'hiver ensoleillé.

Elle vit Tom ôter son chapeau et s'avancer en l'agitant devant les juments en furie. Elles pilèrent et détalèrent dans l'autre direction, en se heurtant à celles qui arrivaient par-derrière. Lorsqu'elles furent toutes reparties, il les suivit rapidement, en les chassant devant lui, loin des deux mâles. L'une essaya de s'enfuir sur la droite, mais il la contourna et la remit dans le droit chemin. À travers le nuage de poussière, Grace vit un autre homme, peut-être Frank, qui éloignait deux chevaux du gouffre. Les juments sortirent comme un ouragan, les poulains dans leur sillage, et se sauvèrent sans demander leur reste.

Tom se retourna et longea la paroi, laissant de l'espace aux deux combattants pour, Grace le supposait, ne pas les attirer vers elle. Il s'arrêta à peu près au même endroit que la dernière fois, et l'appela de nouveau.

– Reste où tu es. Ne t'inquiète pas.

Puis, sans montrer aucune peur, il s'approcha du lieu du combat. Grace vit ses lèvres bouger, mais elle n'entendit pas ce qu'il disait au milieu des hurlements. Peut-être se parlait-il à lui-même, ou peut-être qu'elle s'était fait des idées.

Il ne s'arrêta que lorsqu'il fut juste devant eux et, là seulement, ils semblèrent se rendre compte de sa présence. Elle le vit allonger le bras pour s'emparer des rênes de Pilgrim. Fermement, mais sans geste violent, il força le cheval à reposer les antérieurs à terre, et l'écarta de son adversaire. Puis il le fit détaler d'une bonne claque sur la croupe.

Ainsi contrarié, l'étalon reporta son courroux sur Tom. La scène qui suivit devait hanter Grace jusqu'à la fin de ses jours. Jamais elle ne saurait ce qui s'était réellement passé. L'animal se déplaça en cercles resserrés, secouant la tête et projetant de ses sabots des jets de sable et d'éclats de pierre. À présent que les autres étaient partis, sa rage semblait prendre possession de l'espace et grandir à chaque écho que renvoyaient les parois. Pendant un moment, il parut ne savoir que faire de cet homme qui se tenait, sans peur, devant lui.

Tom aurait pu s'écarter. Deux ou trois pas l'auraient soustrait à la portée des sabots et mis hors de danger. Le cheval, croyait Grace, l'aurait épargné pour rejoindre sa horde. Mais Tom fit un pas en avant.

À l'instant où il s'avançait, comme s'il n'attendait que cela, l'étalon se cabra devant lui avec un hurlement. Mais là encore, Tom aurait pu s'écarter. Une fois, Grace avait vu Pilgrim se cabrer devant lui et elle avait remarqué avec quelle adresse il parait le danger. Il savait où les sabots allaient retomber, quel muscle allait bouger et pourquoi – avant même que le cheval le sût lui-même. Pourtant, ce jour-là, Tom ne s'esquiva pas ni ne baissa la tête, et sans même un tressaillement il fit un pas en avant.

Le voile de poussière était encore trop épais pour que Grace pût en avoir la certitude, mais elle crut voir Tom ouvrir légèrement les bras, dans un geste si minimal qu'elle l'avait peut-être imaginé, et montrer ses paumes. On eût dit qu'il offrait quelque chose à la bête, et c'était peut-être ce qu'il avait toujours offert, le don de l'alliance et de la paix. Mais même si elle ne devait jamais pouvoir le dire à quiconque, elle eut la brusque et vive impression que c'était autre chose et que Tom, sans peur ni désespoir, faisait cette fois le don de lui-même.

Puis, avec un bruit terrible, suffisant pour ratifier son trépas, les sabots s'abattirent sur sa tête et le fracassèrent comme une idole d'argile.

L'étalon se cabra encore, mais moins haut, et seulement pour éviter de retomber sur le corps de l'homme. Pendant un moment, il parut déconcerté par une si prompte capitulation et piaffa dans la poussière autour de la tête. Puis agitant sa crinière, il poussa un dernier cri, fit une embardée, et gagna le haut du gouffre avant de disparaître.

Cinquième partie

36

Cette année-là, Chatham connut un printemps tardif. Une nuit, dans les derniers jours d'avril, il tomba un bon pied de neige. C'était une neige lourde, languide, qui disparut dans la journée, mais Annie craignit pour les bourgeons en train de se former sur les six petits cerisiers. Pourtant, en mai, lorsque le monde se réchauffa, ils semblèrent reprendre des forces et la floraison fut spectaculaire.

À présent, le plus beau était passé. Les fleurs roses pâlissaient et se bordaient délicatement de brun. Le moindre souffle d'air délogeait une nouvelle rafale de pétales qui allaient joncher l'herbe sur une vaste circonférence. Ceux qui tombaient tout seuls se perdaient dans l'herbe folle au pied des troncs. Certains trouvaient un bref et ultime répit sur le tulle blanc du berceau qui, depuis que le temps s'était adouci, restait toute la journée dans l'ombre pommelée.

C'était un vieux berceau en osier tressé. Il avait été transmis par une tante de Robert à la naissance de Grace après avoir abrité plusieurs bébés promis à un avenir d'hommes de loi plus ou moins distingués. Le tulle, dans l'ombre duquel Annie se tenait maintenant, était neuf. Elle avait remarqué que l'enfant aimait regarder les pétales s'y déposer et se garda donc d'y porter la main. En se penchant, elle vit qu'il était endormi.

Il était encore trop tôt pour dire à qui il ressemblait. Sa

405

peau était pâle et ses cheveux châtain clair, avec toutefois des reflets roux qui lui venaient sûrement d'Annie. Depuis bientôt trois mois qu'il était né, ses yeux étaient restés indéniablement bleus.

Le médecin lui avait conseillé d'attaquer en justice. Le stérilet était en place depuis seulement quatre ans, soit une année de moins que sa durée d'utilisation conseillée. À l'examen, le cuivre s'était révélé complètement usé. Le fabricant préférerait transiger plutôt que de s'attirer une mauvaise publicité. Annie s'était contentée d'en rire – réaction qui lui ressemblait si peu qu'elle en avait été choquée. Non, avait-elle dit, elle ne voulait attaquer personne. Et du reste, en dépit de ses tristes antécédents et de l'éloquent tableau des risques que le praticien lui avait brossé, elle tenait à mener sa grossesse à terme.

Si les choses avaient mal tourné, elle se demandait si cela ne leur aurait pas été fatal à tous. Cela aurait pu, aurait dû, aggraver la situation, devenir un amer point de fixation à toutes leurs peines. Au contraire, après le choc de la révélation, sa grossesse avait, petit à petit, apporté la guérison et une sorte de calme purificateur.

Annie sentit ses seins se gonfler et, pendant un instant, hésita à réveiller l'enfant pour l'allaiter. Il était très différent de Grace. Très tôt, sa fille s'était montrée agitée en tétant, comme si le sein ne pouvait la contenter et, à cet âge déjà, elle était au biberon. Ce petit-là s'accrochait simplement au sein et tétait en vieil habitué. Et quand il était repu, il s'endormait.

Elle consulta sa montre. Presque quatre heures. Dans une heure, Robert et Grace quitteraient New York. Annie envisagea de rentrer pour se remettre au travail, puis changea d'avis. Elle avait passé une bonne journée et le texte auquel elle travaillait, quoique d'un style et d'un contenu diamétralement différents de ses écrits d'autrefois, prenait tournure. Elle décida de longer la mare et d'aller voir les chevaux. À son retour, le bébé serait probablement réveillé.

Tom Booker avait été inhumé auprès de son père. Annie le tenait de Frank. Il lui avait écrit une lettre, qui était arrivée à Chatham un mercredi matin, à la fin de juillet, alors qu'elle était seule et qu'elle venait de découvrir sa grossesse.

La cérémonie, disait Frank, aurait dû se dérouler dans la plus stricte intimité. Mais ce jour-là, quelque trois cents personnes s'étaient présentées, dont certaines venaient d'aussi loin que Charleston ou Santa Fe. Comme l'église était trop petite pour contenir tout ce monde, on avait ouvert largement les portes et la foule s'était massée au soleil.

Frank ajoutait qu'il savait qu'Annie serait contente de le savoir.

Quant à l'objet principal de sa lettre, poursuivait-il, il se trouvait que, la veille de sa mort, Tom avait apparemment déclaré à Joe qu'il voulait faire un cadeau à Grace. Tous les deux avaient pensé lui offrir le poulain de Bronty. Frank voulait savoir ce qu'elle en pensait. Si elle estimait que c'était une bonne idée, il était disposé à expédier le poulain avec Pilgrim dans la remorque.

C'était Robert qui avait eu l'idée de construire l'écurie. Annie la voyait à présent dressée au fond de la longue avenue de noisetiers qui décrivait une courbe depuis la mare. La construction se découpait en sombre contre la rangée de peupliers et de bouleaux dans leurs habits neufs de feuillage. La voir était toujours une surprise. La couleur du bois avait à peine passé, comme pour celui du nouveau portail et de l'enclos attenant. Les différentes nuances de vert des arbres étaient si vives, si intenses, qu'on s'attendait presque à les entendre bourdonner.

À son approche, les chevaux levèrent la tête puis se remirent tranquillement à brouter. Le « poulain » de Bronty était devenu un turbulent yearling qui, en public, était traité par Pilgrim avec morgue. C'était surtout pour la galerie, car elle les avait plus d'une fois surpris à s'ébattre ensemble. Elle s'accouda au portail et les observa.

Grace entraînait le poulain tous les week-ends. Il n'y avait qu'à la regarder pour mesurer tout ce qu'elle avait appris auprès de Tom. On le voyait dans ses gestes, même dans sa façon de parler à l'animal. Elle ne le bousculait jamais, se contentait de le mettre sur la voie. Il promettait. On pouvait déjà observer chez lui la douceur propre aux chevaux du Double Divide. Grace l'avait baptisé Gully, après avoir demandé à Annie si les parents de Judith ne seraient pas fâchés. Annie avait répondu qu'elle était sûre que non.

Ces derniers temps, il lui était difficile de penser à sa fille sans un mélange de respect et d'émerveillement. La petite, qui allait sur ses quinze ans, était un miracle constamment renouvelé.

Le souvenir de la semaine qui avait suivi la mort de Tom restait brumeux, et c'était sans doute mieux pour toutes les deux. Elles étaient reparties à New York dès que Grace avait été en état de supporter le voyage. Pendant des jours, elle était restée prostrée.

La vue des chevaux un certain matin d'août, avait, sem-blait-il, provoqué le changement. Cette vision avait déver-rouillé une vanne et pendant deux semaines elle avait pleuré et s'était purgée de sa douleur. Cela aurait pu tous les ache-ver. Mais dans le calme surabondant qui avait suivi la crise, elle avait paru reprendre pied et décider, comme Pilgrim, de survivre.

Ce jour-là, Grace était devenue adulte. Mais parfois, quand elle ne se savait pas observée, on pouvait saisir dans son regard quelque chose qui était plus qu'une maturité d'adulte. Par deux fois elle était allée aux enfers et par deux fois elle en était revenue. Elle avait vu des choses et glané là-bas une sorte de sagesse triste et calme, qui était aussi vieille que l'humanité.

À l'automne, Grace retourna à l'école et l'accueil qu'on lui réserva valait bien un millier de séances chez sa nouvelle thé-rapeute qu'elle continuait néanmoins à voir une fois par semaine. Quand enfin, dans les affres de l'inquiétude, Annie lui avait parlé du bébé, Grace avait été transportée de joie.

Pas une fois jusqu'à ce jour elle n'avait demandé qui était le père.

Robert non plus. Nul test n'avait établi la vérité, et il n'avait pas cherché à savoir. Comme s'il préférait la possibilité que l'enfant fût le sien à la certitude du contraire.

Annie lui avait tout raconté. Et de même que ses sentiments mêlés de culpabilité resteraient à jamais gravés dans son cœur comme dans celui de sa fille, jamais elle n'oublierait la douleur qu'elle avait infligée à Robert.

Pour le bien de Grace, ils avaient ajourné toute décision engageant l'avenir de leur couple – à supposer qu'il en eût un. Annie restait à Chatham, Robert à New York. Grace faisait la navette entre eux, réparant fil après fil le tissu déchiré de leurs vies. Depuis la rentrée scolaire, elle venait à Chatham tous les week-ends, en général par le train. Parfois, pourtant, Robert la conduisait en voiture.

Au début, il la déposait, l'embrassait et, après quelques mots de politesse avec Annie, repartait directement à New York. Un certain vendredi soir d'octobre où il pleuvait des cordes, Grace le décida à rester. Ils dînèrent ensemble. Avec Grace, il était toujours drôle et affectueux. Avec Annie, réservé, ni plus ni moins que courtois. Il dormit dans la chambre d'amis et repartit le lendemain de très bonne heure.

C'était devenu une sorte de routine tacite du vendredi. Et même s'il n'était jamais resté plus d'une nuit, son départ intervenait de plus en plus tard dans la journée du lendemain.

Le samedi avant Thanksgiving, ils allèrent prendre tous ensemble le petit déjeuner à La Boulangerie. C'était la première fois qu'ils s'y rendaient en famille depuis l'accident. Sur le trottoir, ils tombèrent sur Harry Logan. Il fit grand cas de Grace et la fit rougir en déclarant qu'elle avait bien grandi et qu'elle était superbe. C'était vrai. Il leur demanda s'il pouvait passer dire bonjour à Pilgrim un jour prochain, et ils répondirent que ce serait avec plaisir.

409

Apparemment, personne à Chatham n'avait eu vent de ce qui s'était passé dans le Montana, si ce n'est que le cheval était guéri. Harry regarda le ventre rebondi d'Annie, hocha la tête et sourit.

– Ça me réjouit de vous voir réunis tous les trois – tous les quatre ! Je suis très, très heureux pour vous.

C'était un miracle si, après toutes ces fausses couches, elle avait réussi à atteindre le terme sans difficulté. L'obstétricien avait déclaré qu'on voyait d'étranges choses chez les femmes âgées. Merci bien, avait dit Annie.

Le bébé naquit début mars par une césarienne planifiée. On lui avait demandé si elle voulait une péridurale pour pouvoir assister à l'accouchement, ce à quoi elle avait répondu : « Non merci, donnez-moi tout ce que vous avez en rayon ! » Elle s'était réveillée, comme la première fois, pour trouver le bébé sur l'oreiller. Robert et Grace étaient présents, et ils avaient ri et pleuré tous ensemble.

On l'avait nommé Matthew, comme le père d'Annie.

À présent, voilà que des vagissements lui parvenaient, portés par la brise. Lorsqu'elle se détourna du portail pour repartir en direction des cerisiers, les chevaux ne relevèrent même pas la tête.

Elle l'allaiterait, puis irait le changer dans la maison. Ensuite, elle le ferait asseoir dans un coin de la cuisine, pour qu'il pût la contempler de ses yeux bleu glacier tandis qu'elle préparerait le dîner. Peut-être réussirait-elle à persuader Robert de rester jusqu'à la fin du week-end. Comme elle passait devant la mare, des canards sauvages s'envolèrent dans un battement d'ailes.

Il y avait encore une chose dans la lettre que Frank lui avait envoyée l'été dernier. En rangeant la chambre de Tom, il avait trouvé sur la table une enveloppe au nom d'Annie, et l'avait jointe à son envoi.

Annie contempla longuement l'enveloppe avant de l'ouvrir. C'était étrange de penser qu'elle n'avait encore jamais vu son écriture. À l'intérieur, dans une simple feuille de papier blanc pliée, se trouvait la boucle qu'il lui avait confisquée lors de la dernière nuit qu'ils avaient passée ensemble dans la petite maison. Sur la feuille de papier, il avait écrit : *Pour que tu n'oublies pas.*

Tous mes remerciements à :

Huw Alban Davies, Michelle Hamer, Tim Galer, Josephine Haworth, Patrick de Freitas, Bob Peebles et sa famille, Tom Dorrance, Ray Hunt, Buck Brannaman, Leslie Desmond, Lonnie et Darlene Schwend, Beth Ferris et Bob Ream, ainsi que les deux routiers, Rick et Chris, qui m'ont emmené en balade dans leur « fourmilier ».

Et surtout, toute ma reconnaissance à quatre grands amis Fred et Mary Davis, Caradoc King et James Long ; et à Robbie Richardson, qui m'a parlé le premier des « Chuchoteurs ».

Cet ouvrage a été imprimé sur du papier sans bois et sans acide.

Aubin Imprimeur

LIGUGÉ, POITIERS

Cet ouvrage a été imprimé sur du papier Zéphyr
de la papeterie Vizille
par Aubin Imprimeur (Ligugé)
et relié par la Nouvelle Reliure Industrielle (Auxerre)
pour France Loisirs

N° d'édition 27062 / N° d'impression L 51537

Dépôt légal, septembre 1996

Imprimé en France